LA PENSÉE ET L'ACTION ÉCONOMIQUES
DU CARDINAL DE RICHELIEU

HENRI HAUSER

Professeur honoraire à la Sorbonne
et au Conservatoire National des Arts et Métiers

LA PENSÉE ET L'ACTION
ÉCONOMIQUES

DU

CARDINAL DE RICHELIEU

PRESSES UNIVERSITAIRES DE FRANCE
108, Boulevard Saint-Germain, PARIS

1944

AVANT-PROPOS

Le présent ouvrage a pour origine un cours public professé à la Sorbonne en 1934-35. Les onze leçons dont il se composait ont paru alors, sous leur forme première, dans la Revue des Cours et Conférences *(1).* Certaines parties du sujet ont été esquissées devant l'Université libre de Bruxelles et devant l'Université de Liége. Une note sur Les *relations commerciales entre la France et l'Espagne et la politique de Richelieu a été lue au Congrès national des Sciences historiques, tenu à Montpellier en 1937 (2). Un résumé sur Richelieu et le commerce du Levant a fait l'objet d'une communication au Congrès international de Zurich, le 1er septembre 1938 (3).*

En relisant, en essayant de réviser et compléter mes leçons d'il y a quatre ou cinq ans, je ne me dissimule pas combien cet ouvrage demeure imparfait. Si j'ai pu ajouter quelque chose à nos connaissances, c'est surtout, qu'on me passe le mot, grâce à des « découvertes » dans les fonds du ministère des Affaires étrangères (Correspondance politique : Turquie, et Mémoires : France). Mon intention était alors, avant d'entreprendre une rédaction définitive, de reprendre le dépouillement du fonds France, et, si les travaux de M. Albert Girard me dispensaient du même labeur pour le fonds Espagne, de voir minutieusement les fonds Angleterre, Allemagne, Russie, Danemark et autres.

Les circonstances, après avoir suspendu mes recherches, m'ont rendu quasi impossible la fréquentation des inestimables Archives du Quai d'Orsay. Je me décide donc à utiliser mes notes telles qu'elles sont, et à publier, malgré ses lacunes, un texte dont j'espère qu'il jettera cependant sur le sujet quelque lumière.

Rennes, octobre 1940.

On s'excuse de n'avoir pu, dans cet ouvrage, éviter de nombreuses répétitions et retours en arrière : le sujet, tout limité qu'il paraisse, est tellement complexe qu'un même fait, une même

(1) Numéros des 30 décembre 1934, 15 et 30 janvier, 15 février, 15 et 30 mars, 15 et 30 avril, 15 mai, 30 juin et 30 juillet 1935.
(2) Et repris dans la *Revue d'Histoire sociale.*
(3) *Actes du Congrès,* p. 392.

initiative gouvernementale, une même création industrielle ou commerciale ont besoin d'être étudiés sous des angles divers. Vouloir éviter ces redites aurait été « faire de fausses fenêtres pour la symétrie ».

De même on ne s'est pas toujours astreint à une stricte chronologie, parce que certaines séries de faits exigent d'être étudiées tout d'une haleine, avec leurs conséquences, et sans se soucier des interférences avec d'autres séries. Il ne s'agit pas ici d'un livre narratif, mais d'un essai pour comprendre et faire comprendre.

INTRODUCTION

Il est peu de figures historiques aussi multiformes et riches d'aspects divers que celle de Richelieu.

Dans l'admirable esquisse (face et deux profils) de Philippe de Champaigne qui est conservée à Londres (à la *National Gallery*), on a souvent remarqué que les deux profils diffèrent, qu'ils ne se raccordent très exactement ni entre eux, ni avec le visage où le maître, préludant au célèbre portrait en pied, a voulu peindre à la fois la profondeur et l'acuité du regard, la finesse élégante, l'aristocratique désinvolture et presque l'air cavalier, la dissimulation aussi, la volonté impérieuse et impatiente, la sensibilité frémissante, ardente, morbide, — on a dit quasi féminine, — voilée de nerveuse souplesse et même de grâce, enfin jusqu'à l'allure déclamatoire et à l'emphase qui se mêlent à tant de grandeur souveraine.

Faut-il, de cette méditation devant un chef-d'œuvre, retenir cette leçon qu'il y eut plusieurs hommes dans le cardinal-duc, à savoir le petit hobereau de pauvre noblesse, l'évêque nécessiteux du diocèse le plus crotté du royaume, le favori de la reine-mère, jusqu'au prince de l'Église et à l'homme d'État, humble serviteur et dominateur de son maître — joug aussi impossible à secouer que difficile à subir, — en un mot l'ami de son Roi ?

I

Lorsque, le 4 décembre 1942, les admirateurs et les détracteurs également passionnés marqueront, en l'église de Sorbonne, le trois centième anniversaire de la mort de Richelieu, j'imagine qu'ils vanteront ou qu'ils abomineront surtout le ministre qui réduisit à l'obéissance les nobles comme les huguenots, qui écrasa sans pitié les conspirateurs et les révoltés, qui sut briser l'hégémonie austro-espagnole et, pour garantir la sécurité et assurer la grandeur de la France, pétrir de ses mains une Europe nouvelle. On accordera aussi une pensée au « proviseur » de la docte maison où il a voulu reposer, au protecteur de l'Académie française, au bienfaiteur quelque peu accablant et au rival jaloux des auteurs qu'il faisait travailler à sa gloire. Restera-t-il assez de temps pour se demander s'il ne fut pas, par surcroît, un économiste ? Économiste de pensée, instruit des théories de son temps comme des courants commerciaux, et capable de discuter de ces problèmes ; économiste d'action aussi, qui essaya, au pouvoir, d'appliquer les doctrines qui lui paraissaient les meilleures, et de les faire servir à la prospérité matérielle de son pays.

Se demandera-t-on si ce trait n'est pas l'un des plus intéressants de l'énigmatique figure, l'un des plus dignes d'attirer l'attention ? Se dira-t-on que parmi les noms de ceux qui rêvèrent d'asseoir sur des bases solides et durables la richesse de la France, le sien est un des plus grands ?

On a du mal à s'en convaincre, à se dire qu'entre les meilleurs serviteurs de Henri IV — un Sully, un Laffemas — et Jean-Baptiste Colbert, Armand du Plessis tint une place de premier rang, et que son regard fut souvent plus clair et plus pénétrant que celui de ses successeurs plus vantés. La première et plus directe raison qui nous empêche de concevoir un Richelieu économiste, c'est qu'il nous semble étrange, contradictoire à nos idées toutes faites sur la dignité de l'histoire de penser que cet homme d'Église voué au service de son Roi, que ce cardinal d'État ait trouvé le temps de s'occuper de draps, de toiles et de soieries, d'épices, d'huiles et de matières tinctoriales, de sel, d'alun et de safran, de fer doux et de fer aigre. Il semblerait qu'il eût passé sa vie à faire des discours sur et contre les Habsbourg, à négocier des alliances et à lever et nourrir des armées, à briser des résistances individuelles ou corporatives, à réunir des tribunaux d'exception et à dresser des échafauds, ne s'arrachant par instants à ces gravissimes occupations que pour embrigader et régenter des poètes.

On a remarqué que les anciens biographes du cardinal, le P. Griffet et Thomas Basin, gardent sur les questions qui nous occupent un dédaigneux silence.

L'un des arguments qu'un homme qui avait pourtant beaucoup d'esprit — parfois trop d'esprit pour un historien, — que Voltaire faisait valoir contre l'authenticité — pour nous éclatante dans sa teneur générale — du *Testament politique* du cardinal, c'est que le style lui en paraissait trop libre, trop familier, parfois trop bas (1), comme la matière trop triviale, pour s'accorder à l'idée qu'il croyait devoir se faire d'un si grand homme d'État. Cependant Pascal nous avait déjà enseigné que les philosophes du temps jadis n'étaient pas toujours en robe

---

(1) Voy. les réflexions de M. Gabriel Hanotaux, *Maximes d'État*, p. xx.

et en bonnet carré ; ajoutons : ni les cardinaux toujours en
soutane, et barrette en tête. Voltaire se représentait-il Richelieu
mettant en son cabinet, comme M. de Buffon dans son Montbard,
des manchettes avant d'écrire ? Hélas ! ce perpétuel malade, qui
travaillait de nuit pour calmer ses insomnies, était plus souvent
en robe de chambre et en bonnet de coton, entre les clystères
et les tisanes, au milieu de secrétaires qui faisaient fonction
d'infirmiers. Philippe de Champaigne a négligé — et ne pouvait
que négliger — de le peindre en ces moments-là. Les verdeurs
de style, les vulgarités souvent voulues, les exclamations pres-
santes, les syllepses hardies et parfois synthétiques jusqu'à l'obs-
curité, les incorrections mêmes que nous relevons dans le *Testament* sont pour nous, aujourd'hui, des preuves supplémentaires
d'authenticité. Bossuet, plus tard, appellera chandelle une chandelle, et non pas flambeau. Richelieu parlait ainsi, et savait
qu'une chandelle, indispensable à qui écrit de nuit, est faite de
suif et de chanvre. Il savait que, pour donner à son Roi la maîtrise
de l'Europe, il était nécessaire de pouvoir remplir les caisses de
l'État, si promptes à se vider, — et par conséquent d'enrichir
les contribuables, et donc de leur faire gagner de l'argent, de
leur faire faire des affaires. Il est curieux que Voltaire ne s'en
soit pas avisé, lui qui, dans la grande œuvre qui est son plus beau
titre de gloire comme historien, l'*Essai sur les mœurs*, a, lui
premier, fait leur large place à ces personnages historiques que
sont le poivre et la cannelle, le sucre et les mousselines, et qui
déjà, dans ses *Lettres anglaises*, opposait à l'oisiveté des courtisans français, aux abbés de Cour et aux marquises poudrées, le
cadet d'un mylord qui dirige une « loge » à Surate.

Or, jusqu'à une époque récente, Voltaire, féru de grand et
noble style, a fait plus d'élèves que Voltaire historien du Nouveau
Monde ou de la Chine. En dépit des phrases géniales de Michelet
sur la royauté de l'or, sur la transmutation en rutilantes richesses
des tonnes infectes des harengs de Hollande, on dédaignait ces
questions. Cette conception de la grande histoire explique les
étranges lacunes de la considérable et soigneuse publication
d'Avenel, *Lettres, instructions diplomatiques et papiers d'État* de
Richelieu, soit huit volumes in-4° parus dans la collection des
Documents inédits, de 1853 à 1877. Avenel avait eu la chance,
rare en ce temps, d'être mis en présence de la masse énorme de
pièces conservées au dépôt des Affaires étrangères. Or, le consciencieux éditeur a systématiquement omis de reproduire la
plupart des documents qui se réfèrent à des questions économiques, se contentant d'en donner les titres et parfois des résumés. Ces documents lui ont paru beaucoup moins importants

pour l'histoire que la moindre dépêche diplomatique ou le plus mince édit de politique générale (1). On croirait, à le lire, qu'il n'y avait pas, dans le ministère des Affaires étrangères dirigé par Richelieu, de direction ni de bureau des Affaires commerciales ! Nous verrons que le contraire est plus près de la vérité.

Cependant, déjà en 1857, dans son livre encore digne d'être consulté, *L'Administration en France sous le ministère du cardinal de Richelieu* (2), G. Caillet, bien qu'il n'eût dépouillé que le fonds français de la Bibliothèque et les Archives de la guerre et ne connût celles des Affaires étrangères que par la publication d'Avenel, écrivait déjà (t. I, p. xi) :

> On n'a vu trop longtemps dans le ministre de Louis XIII que le grand politique qui, après avoir vaincu au dedans le protestantisme et la féodalité renaissante reprit au dehors l'œuvre de François Ier et de Henri IV... Chez Richelieu l'administrateur ne fut pas inférieur au politique, et les sources des richesses publiques, ainsi que les conditions d'une bonne administration, furent de sa part l'objet d'une étude sérieuse et approfondie...

et encore (p. xvi) :

> L'industrie, l'agriculture, le commerce intérieur ne furent pas... négligés... Richelieu encouragea la formation de plusieurs compagnies qui se proposaient l'exploitation de toutes les richesses du sol... Il donna à la France une marine marchande et une marine militaire, organisa les consulats, conclut des traités de commerce avec la Russie, le Maroc, etc., et favorisa beaucoup nos premières entreprises coloniales.

Aussi bien Caillet, qui devait consacrer plusieurs chapitres à ces questions, avait-il soin de protester contre l'injustice dédaigneuse de Voltaire : « Le cardinal de Richelieu, avait écrit le panégyriste de Louis XIV, occupé de sa propre grandeur, attachée à celle de l'État, avait commencé à rendre la France formidable au dehors, sans avoir pu la rendre prospère au dedans. » Caillet ne protestait pas moins contre le silence de ceux qui étaient alors les historiens classiques de Louis XIII, le P. Griffet et Bazin. Il ne trouvait quelques détails que chez Poirson, de Carné, Augustin Thierry, Henri Martin, Dareste et Chéruel.

---

(1) Il convient, à la décharge d'Avenel, de rappeler ce que dit M. Hanotaux *Maximes*, p. iii : « L'admirable dépôt des archives du ministère des Affaires étrangères, où le corps des papiers de Richelieu subsiste, ne lui a été ouvert que très tardivement. » Et il ajoute : « Si larges qu'aient été les emprunts faits par lui à cette source, on ne peut dire qu'il l'ait épuisée. »

(2) Réédité en 1863, 2 vol. in-8°. C'est à cette édition que nous renverrons.

Au reste, quand on se décide à admettre que l'étude de l'économie nationale ne déroge pas à la majesté de l'histoire du xviie siècle, un nom vient tout de suite sur les lèvres, non pas celui de Richelieu, mais celui de Colbert. Il semble, en vérité, que les personnages historiques se soient distribué des rôles : à Richelieu la grande politique ; à Mazarin le soin de parfaire l'œuvre de son prédécesseur, d'étouffer la Fronde et de signer la paix des Pyrénées ; à Colbert le négoce, la marine marchande, les grandes compagnies, les canaux, et jusqu'à cette théorie d'économie nationale à laquelle on donna, plus tard, le nom de mercantilisme — et à laquelle le malheur des temps nous a contraints de revenir, sous le nom de néo-marcantilisme, après l'avoir trop raillée. Comme s'il avait été par des décrets nominatifs et distributifs de la Providence, interdit à Colbert de faire des guerres, d'élever des monuments, et à Richelieu d'échanger des piastres espagnoles contre du sel, de la toile et du drap !

C'est même une question, et sur laquelle il faudra revenir, de se demander si le fils du drapier de Reims en sut, en matière d'économie politique, autant que le petit hobereau de Touraine qui s'en vint naître à Paris en un hôtel surchargé d'hypothèques.

Colbert lui-même reconnaissait tout ce qu'il devait à celui qu'il considérait comme un maître, même en ces matières. On se souvient de l'anecdote célèbre : chaque fois qu'il posait à son Conseil une question d'ordre pratique, le Roi-Soleil disait malicieusement : « Voilà M. Colbert qui va nous dire : Sire, ce grand cardinal eût fait ceci ou cela... » On a le sentiment que l'ancien intendant de Mazarin avait appris la science économique dans les papiers de Richelieu, mais sans toujours bien comprendre la leçon. Le colbertisme — et l'un des plus récents et des plus admiratifs biographes de Colbert, Boissonnade, le reconnaît expressément — le colbertisme est antérieur à Colbert (1).

II

En dehors du probe et consciencieux travail de Caillet, on trouve bien, dans certaines histoires de Richelieu, sur ces sujets, par exemple quelques mots dans les deux premiers volumes déjà anciens de M. G. Hanotaux. Le vicomte d'Avenel, dans les quatre gros et superficiels volumes de son *Richelieu et la monarchie abso-*

---

(1) M. Hanotaux, *Maximes*, no IV, nous rappelle ce précieux détail : « Nous savons qu'en 1651 (donc dix ans avant d'être secrétaire d'Etat) Colbert faisait copier pour Mazarin des papiers de Richelieu que la duchesse d'Aiguillon lui avait confiés », papiers qui lui avaient été légués avec « Rueil et ses appartenances », où ils étaient conservés.

lue (1884-1890), jette à peine et de-ci de-là quelques brèves phrases
sur ces problèmes (1). Quant à un ouvrage qui leur serait spécialement consacré, ouvrage analogue à celui que Gustave Fagniez a
écrit sur Henri IV, nous n'en voyons aucun, du moins en français. Pigeonneau, reprenant en 1889 dans son *Histoire du commerce* les réflexions de Caillet, notait que « la plupart des historiens
ont passé rapidement sur le côté économique de la carrière de
Richelieu ». Plus récemment, Levasseur, même dans l'édition
de 1901 du tome II de son *Histoire des classes ouvrières et de
l'industrie* et encore dans son *Histoire du commerce* de 1911, ne lui
a consacré que quelques paragraphes, à mi-chemin entre Henri IV
et Colbert. Richelieu est souvent mentionné, mais nulle part traité
pour lui-même dans l'*Histoire économique de la France* de Henri
Sée (2) : « Richelieu, écrit-il simplement (p. 233), s'était bien rendu
compte de l'intérêt que présentait, pour la prospérité du royaume,
le commerce extérieur et surtout le commerce colonial, mais il
était trop préoccupé de diplomatie et de guerre pour que son
action ait pu être vraiment efficace. » Ce n'est plus la phrase
cavalière de Voltaire, mais c'est assez peu de chose, et l'auteur
a l'air pressé de passer plus outre. Richelieu est plus souvent
mentionné dans le livre curieusement intitulé par Boissonnade,
Le Socialisme d'État, mais là non plus il n'est pas peint en
pied (1927).

Il est juste d'ajouter que deux écrivains étrangers ont été
attirés par ce problème et que, s'ils ne l'ont pas résolu, ils ont
eu les mérites de l'apercevoir et de le poser.

Dès 1920, un érudit américain, Franklin Ch. Palm, a publié,
dans les études de l'Université d'Illinois (Urbana) un volume au
titre prometteur : *La Politique économique de Richelieu (The
Economic Policies of Richelieu)*, et il ne craignait pas d'écrire de
son héros : « Il peut réellement être considéré comme l'un des
premiers chefs économiques dans l'histoire de France (3). » Malheureusement M. Palm, travaillant loin de la France, a laissé échapper de graves erreurs de bibliographie. C'est ainsi qu'il a confondu
Avenel, l'éditeur des *Lettres*, et le vicomte d'Avenel, auteur de
Richelieu et la monarchie absolue : il ne s'est pas aperçu qu'il
faisait publier, dès 1853, un premier volume de textes par un
écrivain encore vivant aujourd'hui ! Par ailleurs, M. Palm n'a
vu aucun de nos fonds d'archives. Il n'a pas davantage relevé,
dans nos bibliothèques, la multitude d'écrits de circonstance

---

(1) Il avait cependant, mais ne cite même pas, les deux volumes de Caillet.
(2) L'édition française du t. I est de 1939.
(3) Repris dans *Political Science Quarterly*, t. 39 (1924), p. 650.

relatifs à ces questions, même ceux qui ont été écrits dans le
voisinage et sous l'inspiration directe de Richelieu. Son ouvrage
n'est donc autre chose qu'un programme, nous dirons même une
intention, louable, mais non réalisée.

Depuis, c'est un auteur allemand — appartenant à l'une des
familles régnantes de l'ancien Reich — Georges duc de Mecklembourg, comte de Carlow —, qui s'est attaqué au sujet. Son livre
parut à Iéna (1929) sous ce titre d'allure bien germanique, à
prétentions philosophiques et sociologiques : Richelieu politi-
cien économiste mercantiliste et le concept de mercantilisme
d'État, *Richelieu als merkantilisticher Wirtschaftspolitiker und der
Begriff des Staatsmerkantilismus.* Le duc de Mecklembourg a
travaillé avec plus de méthode que M. Palm, dont il a d'ailleurs
ignoré l'ouvrage. Sa bibliographie, moins fautive, est encore plus
sommaire (en tout 43 numéros), et cela s'explique d'ailleurs
parce que son objet était moins d'étudier dans le détail réel et
concret l'activité économique du cardinal que de rechercher en
quoi cette activité s'accordait avec une conception économique
déterminée dont il estime que Richelieu fut un éminent représentant et même l'un des fondateurs — conception qui a dominé
durant plus d'un siècle dans la plupart des États européens. Il
reproche avec raison à Wolowski « d'avoir traité la personnalité
de Richelieu comme un phénomène historique qui, pour ainsi
dire, n'aurait eu qu'accidentellement affaire avec les choses de
l'économie ». Il lui répond : « Richelieu n'a pas été seulement un
homme d'État, mais un économiste, *Nationalökonom.* » Il dénonce
l'erreur incluse dans le vocable de colbertisme employé pour
désigner la conception mercantiliste.

Son livre est donc moins un ouvrage d'histoire, appuyé sur
des faits et des textes, qu'un exposé doctrinal, avec référence à
un groupe de phénomènes historiques. Richelieu n'est pour lui,
qu'une application de la doctrine. Son livre, trop systématique
pour satisfaire un historien, a du moins le mérite d'être composé
avec soin ; il peut servir de cadre aux recherches plus poussées.

Il reste donc, on le voit, beaucoup à faire pour sortir des
généralités et rendre à Richelieu sa physionomie économique.
Nous n'avons pas à prendre parti pour ou contre les doctrines
économiques de Richelieu, à lui faire la leçon du haut d'une
chaire au nom de la liberté des échanges ou à le louer d'avoir
prévu l'économie dirigée. Notre tâche est de rechercher comment,
en fait, il a pensé, pourquoi il a pensé ainsi, comment il a essayé
d'agir et quels ont été les résultats de ses efforts, les causes de
ses réussites et de ses insuccès.

CHAPITRE PREMIER

LA PSYCHOLOGIE ÉCONOMIQUE DE RICHELIEU

Comment aborder ce sujet qui, d'abord, semble obscur : Richelieu économiste ?

Il nous semble que, pour comprendre pourquoi et comment le cardinal s'est intéressé aux questions économiques autant qu'à celles de politique pure, il importe de pénétrer dans sa vie même et d'étudier, de ce point de vue spécial, la psychologie du personnage.

Il peut paraître étrange de donner une préface biographique à l'exposé des conceptions et des actions économiques d'un homme d'État. Cependant, cette précaution nous semble indispensable. Nous devons nous demander sous quelles influences il a été amené à faire une telle place, dans ses préoccupations, aux problèmes de cet ordre. Car durant toute son existence, lorsque le cardinal-duc examinera un problème relatif à la richesse ou à la pauvreté, surtout à la position respective des classes sociales, il se référera à tel souvenir de sa jeunesse, à telle expérience précise.

I

Nous avons tellement l'habitude, disions-nous en débutant, de le contempler dans sa robe rouge, nous le voyons si bien soutenir ses thèses en Sorbonne, puis débuter dans la vie publique comme orateur du Clergé aux États Généraux de 1614, qu'il nous semble avoir été élevé dans le giron de l'Église, et prédestiné de toute éternité à son rôle d'éminentissime. Or, il appartenait non pas à la haute Noblesse, enrichie dans les charges et par les grâces royales, mais bien à cette petite gentilhommerie qui a subi tout le poids de la révolution monétaire (1). C'est à savoir que les revenus de ces hobereaux, constitués surtout par des

---

(1) Nous renverrons au livre de M. P. de Vaissière, *Gentilshommes campagnards*.

rentes et par des redevances féodales, et fixés le plus souvent à
des dates anciennes en livres, sols et deniers, perdaient constamment de leur valeur réelle, j'entends de leur valeur en métal
argent (le métal jaune ne servant guère de mesure que pour les
tractations internationales), tandis que le prix des objets ou de
la plupart des services qui leur étaient nécessaires, exprimés eux
aussi en livres, sols et deniers tournois, montait tous les jours.
Les petits nobles étaient doublement victimes de ce processus
d'inflation, que l'édit de 1577 avait été impuissant à arrêter.
Les conseillers de Henri III avaient essayé alors d'établir un
rapport fixe entre la monnaie de compte, à savoir la livre tournois
de 20 sols, et le type classique des monnaies réelles, l'écu d'or,
dont cet édit établissait la valeur à 3 livres. Mais l'expérience
n'avait pas encore enseigné qu'une stabilisation légale ne peut
tenir qu'à la condition d'avoir été précédée par une stabilisation
de fait. Comme ce ne fut pas le cas, l'écu avait monté de 3 livres
à 3 livres 15 sols, puis à 5 et 6 livres, voire à 8. Il avait fallu
attendre la restauration de la France sous Henri IV pour sortir
de ce chaos monétaire.

Voilà pourquoi, à en croire Richelieu lui-même (1), la Noblesse
de la campagne « ne peut éviter la misère » que si l'on avise aux
moyens de « l'avantager » et de la faire subsister avec « dignité ».
Il fait appel à notre pitié pour « le pauvre gentilhomme, dont le
bien ne consiste qu'en fonds de terre ».

Armand-Jean du Plessis, cadet de Touraine (presque de
Poitou), né dans une de ces familles, était destiné d'abord,
comme tant de ses pareils, à la carrière des armes. Il est vrai
que son père, François du Plessis, avait reçu du roi Henri III
la charge et, théoriquement au moins, les gages de grand-prévôt
de France. Titre hautement honorifique. Mais M. Maximim
Deloche, dans son livre sur *Le Père du Cardinal*, a prouvé que
le grand-prévôt ne s'était pas enrichi dans cet emploi : les frais
de représentation (2) et de voyage qu'il imposait, l'impossibilité
où elle mettait le titulaire de s'occuper de son « ménage des
champs », l'emportaient de beaucoup sur le bénéfice que pouvait
rapporter la vie à la cour.

Qu'étaient, en réalité, les gages des officiers d'alors ? Non pas
comme pour les fonctionnaires d'hier, une créance sur l'ensemble
du budget, mais des assignations sur un fonds nominativement
désigné, c'est-à-dire sur telle caisse, et qui se pouvait trouver

---

(1) *Testament*, ch. III, section I : *De la Noblesse* et t. II, ch. IX, section VI,
p. 15.
(2) *Ibid.*, t. I, p. 160. « Sa misère [de la noblesse de campagne] ne lui permet
pas de faire des dépenses superflues. »

vide. Beaucoup de caisses étaient vides dans la dernière période
des guerres de religion. Aussi le malheureux officier, s'il ne trouvait le moyen de se payer lui-même sur le public ou les particuliers, par le pillage ou le banditisme, n'avait d'autre ressource
que de s'endetter. S'endetter à gros intérêts ; car, même après
le triomphe du Béarnais, le taux restait au denier 12, soit 8,33 %,
malgré un édit de 1601 qui voulait le ramener au denier 16
(6,25 %). Les hypothèques sur les biens fonciers des gentilshommes entraînaient des taux encore plus élevés, véritable-
ment usuraires.

C'est ainsi que François du Plessis, ayant reçu de Henri III,
en mai 1586, à l'occasion de la naissance de son troisième fils
— précisément le futur cardinal, — un don vraiment royal de
118.000 écus, il s'agissait pour lui de réaliser cette somme, ou
du moins ce que lui en laisseraient, après avoir fait leur main,
Messieurs des Finances. Il dut leur sacrifier près de 9 1/2 %,
plus le cinquième pour la caisse de l'Ordre du Saint-Esprit. Les
20.000 écus, dont Henri IV le gratifia en 1590, s'en allèrent aussi
en fumée. Quand il mourut, en cette même année, on dit qu'il
fallut vendre son collier de l'Ordre pour payer ses funérailles.
Ce n'est pas qu'il fût ruiné, mais ni lui ni sa famille ne pouvaient
rien recevoir des biens constitués en rentes et dont les arrérages
étaient impayés, avant même d'être réduits par Sully, ou en
biens-fonds qui ne produisaient pas de revenus. Sa veuve, Suzanne
de La Porte, fille d'un avocat de Paris, se trouvait donc devant
une succession terriblement embrouillée. Elle écrit à un de ses
créanciers cette lettre vraiment navrante, dont on peut penser
que les termes, si plus tard il la lut, durent faire cruellement
souffrir l'orgueil de son dernier-né :

Je vous supplie croire que je porte avec autant de regret et
de déplaisir la longue patience que vous avez eue pour ce qui est
dû à Monsieur votre père par M. de Richelieu qu'elle vous peut
apporter d'incommodité. Mais mes créanciers ayant fait saisir tous
les biens de mes enfants... [cela] m'a ôté les moyens de sortir
aussi promptement de cette affaire que je l'aurais délibéré... Nous
sommes après d'aviser les moyens de faire vendre les domaines
du Roi et autres rentes délaissées par feu M. de Richelieu afin de
payer les créanciers.

Voilà dans quelle atmosphère s'était écoulée l'enfance, assez
maladive, du jeune Armand, qui avait cinq ans à la mort de son
père. Venu au jour dans une maison endettée, toute sa vie,
peut-on dire, cet homme qui eut au suprême degré le goût du
faste sera la proie des créanciers, comme nous le montre un
autre magistral ouvrage de M. Deloche, *La Maison du cardinal*

de Richelieu. Lorsque, dans un de ses premiers ouvrages — un ouvrage purement religieux, une *Brefve et facile instruction pour les confesseurs,* — on s'étonne de voir le jeune évêque s'étendre sur les questions d'argent et de prêt à intérêt, il faut se rappeler comment il a vécu, surtout en ses primes années. Quand on lit, dans sa harangue aux États de 1614 : « Il est impossible en de grandes charges de s'acquitter de son devoir sans grandes dépenses », il semble qu'il soit hanté par le souvenir de son père, le grand-prévôt besogneux, comme le jour où, devenu principal ministre de Sa Majesté très chrétienne, il écrira encore dans son *Testament* le chapitre *sur les moyens d'avantager la Noblesse pour la faire subsister avec dignité,* et tant d'autres où il se lamente sur cette maladie des serviteurs de l'Église et de l'État : faute d'argent. N'y a-t-il pas même comme un fragment d'autobiographie dans cette phrase où il dépeint la misère des gentilshommes sous le régime qu'il rêve de changer ?

« Au lieu que maintenant les gentilshommes ne peuvent s'élever aux charges et dignités qu'au prix de leur ruine » ; et dans cette autre où il exprime l'espoir « que leur fidélité sera d'autant plus assurée à l'avenir que plus ils seront gratifiés, moins ils seront redevables des honneurs qu'ils recevront à leurs bourses et à celles de leurs créanciers », c'est à savoir des traitants et partisans, ces bêtes noires du ministre.

Le grand homme aurait eu, tel un personnage de Molière, maille à partir avec M. Dimanche, s'il n'avait eu des banquiers, sur lesquels il tirait, dirions-nous, des chèques à découvert, tant pour régler ses propres dépenses que pour avancer des fonds à l'État. Le fils d'un de ces banquiers, qui savait à quoi s'en tenir, cette mauvaise langue de Tallement des Réaux, écrira plus tard dans ses *Historiettes :* « Le cardinal était avare ; ce n'est pas qu'il ne fît bien de la dépense, mais il aimait le bien. » Si Tallement eût été davantage équitable, il aurait expliqué pourquoi Richelieu avait vu dans le « bien », outre le moyen de faire ces dépenses, qu'il croyait indispensables à sa grandeur, la garantie de son indépendance et de sa dignité. Ajoutons que, tenant à ce que ses banquiers fussent exacts, ponctuels en affaires, honnêtes et dignes de confiance, le vainqueur de La Rochelle ne craignait pas de les choisir parmi les banquiers huguenots, précisément les Tallement et les Rambouillet.

Ainsi, quand Richelieu parle d'opérations financières, de prêts à intérêt, etc., il n'en parle pas en théologien ou en économiste de cabinet, mais en homme qui sait comment l'on manie l'argent, à quoi il sert et comme il se consume et se va perdant.

II

Le dernier en date des biographes du cardinal, dans un livre estimable et qui, sans rien nous révéler de nouveau, nous repose du moins des fantaisies de l'histoire romancée, M. Auguste Bailly insiste avec raison sur les premiers temps du personnage, dans le manoir de Richelieu, alors simple gentilhommière, où ce Parisien d'occasion fut transporté tout enfant, puis de nouveau à Paris, au Collège de Navarre et à l'Académie de Pluvinel : Académie, c'est-à-dire groupement de jeunes nobles qui, destinés à devenir pages ou « domestiques » de quelque grand seigneur, s'exerçaient à l'équitation et à l'escrime comme à la danse, à la musique, voire aux mathématiques, base de l'art de la fortification, bref à tout ce qui pouvait aider à se pousser dans le monde, à la Cour, à la guerre. Car, en sa dix-septième année, le jeune Armand, que l'on titrait alors marquis de Chillou, était destiné à être d'épée comme son père. Le jour où, sur la digue devant La Rochelle, il portera sous sa soutane, justaucorps et cuirasse, ou bien lorsqu'il franchira à cheval les Alpes du Queyras, il ne fera que revenir aux temps de son adolescence.

Rappelons par quel hasard — affaire d'argent plus que miracle de la grâce — ce jeune hobereau devint d'Église. Hasard qui devait orienter trois siècles d'histoire. Si sa tête, aurait pu dire Pascal, n'avait porté la barrette...

Deux ans avant sa naissance, une libéralité de Henri III avait mis dans sa famille l'évêché de Luçon, pauvre diocèse du pauvre marais poitevin, mais quel lustre que cette dignité pour une petite noblesse mêlée de basoche ! Suivant un usage courant, le diocèse vacant était administré, depuis 1592, par un ecclésiastique obscur, mais en attendant qu'un des membres de la famille fût en état de recevoir la mitre.

Ce n'était pas au tout jeune marquis de Chillou (vieux de six années) que l'on songeait alors pour occuper ce trône, mais bien à l'un de ses aînés, Alphonse de Richelieu. Or, voilà que le futur prélat, — touché, lui, par la grâce, — décida de se faire chartreux. Allait-on laisser l'évêché, pour médiocre qu'il fût, sortir de la famille, dont il constituait le plus clair des revenus ? Suzanne de La Porte était trop bonne ménagère, et trop mûrie par l'infortune, pour admettre et se laisser conseiller par les siens cette solution désastreuse. Le marquis de Chillou se fit donc théologien et, grâce à la recommandation de Henri IV, une dispense pontificale en fit un évêque à vingt-trois ans, avant même qu'il n'eût passé ses thèses en Sorbonne. En 1608, il était à Luçon.

Ces dures années, décisives pour la formation de son caractère et de son esprit, ne le furent pas moins pour lui donner, une fois de plus, le sentiment aigu des réalités économiques, des problèmes d'argent, de doit et avoir, du détail pratique et quotidien de la vie en lutte contre la gêne : lutte d'autant plus acharnée que le nouveau prélat, hier encore apprenti gentilhomme, conserve son goût du faste et des allures de grand seigneur.

Rien de plus curieux à cet égard que sa correspondance — il ne s'agit pas encore de « papiers d'État » — avec des dames, parentes ou amies, qui s'intéressaient — en tout bien tout honneur — au jeune homme perdu dans cette misérable province, où l'on était dénué de tout. Sa tante, Mme de Marconnet, lui a vendu un lit de velours ; il le fait raccommoder, et dit fièrement que ce lit « vaut trois cents livres ». Une de ses correspondantes parisiennes, de vieille famille poitevine, Mme de Bourges, à qui il écrit sans façon : « Je suis gueux », ou : « Ma bourse est fort faible », s'entremet pour lui procurer de quoi améliorer son train de maison, achetant pour lui des objets neufs ou d'occasion. La grande histoire eût jadis fermé les yeux sur ces histoires de brocanteur. Il nous paraît, à nous, que l'on comprendrait mal l'impérieux vainqueur des Rohan ou de la Savoie, le rival d'Olivarès, si l'on n'avait ces lettres où il demande à Mme de Bourges de lui procurer à Paris « deux douzaines de plats d'argent de belle grandeur, comme on les fait » ; mais, avant de passer commande ferme de cette vaisselle épiscopale, il veut en savoir le prix, et c'est seulement après des mois et des mois de patiente économie qu'il pourra envoyer 500 écus. N'est-ce pas un saisissant spectacle que de voir le futur modèle de Philippe de Champaigne occupé à faire « étrécir des épaules » les vêtements sacerdotaux de son prédécesseur ; car le mince marquis de Chillou se fût perdu dans les chasubles d'un prêtre robuste, et il n'avait pas de quoi s'en acheter des neuves. Ces histoires de rapetassage sont, répétons-le, essentielles à l'histoire.

Mme de Bourges s'occupe de son linge, de ses fourrures, de tapisseries qui doivent couvrir la nudité du pauvre palais épiscopal. Qu'eût dit Voltaire, amateur du grand style cardinalice, n'eût-il pas été tenté de mettre en doute la signature du grand ministre, s'il avait lu la lettre où Luçon sollicite cette dame de faire prix « pour dix-huit aunes de damas gris violant cramoisi et cinq aunes de velours gris brun, qui n'est qu'à neuf francs l'aune » ? — « Neuf francs », ce n'est pas trop cher, mais, ajoute-t-il en faisant ce calcul, « c'est grand pitié que pauvre noblesse ». Grand pitié aussi que pauvre prélature. Et s'il est dans tout *Testament* un passage où les pires adversaires de l'authenticité ne peuvent pas ne pas reconnaître la plume de Richelieu, c'est bien celui-ci (ch. II, section IV), à propos « de la régale prétendue par la Sainte-Chapelle de Paris sur les évêchés de France », p. 106-107 :

Il arrive souvent qu'un évêque riche en toutes les qualités... mais pauvre par sa naissance, demeure deux ou trois ans dans l'impuissance de faire sa charge...

Paiement des bulles, achats des ornements (on pense aux chasubles à étrécir), l'obligation de « se meubler selon sa dignité » — lisez de se procurer du velours, du damas, des tapisseries, — voilà de quoi le forcer à contracter des dettes. Il faut à tout prix (p. 109) :

empêcher que la nécessité des évêques les mette hors d'état de faire leur devoir.

On peut soutenir que l'ensemble du chapitre II, *De la Réformation de l'Ordre ecclésiastique*, a été fabriqué avec des « mémoires » dus à des jurisconsultes à la solde du ministre, mais en ces lignes on saisit l'écho des plaintes de celui-ci quand il n'était encore que pauvre évêque de Luçon. C'est encore lui qui écrit, et de la même plume, le cadet de « pauvre noblesse », lorsqu'il peint sa classe « depuis quelque temps si rabaissée », proteste « qu'elle a grand besoin d'être soutenue contre ceux qui l'oppriment », déclare qu'il faut « ne rien omettre pour la conserver en la possession des biens que ses pères lui ont laissés et procurer qu'elle en puisse acquérir de nouveaux » ; surtout cette famélique noblesse de campagne dont il est lui-même, et dont il a vu, en ses jeunes années, que « sa misère ne lui permet pas de faire des dépenses superflues ». L'auteur magnifique du *Testament* se rappelle avec rancœur le temps où, dans son diocèse crotté, il invitait un hôte de passage à venir « prendre un mauvais dîner » dans une vaisselle plate achetée au rabais, où il parlait de « sa misère de pauvre moine réduit à la vente de ses meubles et à la vie rustique ». Il a, en effet, vendu des tapisseries pour se payer un logis à Paris. M. Deloche a raison de le dire : cette ironie perpétuelle sur sa gueuserie, « trop affectée pour être sincère et trop fréquente pour ne pas répondre à une véritable obsession », respire « l'amertume de la médiocrité, la lutte quotidienne contre les nécessités somptuaires de la vie ». Quel soupir de libération quand il peut enfin envoyer à Mme de Bourges « ce qui vous restait dû des mises que vous avez faites pour moi », — savoir, en espèces sonnantes, « les quarante pistoles et vingt sols en monnaie qui font les 145 livres dont je vous étais redevable ». Plus de dettes ! Quel soulagement !

III

Comment, en dehors de son expérience personnelle durant ces huit ou dix années de séjour dans sa bourgade épiscopale — séjour coupé par des absences plus ou moins volontaires à Paris, Avignon et Blois — s'est-il renseigné sur les questions commerciales et industrielles ?

Dans l'intervalle entre son arrivée à Luçon et son entrée au service de Marie de Médicis, il a été député aux États Généraux de 1614.

On sait que ces Assemblées devenaient rares. Henri IV et ses partisans s'en étaient méfiés, parce que les États de la Ligue avaient laissé mauvais souvenir. Cependant, quatre ans après la mort du grand Roi, devant les difficultés de la régence et surtout l'accroissement du déficit, la mise au pillage du trésor, on ne put éviter de consulter ceux qui passaient alors pour représenter plus ou moins exactement la nation.

Ces convocations ne se produisaient pas sans déterminer, à Paris et dans les provinces, un grand mouvement d'idées et de controverses. Et comme le mal dont souffrait l'État était surtout un mal financier, les questions économiques passaient au premier plan dans les Cahiers, du moins dans ceux du Tiers État des villes. Cela s'explique aisément : car, si les députés du Tiers se recrutaient surtout dans la classe privilégiée des officiers pourvus de charges, les Cahiers étaient particulièrement rédigés dans les assemblées des communautés de métiers. Ces Cahiers (en partie conservés dans la série K des Archives nationales, et qui ont été utilisés par G. Picot pour le tome IV de son *Histoire des États Généraux*, 1884), expriment les vœux de la bourgeoisie marchande, c'est-à-dire des maîtres des métiers, car les compagnons n'eurent que très exceptionnellement voix au chapitre. Cependant, ces doléances officielles n'étaient pas les seules (1). Par une disposition singulièrement libérale, on avait fait appel en effet cette fois à d'autres qu'aux chefs hiérarchiques des communautés. Par un grand placard (2), dont les Archives possèdent heureusement un exemplaire, les prévôt des marchands et échevins faisaient savoir à toutes personnes, « de quelque état, qualité ou conditions qu'ils soient, manans et habitants de cette ville et

---

(1) Voy. les K 675, n° 44, f° 42.
(2) Avis publié à son de trompe le 28 juin 1614. On avait déjà eu recours à ce procédé de consultation en 1576. Il est regrettable que Picot n'ait pu mener à bien le projet qu'il avait eu de publier, dans les *Documents inédits*, l'ensemble des doléances de 1614.

faubourgs, qu'ils pouvaient apporter ou envoyer en toute liberté
par chacun jour en l'hôtel de ladite ville les plaintes, doléances
et remontrances que bon leur semblera ». Et si, par crainte de se
compromettre, ils aimaient mieux ne pas les mettre aux mains
« des députés à recevoir les dites plaintes », ils pouvaient les jeter
« dans un coffre qui, pour cet effet, sera mis en l'hôtel d'icelle
ville, ... ouvert en forme de tronc ». Nous croyons que d'autres
villes firent comme Paris et recueillirent ainsi dans des troncs des
mémoires signés ou anonymes.

Nous avions jadis — dans un article de la *Vierteljahrschrift
für Sozial-und-Wirtschaftsgesschichte*, t. I, 1903, sous ce titre :
*Les questions industrielles et commerciales dans les Cahiers des
États Généraux de 1614* — tenté de résumer la doctrine qui se
dégage de ces vieux papiers, et de montrer que cette doctrine
était déjà celle du mercantilisme telle que la concevront Richelieu
et Colbert.

Mais, en dehors de ces doléances manuscrites, l'annonce de
la convocation des États avait piqué au vif les publicistes. Des
brochures paraissaient, dont les auteurs s'offraient bénévolement
à sauver le pays. C'est ainsi que parut, sans nom d'auteur, un
*Advis au Roi des moyens de bannir le luxe du royaume, d'établir
un grand nombre de manufactures en icelui, d'empêcher le transport
de l'argent et faire demeurer par chacun an dans le Royaume
près de cinq millions d'or, de sept millions ou environ qui en sont
transportés. Et en affaiblir d'autant aucuns étrangers...*

Ce long titre est tout un programme d'action économique,
dont l'auteur, protectionniste, mercantiliste et même assez xénophobe, prétendait convaincre Leurs Majestés, et les États. Paru
sous la date de 1614, cet opuscule a été réimprimé dans les
Archives curieuses de l'Histoire de France de Cimber et Danjou
(2e série, t. I, p. 431 et suiv.). Nous croyons avoir établi (*Mélanges*
offerts au Pr Halvdan Koht) que l'auteur du mémoire n'était
autre que Montchrestien, lequel devait, l'année suivante, présenter au Roi et à la Régente son gros *Traicté de l'œconomie
politique ;* livre surfait, très inégal à son titre, mais qui résume
assez bien les tendances léguées au nouveau siècle par certains
des collaborateurs de Henri IV, notamment par Barthélemy de
Laffemas.

Pouvons-nous savoir quelle fut, dès lors, l'attitude du jeune
prélat en face de ce mouvement d'idées ? Nous n'avons nulle
preuve, assurément, qu'il ait lu, parcouru (fait résumer à son
usage) cette littérature des années 1614-1615, mais la conjec-
ture est au moins vraisemblable pour tout lecteur de ses écrits
ultérieurs, où l'on retrouve l'écho des informations et des

controverses d'alors. Orateur du Clergé, défenseur des intérêts
de son Ordre, Richelieu ne put ne pas prendre connaissance des
Cahiers du Tiers, dont il a combattu en partie les prétentions. Il est
même curieux de constater qu'en protestant contre le monopole
que la bourgeoisie s'arrogeait sur les places, il défendait aussi bien
les prérogatives et les prétentions de la Noblesse que celles du
Clergé : l'évêque de Luçon n'avait pas oublié les souffrances et
humiliations du marquis de Chillou. Il tenait à ses idées, car il
fit imprimer son discours et en fit venir un « ballot » de chez
l'imprimeur pour le distribuer largement ; il le fera reproduire
dans ses *Mémoires*.

Pour l'*Advis au Roi* et le *Traicté* où Montchrestien qui reprend
et développe les mêmes thèses, nous croyons pouvoir admettre
qu'il en a pris alors ou en prit plus tard connaissance, tant, dans
ses propres œuvres et dans celles qu'il a inspirées, il lui est
arrivé plus d'une fois de reproduire les mêmes théories (parfois
dans les mêmes termes) et, ce qui est encore plus significatif, de
les contredire sur des points essentiels. Lorsque, par exemple,
nous aborderons la question controversée du commerce levantin,
nous rappellerons que l'*Avis au Roi* était surtout une diatribe
contre ce commerce. Or Richelieu, dans un passage du *Testament*
dont nous aurons à rechercher les sources, avouera qu'il avait
longtemps sur ce point partagé l'opinion commune, puis qu'il a
changé d'avis, en reproduisant, pour les discuter, les allégations
de l'*Advis au Roi*.

Par delà Montchrestien, Richelieu avait-il — ou a-t-il plus
tard — connu les efforts entrepris et partiellement réalisés sous
Henri IV ? Il admirait beaucoup ce roi, dont la mort avait failli
briser sa propre carrière. Devons-nous en conclure qu'il avait
parcouru les ouvrages bizarres, mais riches de documents et
d'idées, du singulier autodidacte, de l'ignorant presque génial
qui avait servi à Henri IV de ministre du Commerce et de
l'Industrie, Barthélemy de Laffemas (1) ? Lira-t-il, ministre, les
procès-verbaux de ce Conseil du Commerce, qui, sous l'inspiration
et presque sous la direction de Laffemas, fonctionna de 1598
à 1604, ou même plus tard ? Nous avons bien des raisons de le
croire. Le fils de Barthélemy, Isaac de Laffemas, avait dédié au
roi Henri, en 1606, une *Histoire du commerce* où il parle de
l'œuvre de son père : or, cet Isaac, qui figure à titre de demi-
bourreau dans *Marion Delorme*, fut un des instruments de la

---

(1) Voy. un travail reproduit dans nos *Débuts du Capitalisme* (1927) et
'étude de M. Bernard Dufournier sur *Le Conseil du Commerce d'Henri IV*
Annales de la Société scientifique de Bruxelles, janv.-juin 1934).

politique de Richelieu. Est-il vraisemblable qu'il ne fût jamais consulté sur les matières qu'il se vantait de connaître ? Lorsque le ministre, en 1631, fera publier par un de ses « faiseurs », un marquis de La Gomberdière, un *Nouveau règlement général sur toutes sortes de marchandises et manufactures* (1) qui n'est qu'un exposé de politique économique, cet ouvrage quasi officiel fourmillera d'emprunts, presque textuels, à Laffemas. A peu près textuels, le marquis s'étant souvent contenté de mettre en prose lisible et ordonnée les étonnantes élucubrations, semées de vers mirlitonesques, du valet de chambre de Henri IV, pamphlets innombrables qui avaient déjà servi à Montchrestien.

III

Ne faut-il pas enfin, pour nous représenter l'atmosphère intellectuelle dans laquelle se formèrent les conceptions économiques et sociales de l'apprenti homme d'État, puis du cardinal-ministre, faire appel à d'autres influences ?

On sait le rôle primordial joué auprès de lui par le P. Joseph du Tremblay. Le capucin mit de bonne heure à la disposition de son ami ce qu'on peut appeler son bureau des missions. Nous avons essayé de montrer ailleurs quelles avaient été les ressources et l'efficacité de ce que l'on doit nommer la diplomatie capucine. Voyageurs infatigables, les pieds chaussés de sandales, faisant parfois leurs dix lieues par jour, les capucins courent sous leur robe de bure à travers l'Europe entière, mais on les voit aussi dans le Levant et les parties lointaines de l'Asie, en Afrique occidentale aussi bien que dans les pays barbaresques, en Égypte, en Abyssinie (2).

L'histoire connaît le rôle joué par les missionnaires du P. Joseph dans la politique internationale. Certes, la principale préoccupation des capucins était de convertir les infidèles. Ils distribuent généreusement les sacrements, aux populations infidèles, et leurs relations dénombrent fièrement leurs catéchumènes, dont beaucoup, hélas ! devaient revenir à leur fétichisme ancestral dès que les eaux du baptême auraient été évaporées et les Pères partis ! Mais s'ils vantent l'accueil fait à leurs robes par les roitelets nègres, ils n'oublient pas de mentionner que tel potentat vend des arachides, des noix de palme, de la poudre d'or, de l'ivoire, et aussi des esclaves.

(1) Reproduit dans Ed. Fournier, *Variétés*, t. III, 1845.
(2) Voy. André et Bourgeois, *Sources de l'Histoire de France au XVIIe siècle* t. I, *Voyages*.

C'est de très bonne heure que débutent ces tournées capucines. Dès 1622, le P. Joseph est au service de la Congrégation,
créée le 14 janvier par Grégoire XV, *De Propaganda Fide*.
En 1625, l' « Éminence grise » sera nommée Préfet des Missions
étrangères. Trois ans plus tôt, il avait fait partir de Marseille
le P. Pacifique de Provins, qui avait déjà été au Levant et
jusque vers l'Abyssinie, pour voir où l'on pourrait établir des
capucins, passer par Rome, faire rapport sur les lettres des
consuls de France et des personnes notables. Le P. Pacifique
devait aller jusqu'en Perse où nous le verrons plus tard, lui
aussi, mélanger le commerce et l'évangélisation. Dès 1622, on
publiait de lui, in-16, une *Lettre ... du R. P. Joseph Le Clerc
sur l'estrange mort du Grand Turc*, preuve de l'action que le
P. Joseph exerçait sur ses confrères.

A Constantinople ce de L'Escalle, en religion P. Pacifique,
devait agir d'accord avec un autre ami, une créature du P. Joseph,
l'ambassadeur Harlay de Césy, qui procura à l'Ordre un couvent
à Péra. Le 16 juillet 1626, l'ambassadeur ajoutait ce post-
scriptum à une lettre chiffrée (1) :

Sire, j'ai établi les bons pères capucins selon les commandements de Votre Majesté. J'avais peu à peu disposé les choses pour
faire réussir ce bon dessein, et les ai mis dans l'église St-Georges
plus heureusement que je ne le pouvais espérer. Mais ils sont fort
mal logés et sans jardin, attendant que quelques aumônes leur
donnent moyen de faire une maison qui touche à leur église, sans
laquelle il serait impossible qu'ils pussent s'établir à longues
années, car leur logement est trop pressé.

Preuve significative de la sollicitude de l'ambassadeur pour
ces protégés du P. Joseph, qui étaient d'ailleurs — querelles de
moines — en lutte avec les Franciscains de l'Observance.

Richelieu a pu connaître, par le P. Joseph, les premiers
voyages du P. Alexandre de Rhodes, parti dès 1618 pour aller
jusqu'en Chine (publiés seulement en 1653). Il ne s'est pas
contenté, sans doute, des récits des missionnaires. Il a pu les
confronter avec d'autres voyages, tels que ceux du Rouennais
Augustin de Beaulieu, relatés seulement en 1631 par son pilote
Jean Le Tellier (à Dieppe) et publiés en 1653, mais commencés,
avec Honfleur pour point de départ, dès 1618 en direction de
Madagascar, des Comores, du Malabar, de Sumatra et de Malacca.
Parmi ces marins et négociants figurent deux frères dont il
doit encore la connaissance au P. Joseph, les Razilly, dont nous
verrons bientôt que l'action sur sa formation économique a été

(1) Aff. étr., *Turquie*, 834, fᵒˢ 266-267.

décisive. Par tous ces moyens, il s'informe de ce qui se passe dans les États commerçants, surtout dans la riche république marchande des Provinces-Unies. Il n'hésitera pas à prendre à son service des Hollandais, ne serait-ce que pour faire l'éducation de ses compatriotes. Il arrive ainsi à se donner une vue économique du monde, à dresser, pour ainsi dire, pour son usage, une carte des productions et des courants d'échanges et c'est penché sur cette carte que nous le verrons, dès qu'il se sentira le maître, aborder ces problèmes (1).

(1) Voy. sur le rôle du P. Joseph et de plusieurs de ses capucins, les deux récents volumes de M. de Vaumas, *L'éveil missionnaire de la France*, et surtout les *Lettres et documents du P. Joseph de Paris* (parus à Paris en 1942, in-8°).

CHAPITRE II

RICHELIEU
MINISTRE DU COMMERCE ET DE LA MARINE

Entré au Conseil en avril 1624, devenu chef de ce Conseil en août, Richelieu, en septembre de la même année, commence à parler au nom du Roi. Il ne recevra que plus tard, en 1629, le titre de principal ministre d'État. Mais, dès mars 1626, par un édit rendu à Saint-Germain-en-Laye, Louis XIII lui avait conféré, évidemment sur sa demande, un titre tout nouveau dans la nomenclature administrative, celui de « grand-maître et surintendant-général du commerce et de la navigation ». Quel est le sens de cette création (1) ?

I

Par cet acte, que nous analyserons tout à l'heure, le Roi centralise entre les seules mains du cardinal tout ce qui concerne la marine de commerce et la marine de guerre, bref toutes les choses de mer : confusion toute naturelle à une époque où les pirateries des Barbaresques dans la Méditerranée et même à l'ouest de Gibraltar, — pirates de Salé aussi bien que ceux d'Alger — avec enlèvements d'esclaves, et les entreprises des corsaires de toute nation, Anglais, Espagnols, Hollandais — et aussi Français eux-mêmes de port contre port — imposaient aux navires marchands, sur l'Atlantique ou mer du Ponant comme sur la mer du Levant, l'obligation de naviguer en groupes armés, voire en convois protégés par des vaisseaux ou galères de l'État. Comme le commerce extérieur de la France est surtout alors un commerce par mer, avec le Levant et l'Afrique du Nord, l'Afrique occidentale, les Antilles et l'Amérique septentrionale, avec les Iles Britanniques, les Pays-Bas, la Baltique et les pays du Nord, il

---

(1) D'Avenel, toujours superficiel, ne mentionne même pas l'édit de Saint-Germain, ne rappelle que chemin faisant le titre de grand-maître. Il ne décrit que de très haut (t. III, p 172) l'opération capitale de la suppression des amirautés.

paraît bon de joindre à la direction de ce commerce les deux marines, *marine* et *navy* disent les Anglais.

Ce titre, qu'on dirait bourgeois, conféré à Richelieu, il ne le considère pas comme un ornement honorifique, et n'y attache pas moins d'importance qu'à celui de ministre. Devenu le serviteur indispensable du Roi et presque son ami, il veut absorber à son profit, peu à peu, les juridictions et autorités existantes, les Amirautés — Amirauté de France, qui dominait la Normandie, la Bretagne, la Guyenne, pour le Ponant, Amirauté de Provence pour le Levant. Les Amirautés, malgré leur nom et les apparences, étaient surtout des juridictions, aptes à percevoir des droits sur « la mer, ports, havres, rades et grèves d'icelle et îles adjacentes », et des institutions administratives, judiciaires et fiscales, plutôt que des commandements à la mer. Un amiral n'était pas un marin ni même, malgré le grand souvenir de Coligny, un général en chef des flottes, un promoteur d'expéditions maritimes. C'était là l'une des causes de la décadence de la marine, spécialement de la marine de guerre, sous les prédécesseurs de Louis XIII, sans même en excepter le grand Henri — décadence que Richelieu, dans la dédicace au Roi de son *Testament*, évoquera impitoyablement, non sans exagération peut-être, mais non sans orgueil, en songeant aux progrès accomplis sous son ministériat :

Bien que vos prédécesseurs aient ménagé la mer jusqu'à ce point que le feu Roi votre père n'avait pas un seul vaisseau, V. M. n'a pas laissé d'avoir en la mer Méditerranée pendant le cours de cette guerre (1) vingt galères et vingt vaisseaux ronds, et plus de soixante bien équipés en l'Océan. Ce qui n'a pas seulement diverti vos ennemis de divers desseins qu'ils avaient formés sur vos côtes, mais leur a fait autant de mal qu'ils pensaient nous en causer.

Ajoutez : procuré au commerce une sécurité jusqu'alors inconnue.

La suppression des Amirautés, besogne négative, était la préface nécessaire de la création nouvelle. Par deux édits, sur lesquels nous reviendrons longuement, rendus en juillet et août 1626, à Nantes, où Louis XIII et Richelieu étaient venus réprimer la conspiration des amis de Monsieur, quelques jours seulement après la tragique exécution de Chalais, le Roi prend acte (art. IX) de la disparition des Amirautés, du moins de celles de Ponant :

Par la démission de notre cousin le duc de Montmorency de la charge d'amiral de France, Guyenne et Bretagne en nos mains, il

---

(1) Contre l'Espagne.

nous est nécessaire d'y pourvoir..., nous avons dès à présent
supprimé et éteint pour toujours la charge d'amiral de France,
Bretagne et Guyenne, ... voulons néanmoins que les ordonnances,
droits et avantages de l'amirauté subsistent en leur force et vigueur
afin que, sous notre autorité, celui qui aura la direction du commerce le puisse plus facilement avancer, établir on continuer en
notre royaume.

Ce texte ne nommait pas « celui qui aura la direction du
commerce », mais son nom était sur toutes les lèvres, et figurait
en d'autres parties de l'édit. Il avait pris la précaution de faire
table rase des amirautés, et place nette pour sa future charge,
en remboursant 1.200.000 livres à Montmorency son titre d'amiral de France et de Bretagne, et il remboursera 900.000 livres
au duc de Guise celui d'amiral de Provence, ainsi qu'il avait
profité de la mort de Lesdiguières pour faire disparaître la charge
dangereuse de connétable. « Somme, diront les *Mémoires* en
parlant des 1.200.000 livres versées à Montmorency, qui, bien
qu'elle parût grande, non seulement a été bien petite, mais d'un
grand gain au Roi », car l'amiral, « chef-né des armées navales »,
percevait en outre sur ses justiciables des droits fort élevés.
Richelieu devient alors de « chef-né » ou du moins, s'il n'est pas
chef-né des armées navales, — le Roi ayant reconquis le pouvoir
de nommer directement, sur le conseil de son ministre, les
commandants d'escadres, — c'est bien le surintendant qui devient
l'administrateur de la marine d'État et de commerce. Et, comme
il refuse tous gages, les droits d'Amirauté iront dorénavant dans
les caisses du Roi.

De la joie qu'il éprouva dès le premier jour à se dire grand-
maître du commerce et de la navigation, nous avons un témoignage non douteux. Il est bien connu qu'en général les relations
n'étaient pas particulièrement cordiales entre l'impétueux
cardinal-ministre et les Parlements, ces corps orgueilleux et
têtus autant qu'intéressés, qui ne se pliaient pas assez vite à sa
volonté quand il s'agissait de condamner un criminel d'État ou
qui se refusaient à l'enregistrement d'un édit de finance. Mais,
quand il veut faire enregistrer l'édit de Saint-Germain, Richelieu
se fait humble, presque petit garçon devant les Cours souveraines,
dans le ressort desquelles se trouvent les Amirautés. Nous avons
une lettre de lui du 16 mai 1627, adressée au procureur général
de Bordeaux, Pontac, lui transmettant « le pouvoir de la charge
de surintendant général de la navigation et commerce de France,
que le Roi a eu agréable que j'eusse », et il lui demande de le
faire vérifier au Parlement de Bordeaux, « comme il a été en
celui de Paris et autres » — détail précieux. On peut répondre

que le procureur général, chef des gens du Roi, est par définition
un exécuteur des volontés du souverain. Mais c'est au premier
président de Gouges qu'est adressée une lettre presque semblable,
et qui se termine par ces mots :

> *Je vous conjure* de contribuer à ce que la volonté de S. **M.**
> soit effectuée, et que la province où vous êtes jouisse particulière-
> ment des avantages qui reviendront à cet Etat par l'établissement
> de la navigation et du commerce.

« Je vous conjure... » Nous ne sommes pas habitués à voir le
cardinal en cette posture quasi suppliante devant la robe d'un
premier président. Et quand on étudie le libellé de ces lettres
adressées à Bordeaux, qui doivent faire jouir « la province... des
avantages » qu'amènera « l'établissement du commerce et de la
navigation » (1), on doit croire que des lettres semblables ou
analogues avaient été adressées non seulement au Parlement
de Paris, qui avait enregistré l'édit du 13 mars, mais bien à
d' « autres », du moins à ceux qui avaient leur siège dans des
villes adonnées au commerce de mer. Mais, tandis que nous avons
conservé les deux lettres destinées à Bordeaux, les autres ont
probablement disparu, par exemple celles adressées au Parlement
de Rouen, dont nous savons qu'il avait enregistré l'édit le
16 avril. Les lettres expédiées à Bordeaux insistaient sur les
avantages que la Guyenne retirera du nouveau régime. Il devait
en être de même des lettres destinées aux autres Cours souveraines.

C'était une opération difficile et compliquée, sous le régime
alors existant, que de toucher aux situations acquises, garanties
par la vénalité et l'hérédité des offices, aux institutions administratives défendues par ceux qui avaient le fructueux privilège
d'en tirer profit. Il ne fallut pas moins de dix années à ce ministre,
que nous nous représentons comme tout-puissant, pour opérer
l'unification complète de la marine française.

L'un des secrétaires rédacteurs des *Mémoires* aura, sans trop
de flagornerie, le droit d'écrire « qu'il ne reçut cet emploi que
pour s'adonner tout à y servir le Roi », qu'il regardait « les
fautes que les autres ont faites qui l'ont précédé, ce qu'ils ont
fait de bien, ce qu'ils eussent pu faire davantage, leur soin, leur
négligence et ce qu'il faut apporter pour mettre en France la
marine à son dernier point » et aussi pour relever le commerce
« qui s'en allait perdre ». Et il met son orgueil à rappeler que de
cette charge il n'a pas voulu toucher les gages.

Mais que d'obstacles sur son chemin ?

(1) Voy. Marcel Gouron, *L'Amirauté de Guienne (sic)*. (Paris 1938, in-8°.

Nous venons de voir comment avait été réalisée l'absorption
de l'Amirauté de Guyenne. Dans son introduction à l'*Inventaire
de l'Amirauté de Provence*, M. Busquet a rappelé par quelles
étapes le nouveau régime fut substitué à l'ancien (1). Cette
amirauté, dite des « mers du Levant », ne disparut d'ailleurs
complètement qu'en 1631, le titulaire — le duc de Guise —
ayant alors pris la fuite afin d'échapper à des poursuites pour
rébellion. Il fallut, en outre, pour unifier complètement la
marine provençale avec celle du Ponant, opérer la suppression
d'une autre charge, celle de général des galères, dont le possesseur,
Gondi, finit par se démettre, mais seulement en 1635 !

Le point le plus délicat était la Bretagne. La Surintendance
n'était rien, si elle n'englobait la province maritime par excel-
lence (2).

Si nous avons multiplié ces précisions chronologiques, c'est
pour montrer que la création de la Surintendance est une conclusion et non un début. Mais revenons à l'acte, en apparence de
portée purement bretonne, rendu à Nantes au mois d'août. Les
termes de cet édit, choisis et dictés sans aucun doute par le
bénéficiaire lui-même, sont assez remarquables pour qu'il vaille
la peine de les reproduire textuellement :

> Nous voulons et entendons que notre cousin le cardinal de
> Richelieu pourvoie et donne ordre à tout ce qui sera requis et
> utile pour la navigation et conservation de nos droits, avancement
> et établissement du commerce, sûreté de nos sujets à la mer, ports,
> havres, rades et grèves d'icelle et îles adjacentes, observation et
> entretènement de nos ordonnances de la marine, et qu'il donne
> tous pouvoirs et congés nécessaires pour les voyages de long cours
> et tous autres qui seront entrepris par nos dits sujets, tant pour
> ledit commerce que pour la sûreté d'icelui..., tous ordres pour
> nettoyer nos mers de pirates et corsaires..., et généralement pour
> toutes choses dépendantes dudit commerce...

Il fallut à ce ministre, dont nous rappelons qu'à distance
nous nous le représentons à tort comme maître tout-puissant
d'une France déjà centralisée, une habileté et une souplesse infi-
nies pour absorber cette Amirauté de Bretagne qui, depuis la
réunion de 1532, prétendait être distincte de l'Amirauté de France,
et exercée au nom du Roi par le gouverneur de la province.

Richelieu ménagera toujours, on peut presque dire caressera

---

(1) Voir aussi H. Méthivier, *Richelieu et le front de mer de Provence* (dans
Revue hist., t. CLXXXV, p. 130) ; P. Boissonnade, *L'essai de restauration des
ports et de la vie maritime du Languedoc*, 1593-1661 (*Ann. du Midi*, avril 1934).
(2) Voy. La Roncière, *Hist. de la marine française*, t. IV. Ce résumé ne doit
pas dispenser de recourir aux historiens bretons.

cette province, tant pour y étouffer les souvenirs de la Ligue
(de Mercœur) et y combattre les menées de Vendôme qu'en raison
du rôle de premier ordre qu'il lui assignait dans la rénovation
maritime de la France, en raison de sa position extrême-occiden-
tale, et de ses nombreux estuaires dont le *Testament* dira : « la
seule Bretagne contient les plus beaux ports qui soient en
l'Océan ». Ajoutons qu'avant même d'avoir reçu le nouveau titre
il avait, en Bretagne même, engagé une entreprise qui était
l'application anticipée du nouveau régime, à savoir la Compagnie
du Morbihan. Les deux affaires nous apparaissent indissoluble-
ment liées et, pour les faire aboutir toutes les deux, il fallait
triompher, sans recourir à la violence, des résistances particularistes (1).

Dès la première heure, en réponse à une protestation des
États réunis à Nantes (du 27 juillet 1626), donc peu après la
création formelle de la Surintendance — il avait pris soin de les
assurer par un arrêt du Conseil du 28 (soit vingt jours après
l'exécution de Chalais) que la suppression de l'Amirauté ne causerait aucun préjudice à la province.

Il avait à compter d'abord avec l'opposition du Parlement,
qui craignait de voir les causes importantes passer de Rennes à
la Table de marbre de Paris ou à celle de Rouen, et les autres
enlevées aux juges royaux, souvent établies dans des villes
éloignées de la mer. Que de précautions il prend pour séduire
ce monde de la robe et de la basoche, jaloux de ses fructueux
privilèges !

Dès le 9 janvier 1627, il avait écrit à Marbeuf, chargé de
faire vérifier à Rennes l'édit de Saint-Germain, qu'il « n'estimait
pas qu'ils [les parlementaires] apportent aucune difficulté à l'établissement d'une chose qu'ils connaîtront clairement être du tout
avantageuse au Roi et à son État ». Le 20, il écrit à Machault (l'un
des juges de Chalais) : « Étant en Bretagne, comme vous êtes, je
prends la plume pour vous prier de prendre la peine de voir
MM. du Parlement de Rennes pour la vérification de l'édit du
Morbihan et du pouvoir qu'il a plu au Roi de me donner sur le fait
de la navigation et du commerce... » On voit que les deux affaires
sont liées, la première, en vertu des dates, étant une application

_____

(1) Plus qu'à Durtelle de Saint-Sauveur, *Hist. de Bretagne*, t. II, il faut se
reporter aux très consciencieux exposés de B. Pocquet (*Hist. de Bretagne*, t. V
p. 384 et surtout ch. XXV, p. 391 et suiv.), qui a dépouillé aux archives d'Ille-
et-Vilaine les procès-verbaux des États. Signalons cependant (p. 400) un
lapsus chronologique: Après avoir parlé de l'arrêt du Conseil du 28 juillet 1626,
il imprime : « Deux ans après. Richelieu était nommé surintendant général...
lire : « quatre mois avant ».

de la seconde. « Pour le regard du pouvoir que S. M. a eu agréable
que j'eusse, je puis dire avec vérité qu'il est impossible qu'il le
soit davantage [utile au roi] » et il rappelle, ce dont il se fera louer
plus tard par ses secrétaires dans ses *Mémoires*, que c'est lui qui a
voulu et obtenu du Roi que cette charge ne comportât ni gages ni
appointements. Le même jour, il prie Marbeuf d'insister auprès
du Parlement, en des termes qui rappellent celui des lettres aux
gens de Bordeaux : la création de la Surintendance doit « rendre
S. M. si considérable sur mer que ses sujets ne soient plus volés
et déprédés comme ils ont été jusqu'à présent ». Il supplie la
Cour de ne pas prendre « de l'ombrage » de ces pouvoirs, « n'ayant
aucune intention d'étendre le pouvoir de la marine au delà de
ce qu'il a été par le passé ». Il est curieux de voir Richelieu se
faire ainsi petit garçon devant les chats fourrés, et leur dire :
il est impossible que le Parlement « veuille, par aucun retarde-
ment, priver le public du fruit qu'il doit attendre des desseins
que le Roi a pour la mer » et, pour finir, il assure cette Compagnie
de son « affection » ! Digne pendant du : « Je vous conjure... »
La semaine suivante (27 janvier) (1), à Thémines, alors chargé
du gouvernement de la province, il répète : « je ne prétends
rien innover en Bretagne ni ailleurs, mais chercher seulement
toutes les inventions de donner moyen à ceux qui voudront pratiquer de le faire sûrement [le commerce] par toutes voies douces
et agréables ». Hélas ! ces formules lénifiantes n'empêcheront
pas la tenace résistance des gens de robe, défenseurs acharnés de
leurs prérogatives, de leur amour-propre intransigeant, et aussi,
disons-le, de leurs privilèges lucratifs, les leurs propres d'abord,
puis ceux de tout ce petit monde de judicature et de basoche qui
vivait à l'abri du grand corps et ramassait les miettes du festin.

A cette opposition se joignait celle de quelques ports, jaloux
de leur autonomie et de leurs gloires maritimes. Au premier
rang, Saint-Malo. « Les Malouins comme toujours se montrent
particulièrement ombrageux et frondeurs » (2). Enfermés dans
leurs murs et sur leurs rochers, ils estiment n'avoir nul besoin
des lisières du pouvoir central, et ce bloc nouveau de lois et
règlements ne leur dit rien qui vaille. Citoyens d'une petite république navale et marchande, ils sont Malouins avant d'être Français, ou même Bretons (3). Aussi que de protestations pour ama-
douer, au moment où s'élaboraient des projets canadiens, les fils
de cette « Thalasse » d'où les contemporains de Rabelais avaient

(1) Avenel, t. II, p. 343, 348, 349.
(2) *Ibid.*, p. 350.
(3) Pocquet, *op. cit.*, p. 384-91.

vu partir les compagnons de Jacques Cartier ! Le 20 février (1),
Richelieu apprend que ces loups de mer sont inquiets, craignant
que, « depuis qu'il a plu au Roi me commander de prendre soin
de la marine, je voulais entreprendre sur vos privilèges ». Non,
que « MM. de Saint-Malo » le sachent bien : seuls peuvent penser
ainsi des « ennemis du Roi et envieux du bien de son État, qui
ne peut être plus florissant que par l'établissement de la navigation et du commerce ». Comme ils ne cèdent pas, les menaces
alternent ensuite avec les caresses : le 22 mars (2), ces « MM. de
Saint-Malo » n'ont-ils pas refusé de contribuer à l'armement de
douze vaisseaux pour la flotte royale, sous le prétexte, d'intérêt
bien local, que ces vaisseaux étaient équipés pour la pêche de
Terre-Neuve, et qu'ils perdraient trop si on les prenait ? « Si
ceux de Saint-Malo, écrit le ministre irrité, persistent en la
résolution qu'ils ont de ne vouloir rien contribuer à l'armement...
que le Roi veut faire et que le prix du fret de leurs vaisseaux soit
si haut, ... le meilleur expédient est d'en acheter, ... Choisir les
meilleurs de leurs vaisseaux qui soient à la façon de Hollande,
dont les Malouins ne sauraient se servir pour pratiquer avec les
Espagnols », avec qui nous savons que ces marchands avisés et
hardis faisaient de si bonnes affaires (3). A côté de Saint-Malo,
nous relevons qu'un autre port au moins, Morlaix, se montre
récalcitrant.

La Bretagne allait-elle ignorer la Surintendance ? Il convient
de dire qu'à la différence du Parlement, les États, où cependant
les villes étaient représentées, se montrent plus ouverts. Richelieu profite de ces dispositions pour opposer les deux corps l'un
à l'autre, quoiqu'il ait en général, témoigné peu de sympathie
aux États provinciaux. Lui qui, d'ordinaire, n'aime guère ces
Assemblées, il montre à ceux-ci une réelle sympathie, cherche
à les ménager, voire à les flatter.

C'est que les États, dit leur savant annaliste (4), envisagent

(1) Avenel, t. II, p. 380.
(2) *Ibid.*, p. 419-420. Il eut aussi des difficultés avec les échevins et marchands de Rouen (p. 345).
(3) Dubuisson-Aubenay, *Itinéraire de Bretagne en 1636* (éd. L. Maistre et
P. de Berthon, *Archives de Bretagne*, Nantes, 1858-1902). 38-43 : « Ce sont
tous marchands, peu par terre, presque tous par mer... leur trafic est principalement en Espagne, et aussi en Hollande, d'où, pour de l'argent, ils rapportent les denrées des Indes, où ils vont aussi de leur chef, et principalement aux
occidentates », et donne ce détail : « Il y a vin français venant par la rivière de
Seine et côte de Normandie, mais, plus ordinairement ils boivent vins de
Gascogne rouge et d'Espagne blanc. »
(4) B. Pocquet, *op. cit.*, t. V, p. 402 et 407, 410. La thèse de M. Rébillon
sur les *États de Bretagne* montre que cette opposition entre la politique com-
préhensive des États et la susceptibilité mesquine du Parlement était une vieille

le commerce, par exemple dans leur tenue de 1629 à Vannes, « avec une largeur d'idées et une intelligence politique réelles ». Ils reconnaissent « les soins que le cardinal a pris pour faire revivre le commerce perdu et anéanti depuis tant d'années ». Ils le remercient d'avoir « choisi cette province pour y former des Compagnies et des havres pour y faire abonder les richesses qu'apportent nécessairement ces sociétés et la facilité de pratiquer dans les provinces étrangères ».

En 1632, ils offrent au cardinal 100.000 livres, en reconnaissance « de ce qu'il a voulu faire dans la province un établissement de grands vaisseaux dont la dépense tourne au profit du pays ». Ils défendent, on le voit, et comprennent les intérêts de la population. Richelieu n'a pu cependant éviter avec eux tous les conflits et nous verrons les États se joindre au Parlement, par exemple lorsque les deux corps déclarent préjudiciable au commerce le droit d'ancrage de 3 sols par tonneau sur les navires étrangers, et il faut des lettres de jussion en 1631 (répétées en 1632) pour imposer sur ce point la volonté royale.

Mais Richelieu trouva enfin la solution élégante au problème né du lien qui rattachait l'Amirauté de Bretagne au Gouvernement de la province : c'était d'unir les deux charges en sa personne. Et l'habileté suprême fut de faire suggérer cette solution par les États eux-mêmes ! Le Gouvernement avait été enlevé à Vendôme, et avait été provisoirement confié à Thémines (qui mourra en 1627), puis à Brissac. En 1630, après la démission définitive de Vendôme, la question du gouverneur se posa devant les États tenus à Ancenis. Le procureur-syndic de Bruc de La Grée fit adroitement écarter la candidature de la reine-mère : c'était le moment de la brouille de Marie avec Richelieu. C'est alors que le duc de Retz, président de la Noblesse, proposa le cardinal, « qui prend plaisir à s'occuper de ce pays » et qu'on peut appeler le « général de la mer ». Les *Mémoires* avouent qu'après s'être un peu fait prier, Richelieu accepta le 16 septembre 1631, et ils donnent les motifs de cette adhésion aux vœux de la province : « les gouverneurs de la Bretagne ayant jusqu'alors fait les fonctions de l'Amirauté, il eût été impossible de l'y établir sous un gouverneur qui n'eût pas eu la charge absolue de la marine », surtout après que la journée des Dupes avait marqué le triomphe de la politique anti-espagnole. Les lettres de provision (1) insistent sur l'importance maritime de la Bretagne, « pour être

tradition, sans parler des divisions au sein des États eux-mêmes. D'Avenel a, malgré son dédain des détails, signalé que Richelieu a toujours ménagé les États de Bretagne (t. IV, p. 167-169).

(1) Pocquet, *op. cit.*, p. 403.

entourée de la mer presque de tous côtés, le nombre et la commodité de ses havres qui la rendent plus propre qu'aucune autre pour le commerce avec toutes les parties de la terre ».

Toujours reviennent ces mêmes arguments. Quant « au plaisir » que le cardinal « prend... à s'occuper des affaires de ce pays », les preuves abondent. S'il n'y put venir après 1626, il y délègue comme lieutenant-général son fidèle cousin, représenté comme le porteur de sa pensée, Charles de La Porte, fait marquis de La Meilleraye, qui devra y poursuivre son œuvre après sa mort. Il multiplie les faveurs aux Bretons. Dès le 10 décembre 1626, il avait demandé à Isaac de Razilly un « mémoire bien ample de tous les voiles et cordages qu'il faut faire faire en Bretagne », pour le plus grand profit des cultivateurs de chanvre et de lin. Il envoie un capitaine « faire un tour en Bretagne ». Plus tard, il fera faire par d'Infreville le recensement de cinquante-quatre ports bretons avec étude de leurs besoins. Il est un de ces ports dont on peut dire qu'il l'a découvert, qu'il en fit sa chose, c'est celui de Brest ; il y accumule les travaux (1) et il accorde à ce port, dès 1635, des subventions quatre fois égales à celles que reçoivent d'une part Le Havre, d'autre part Brouage. Il en nomme gouverneur un de ses parents, Combout, sire de Coislin. La Bretagne est pour lui une affaire de famille.

Un édit de novembre 1640 y créera sept sièges d'Amirauté (Saint-Malo, Saint-Brieuc, Lannion, Brest, Quimper, Vannes et Nantes). Inutile d'ajouter qu'avec les lenteurs ordinaires, tous ces sièges n'étaient pas encore installés à sa mort (2) et les États feront encore entendre des protestations contre ces érections en 1643.

Ne croyons pas que l'activité personnelle du grand-maître se soit bornée à la Bretagne. Dès le 18 octobre 1626 il s'était fait nommer lieutenant-général du Havre de Grâce et il s'était fait donner le gouvernement de Honfleur par Monsieur, qui, à cette date, pouvait d'autant moins le lui refuser que ce gouvernement était à d'Ornano. Il veut être maître des ports de la Basse-Seine, et déjà le 20 janvier 1627, nous le voyons s'occuper des travaux du Havre.

Encore une fois, la Surintendance n'était pas pour lui une sinécure, mais une de ses principales préoccupations. Si l'on parcourt le recueil Avenel, cependant incomplet sur les questions commerciales, on sera frappé de l'abondance et de l'insistance des mentions relatives à la navigation et au trafic.

1) Id., *ibid.*, p. 404 et 405, n. 2.
(2) Anne d'Autriche reçut alors le Gouvernement et la charge de grand-maître, toujours réunis, et en 1650 Vendôme reprit même les droits d'Amirauté.

II

De bonne heure, nous l'avons dit et venons de le redire, il s'était préoccupé des choses de mer.

Tandis qu'à travers notre histoire tant de nos hommes d'État, hantés par l'importance des frontières qui engagent si fortement la France dans la masse du continent (1), ont négligé les horizons océaniques, il est remarquable que celui-ci, quoique sa politique ait été tant de fois dirigée vers l'Europe centrale, n'ait jamais perdu le sentiment de ce qu'on peut appeler la vocation maritime de notre pays.

Il va bientôt, devant cette Assemblée des Notables sur laquelle il faudra nous arrêter, faire proclamer par son chancelier Marillac que « nous avons les meilleurs ports de l'Europe, ... la clef de toutes les navigations, ... la conjonction de la Saône et Loire qui peut se faire facilement, qui ôte à l'Espagne toutes les commodités du commerce, facilitant le chemin du Levant par la France ou l'Océan et ôtant la sujétion de passer le détroit de Gibraltar... ; de sorte que toutes les commodités du Levant et de la mer Méditerranée seraient plus tôt et plus facilement à l'extrémité de la France qu'à l'entrée d'Espagne, et rendrions la France *le dépôt commun de tout le commerce de la terre* », par cette conjonction entre Saône et Loire.

On ne saurait mieux mettre en valeur ce que les géographes appellent aujourd'hui « l'isthme gaulois », mieux assigner à la France le rôle d'entrepôt de l'Europe. Telles sont, concluait ce morceau d'éloquence ministérielle, « les considérations que M. le cardinal de Richelieu a représentées au Roi », et qui « ont fait résoudre S. M. de mettre à bon escient la main au commerce ».

Cette préoccupation de la mer chez ce Tourangeau né à Paris, Ch. de La Roncière a tenté de l'expliquer par des raisons mystérieusement ataviques. Quoi qu'il en soit de cette interprétation aventureuse, nous rencontrons déjà dans ses notes, sous la date de 1625 (dans l'année qui suivit son entrée au Conseil), une pièce intitulée *Règlement pour la mer*, et suivie d'un mémoire sur l'entretien des galères (2). Ainsi Burghley, dont le souvenir nous apparaît inséparable de celui de Richelieu, multipliait les papiers avec cet en-tête : « Choses de l'Amirauté, *things of Admiralty.* » Ce projet de règlement de 1625 s'inspire évidemment au premier chef de considérations militaires : avoir en tout

(1) Voir le *Tableau de la France* de Vidal de La Blache.
(2) Avenel, t. II, p. 163.

temps quarante galères, et dès à présent en construire trente, afin de pouvoir couper les communications de l'Espagne avec Gênes et pouvoir secourir nos alliés italiens. Cependant, et dès le début de cette pièce, on lit : « Pour garantir ceux de nos sujets qui trafiquent en Levant des pertes qu'ils reçoivent des corsaires de Barbarie... » Ceci montre que le futur surintendant ne séparait pas les intérêts du commerce de ceux de la « navigation », la stratégie commerciale de la stratégie maritime.

En effet, malgré notre alliance avec la Porte et les « commandements » maintes fois obtenus du Sultan par nos ambassadeurs à Constantinople, nous avions à nous plaindre des perpétuelles attaques des pirates algériens, tunisiens, sans parler des marocains, ces derniers indifférents aux ordres des autorités turques. Précisément, en 1626, un rapport de l'ancien ambassadeur de Brèves demandait des mesures de protection contre les Barbaresques. On se plaignait du manque de fortifications en Provence et Languedoc ; malgré les guetteurs qui surveillaient la Méditerranée du haut de leurs tours, le commerce était souvent interrompu à La Ciotat, à Cassis, à Martigues où, en quatre mois, quatre-vingts Français avaient été pris comme esclaves (1). Lorsque Molière contera l'aventure d'un fils de famille qui se dit enlevé pour être mené en Alger, il retardera à peine sur la réalité, et ce malheur pourra passer pour vraisemblable. En 1631, un intendant signale qu'un des plus beaux navires de France a été pris par les corsaires ; la perte évaluée à 500.000 livres, sans compter le vaisseau lui-même. Les marines chrétiennes rivales semblent s'accorder avec les Musulmans pour nous ruiner. C'est ainsi qu'en 1629, les consuls de Marseille contaient qu'un de leurs navires, allant en Alger pour échanger des esclaves turcs contre des Français, avait été obligé de relâcher en Catalogne ; l'équipage avait été maltraité, le pavillon remplacé par celui d'Espagne, bien que le navire fût pourvu de passeport ; la perte aurait été de 60.000 livres. Comment s'opposer à ces brigandages, quand encore en 1633 trois vaisseaux du duc de Guise faisaient toute l'escadre du Levant ?

Nous parlerons plus loin des insultes infligées par nos rivaux à notre commerce du Ponant.

Cependant, à peine installé dans sa charge de grand-maître, Richelieu avait pu utiliser, pour essayer de rétablir la sécurité dans la Méditerranée occidentale, les services d'un énergique Marseillais d'origine corse, Sanson Napollon, qui faisait la navette entre Constantinople et Alger.

---

1 Voy. Méthivier, *op. cit.*

III

Le principal conseiller du cardinal, en matières maritimes et commerciales comme en beaucoup d'autres, était son fidèle ami Joseph du Tremblay. On pourrait dire que le rôle commercial de l'Éminence grise a été aussi ou même plus méconnu que le rôle économique de l'Éminence rouge. Ce n'est pas que le capucin fût directement intéressé par les biens de la terre. Ce qu'il voyait en toutes choses, avec tout son Ordre, nous savons que c'était d'abord l'extension du domaine de la Croix et la conversion des infidèles. Mais dès 1616, après avoir été mêlé aux négociations de la paix de Loudun, il rêvait d'une croisade pour l'expulsion des Turcs hors d'Europe. Ce projet, né chez lui au moment même où il travaillait pour faire entrer son ami dans le ministère, lui inspirait alors des vers français où un biographe trop louangeur, le chanoine Dedouvres — dans son ouvrage posthume, *Le Père Joseph de Paris, capucin,* — a voulu saluer les prémices d'un poète arrêté trop tôt dans son essor :

> J'anime mes langueurs de cet espoir sublime,
> Que bientôt tous les rois,
> Au pied de ton Calvaire, en ta sainte Solime,
> Adoreront la Croix,

ou encore cet appel de la Grèce implorant le secours de tous les chrétiens de l'Occident :

> Faites de toutes parts que des croisés l'enceinte
> Batte le loup chassé de mes épais taillis !
> Plus de foi que de fer leur phalange soit ceinte !
> Montent au ciel leurs voix, dans l'air leur chamaillis !

Non, vraiment, nous ne saurions répéter avec le chanoine R. Dedouvres : « la lecture de ces vers nous ferait assurément regretter que le P. Joseph n'ait pas donné plus de temps à la poésie... ». Au reste, il en a donné bien davantage à la muse latine. Car il écrivit en cinq livres, de 1619 à 1625, une épopée, *La Turciade,* que le pape Urbain VIII qualifiait tout simplement *d'Énéide chrétienne.* Heureusement, comme l'écrivait le même pape à Richelieu en 1625, que si l'émule latiniste et capucin du Tasse était célèbre par sa gloire littéraire, *litterarum gloria clarus,* éminent par sa piété, *pietatis artibus pollens,* il n'était pas moins habile politique, *rerum gerendarum peritus ;* nous avons signalé son rôle dès 1622 dans la congrégation de la Propagande, et comment il avait utilisé, au profit de ses capucins, l'amitié personnelle de l'ambassadeur de Cézy — au point que le chanoine Dedouvres a pu faire à ce diplomate le compliment un peu étrange, « qu'il n'était guère moins l'agent du P. Joseph que l'ambassadeur du Roi ».

Trois capucins avaient été envoyés à Constantinople dès 1626, sous le P. Archange des Fossés. Ils avaient une chapelle à Péra. Mais leur protecteur de Cézy, qui avait engagé la lutte contre le patriarche orthodoxe Cyrille, en réclama du Sultan deux autres. Sa correspondance, conservée aux Archives des Affaires étrangères, nous renseigne abondamment sur l'activité des Pères. On parle d'une centaine d'entre eux envoyés en Orient. Deux Pères furent dès 1627 expédiés à Chio, des missions à Naxos, à Smyrne, à Scyros. On en trouve en Palestine, en Syrie, en Égypte, en Perse, en Éthiopie, sans parler de la Barbarie. De toutes parts arrivaient à du Tremblay les rapports de ces missionnaires, parmi lesquels les Français étaient nombreux : au P. Pacifique de Provins, il faut ajouter le P. Léonard de La Tour, qui était de Rennes ; le P. Raphael, de Villeneuve-Le Roi, le F. Alexis, de Saint-Lô ; les PP. Thomas, de Paris ; Gilles, de Loches ; Césaire, de Roscoff, et d'autres : une armée. Et toutes nos provinces figurent en ce palmarès.

Mais nous savons que, dans ces relations capucines d'inspiration religieuse, et en attendant que les temps fussent mûrs pour la croisade, Richelieu pouvait cueillir d'abondants détails d'un ordre plus matériel. A « Babylone, — c'est-à-dire à Bagdad, — à Ispahan comme en Terre Sainte et sur l'Euphrate, les capucins rencontraient des marchands français, surtout marseillais, et aussi leurs concurrents étrangers, Anglais et Hollandais. Ils couchaient, durant leurs voyages, dans les mêmes caravansérails, et les ballots de marchandises voyageaient sur les mêmes bêtes que les paquets de livres saints. La maison que le grand chah Abbas — à qui l'idée d'une *Turciade* n'était pas pour déplaire — avait accordée près de son propre palais « au Roi de France, son frère, pour les capucins de son pays », — cette maison, que l'on pouvait voir sur de belles gravures à la dernière Exposition iranienne de notre Bibliothèque nationale, — était un centre non pas seulement d'évangélisation, mais d'influence française et de renseignements, voire commerciaux. Le P. Pacifique nous a confié naïvement tout ce que son humilité chrétienne dut souffrir — « autant, dit-il, qu'un homme peut souffrir sans mourir » — quand il se vit contraint, pour obéir au Chah, d'assister à l'une de ces fêtes splendides où la somptuosité des tapis, l'éclat des vases d'or, la lueur des tombeaux dorés, les costumes des soldats et des pages, les caparaçons des chevaux, lui ont

laissé une impression tellement éblouissante qu'il n'a pu s'abstenir
de décrire ces scènes peu apostoliques. Au reste, ce capucin était,
entre autres missions, chargé de rappeler au Chah le voyage d'un
précédent messager de Louis XIII, celui-là purement commercial
et politique, et qui nous est bien connu, des Hayes de Courmenin.
Il devait remercier Abbas, de la part de son Très Chrétien Maître,

du bon accueil que tous ses sujets de France, venus en ces quartiers,
disent avoir reçu de Vous, avec lesquels vous avez témoigné
désirer grandement la pratique et le commerce.

Et, dans une annexe à sa relation, le Père signalera encore

le grand désir qu'ont les Perses de contracter amitié avec les
Français afin de faire commerce avec eux, qui est ce qu'appréhen-
dent le plus les Anglais et les Hollandais, et surtout les Hollandais,
lesquels, craignant que nous ne ménagions cette affaire, tâchent
par présents ou autrement de corrompre les officiers de la couronne
pour nous faire sortir de Perse...

Décidément, ce moine à pieds nus aurait fait un attaché
commercial très sortable, capable de disserter sur les méthodes
hollandaises et autres d'expansion économique.

IV

Mais le P. Joseph ne fournissait pas à Richelieu, pour sa
documentation navale et commerciale, que des capucins comme
lui-même. Il le mit en rapports avec une famille de marins, les
Razilly, petits hobereaux des environs de Chinon, c'est-à-dire
voisins, vassaux, quasi-parents des du Plessis. De quatre frères,
deux servirent sur les vaisseaux du Roi : Isaac, chevalier de
Malte, et Claude, seigneur de Launay. Nous trouvons d'abord
Isaac, dès 1612, avec La Ravardière, et durant trois ans, en
expédition à « l'île Maragnon », c'est-à-dire aux bouches de
l'Amazone (Maranhaos), où il a connu les capucins. En 1619,
puis en 1622, il avait été envoyé au Maroc pour obtenir du
Chérif, Moulaï Zeidan, une alliance comportant l'accès aux
Français d'un port avec exercice de la religion, alliance qui aurait
mis fin aux pirateries des terribles corsaires de Salé — le nid
d'aigle qui domine Rabat. Il devait obtenir la délivrance des
prisonniers évalués à trois mille pour le Maroc et même favoriser
l'établissement et commerce des Français dans cet Empire où ils
fréquentaient depuis le milieu du xvıe siècle. Bien accueilli en ce
pays, il y retournait en 1624, avec six vaisseaux, où six capucins

de la province de Touraine avaient été embarqués par le
P. Joseph : celui-ci rêvait de faire de ce Maroc, musulman mais
indépendant de la Porte, un des domaines de son Ordre. Razilly,
cette fois, fut arrêté avec trente de ses compagnons, dont trois
capucins, par le pacha de Saffi, qui crut ou voulut croire à une
menace belliqueuse contre sa ville. Mais le Chérif fit mettre Razilly
en liberté, et le renvoya en France avec des propositions d'amitié.
Comme condition préalable, la France devait d'ailleurs payer au
makhzen une indemnité pour un million d'or, de pierreries et
de livres rares — « la bibliothèque du sultan », dit spirituellement
Ch. de La Roncière en contant cet épisode, — jadis confiée à un
Français et que celui-ci avait laissé piller en mer par les Espagnols (1). Entre temps, Isaac avait commandé trois vaisseaux
contre les rebelles de La Rochelle et obtenu le titre de vice-
amiral. Devant Privas, nous dit Dedouvres, le P. Joseph lui fera
commander d'exécuter « le dessein de Mogador » — ce qui prouve
que les projets d'établissement sur la côte du Maroc atlantique
n'étaient pas abandonnés, projets qui ne réussirent pas et n'eurent
pas plus de succès en 1630. En 1632, Isaac sera vice-roi de la
Nouvelle France, poste où lui succédera son frère de Launay.
Tel est l'homme qui passe généralement pour avoir rédigé, à
son retour du Maroc et sous la date de Pontoise, 26 novembre 1626,
un *Mémoire du Chevalier de Razilly à Monsieur l'Illustrissime
cardinal de Richelieu, chef du Conseil du Roi et superintendant du
commerce de la France*, vaste plan maritime, marine de guerre et
commerce par mer, constructions navales, projets de compagnies,
puis de conquêtes dans l'Amérique du Sud ou pays d'Eldorado,
enfin un exposé de politique mercantiliste. Il est visible, quand
on parcourt les *Mémoires*, la correspondance, les « maximes » de
Richelieu que ce texte a exercé une influence décisive sur l'orientation du grand-maître et surintendant (2).

Pour tous les historiens qui s'en sont occupés, Fagniez, La
Roncière, Paul Masson, Hanotaux et autres, il n'est pas douteux
qu'il faille attribuer ce mémoire, conformément à son titre, à
Isaac de Razilly. Seul le chanoine Dedouvres, atteint de *morbus
biographicus*, a voulu voir dans le chevalier de Malte un simple
prête-nom du P. Joseph ; il revendiquerait volontiers pour son

---

(1) Voy. outre La Roncière et Dedouvres, l'*Histoire des établissements e
du commerce français dans l'Afrique barbaresque* (1903) de Paul Masson.
(2) Ce texte capital, découvert à la Bibliothèque Sainte-Geneviève, a été
publié en 1886 par Léon Deschamps, mais présenté de façon incommode dans
deux numéros successifs de la défunte *Revue de Géographie* (t. II. p. 374-383
et 453-464). Il serait bien souhaitable qu'on pût en avoir une édition permettant de le lire d'une haleine.

héros tous les écrits du temps qui lui paraissent remarquables
Texte admirable, pense-t-il, donc il doit être du P. Joseph ! Son
argument, c'est que le mémoire contient une partie d'inspiration
religieuse, sur la conversion des infidèles et sur le moyen d'organiser dans le Clergé de France une caisse à cet effet, sur le rachat
des captifs (évalués pour toute l'Afrique du Nord à 6.000), qu
sont, dit-il, « les meilleurs mariniers du royaume » et pour la
délivrance desquels l'auteur proposait de prélever un dixième des
prises maritimes, une taxe sur les voyages au long cours et les
permis de naviguer, plus 20 écus par an sur « tous ceux qui
auront des carrosses dans Paris ».

Ce passage, nous affirme-t-on, ne saurait venir que d'un
religieux. Argument faible, car, s'il est très probable que le
P. Joseph a demandé au rédacteur de signaler au ministre l'aspect
religieux de l'entreprise, on voit mal pourquoi un religieux aurait
insisté sur cette note professionnelle : les qualités marinières de
ces captifs « contraints par les tourments à renoncer à la loi de
Jésus-Christ », et qui, par surcroît, « servent de pilotes aux
Barbares pour venir aux côtes de France prendre leurs parents
et compatriotes ». On sent ici non le moine, mais l'homme de
mer, et c'est un homme de mer qui a rédigé bien d'autres parties
du mémoire, riches de détails techniques.

Dedouvres peut avoir raison de dire : « Contrairement à ce
qu'affirme M. Fagniez, l'inspirateur de la Mission du Maroc est,
non le chevalier de Razilly, mais le P. Joseph ». Mais pourquoi
ajouter ? « Si M. Fagniez a commis cette grosse erreur, c'est qu'il
a attribué au chevalier un mémoire sur la marine, qui est l'œuvre
du capucin ». Que ce dernier ait influencé le premier, qu'il avait
puissamment aidé, à qui il avait fourni des missionnaires et
ouvert l'accès du cabinet ministériel, qu'il ait dicté les considérations religieuses et moralisantes du mémoire, cela est possible
et même plus que probable. Mais l'auteur termine en s'excusant
de présenter à Son Éminence un « grossier discours de matelot »,
ce qui ne va guère au P. Joseph. La paternité directe de l'œuvre
doit être maintenue au vice-amiral.

C'est le « matelot », certainement, qui dénonce l'erreur de
certains membres du Conseil, à savoir

que la navigation n'était point nécessaire à la France, que les
habitants d'icelle avaient toutes choses pour vivre et s'habiller,
sans rien emprunter de ses voisins, partant que c'était une erreur
de naviguer. Vielles chimères,

s'écrie le marin. Vieilles chimères, à la mode depuis deux siècles,
et cent fois enfourchées par les auteurs du temps, qui vantaient

la conception, purement autarcique, d'une France assez riche
pour se passer de tous, tandis que les autres ne sauraient se
passer d'elle. *Navigare necesse est*, ce dicton des Hanséates (1)
est presque celui de Razilly dans ces pages où l'on sent passer le
souffle du large ; où il oppose à la vieille tradition terrienne, du
moins continentale et paresseuse, l'idée, qui sera chère au cardinal,
d'une France assise entre ses trois mers, riche en ports, en forêts,
plus riche encore d'admirables marins, assurée d'un fret de
sortie, puisque les étrangers ont besoin de ses blés, de ses vins,
de ses toiles, de ses huiles, de son sel. « Ceux qui ont gouverné
l'État ci-devant, dit-il non sans brutalité, se sont moqués de la
navigation. »

Richelieu n'oubliera jamais certaines formules de Razilly,
celle-ci au premier chef : « *Quiconque est maître de la mer a un
grand pouvoir sur terre.* » La doctrine moderne de la maîtrise de
la mer, dont on fait honneur au marin américain Mahan, y est
dès lors ramassée. Les preuves qu'en donne Razilly, ce sont
celles-là même qui reparaîtront dans le *Testament* : puissance du
roi d'Espagne qui, « depuis qu'il est armé sur la mer, a tant
conquis de royaumes que jamais le soleil ne se couche dans ses
terres » ; puissance d'États minuscules comme Malte, dont
Razilly avait une connaissance particulière, comme Alger, Tunis,
Salé, comme les Provinces Unies (2) ; faiblesse du Roi de France,
qui a été obligé, contre les Rohan révoltés dans La Rochelle, de
solliciter le secours des puissances maritimes, même protestantes.
N'a-t-on pu soutenir (c'est Mariéjol (3)) que les projets maritimes
de 1626 et la création de la Surintendance se relient à la
volonté du ministre de créer « une force navale capable de battre
les rebelles sans l'aide des marines étrangères » ?

La phrase de Razilly prend à ce sujet un tel accent qu'elle
n'a pu sortir que de la plume d'un marin ulcéré :

J'ai le cœur tout serré quand je viens à considérer les discours
que font de nous tous les étrangers quand ils parlent de la France.
Et me disaient : quelle puissance a votre roi, vu qu'en toutes ses
forces il n'a pu vaincre un gentilhomme de ses sujets sans l'assistance d'Angleterre, de la Hollande et de Malte ; à plus forte
raison s'il avait guerre contre le roi d'Angleterre ?

Il nous semble ouïr les railleries des hommes de mer durant
les conversations d'escale.

(1) Ils ajoutaient fièrement : *Vivere non necesse.*
(2) M. Hanotaux (*Maximes*, p. xvi, 2 et XVII, 3) relève les passages donnés
par Avenel (d'après Aff. étr., *France*, 1625) sur le même sujet.
(3) *Histoire de France* de Lavisse, p. 257-258.

Razilly signale que nos rares vaisseaux sortent des chantiers hollandais. Il affirme que plus de deux cent mille marins français, faute d'emploi chez nous, servent à l'étranger, surtout sur les flottes hollandaises. Deux cent mille ? le chiffre est certainement fantaisiste. Mais l'observation est juste, confirmée par d'autres textes.

Toutes ces idées rassemblées dans ce mémoire de Razilly, Richelieu les a méditées. Il lui prendra l'une de ses thèses maîtresses, à savoir que « les personnes de qualité » — menacées par la ruine financière — doivent « se mettre sur la mer ». Ne voit-on pas avec quelle attention le ministre a lu cette recommandation ?

Il est besoin que le Roi dise publiquement chacun jour que ses favoris seront ceux qui feront faire des navires et qui auront le courage d'entreprendre des voyages de long cours, et non tous les vicieux et importuns qui suivent la cour.

Richelieu saura le dire « publiquement », au nom du Roi. A Razilly, il prendra encore ses diatribes contre « les gens d'écritoire » qui se poussent vers les charges dès qu'ils sont frottés de latin, et contre le nombre excessif des collèges, ses plans de réforme de l'enseignement (1). Dans le mémoire de 1626 se trouvait déjà le dessein des Compagnies royales, et des moyens qui doivent, en dix ans, rendre « le Roi maître de la mer et redoutable par tout l'univers ». Car Razilly voulait aller vite en besogne. A l'ancien voyageur au Maragnon, pressé de conquérir l'Eldorado, Richelieu était même obligé de prêcher la patience et il écrivait, le 10 décembre 1626 :

Pour l'entreprise que vous me proposez, nous en parlerons particulièrement ensemble, ne voulant pas légèrement donner conseil au roi de hasarder ses vaisseaux...

Richelieu n'avait, on le voit, aucune espèce de doute sur la paternité du mémoire auquel il doit tout, et jusqu'à l'erreur, qu'il désavouera plus tard, sur le commerce du Levant.

Sur plus d'un point d'ailleurs les démonstrations du chevalier de Malte ne faisaient que confirmer des idées que, depuis longtemps sans doute, le cardinal portait en lui. Aux affirmations répétées par lesquelles Razilly proclame la vertu de la maîtrise de la mer, comparez la page, digne d'être célèbre, par laquelle s'ouvre dans le *Testament* la section V du chapitre IX de la IIe Partie, qui est précisément intitulée *De la puissance sur la mer.* « La puissance en armes, redira le ministre près du terme

(1) Voy. ici d'Avenel, t. IV, p. 372-373.

de sa carrière, requiert non seulement que le Roi soit fort sur
la terre, mais qu'il soit puissant sur la mer. » Et il rappelle ce
mot d'Antonio Perez à Henri IV pour le remercier de l'avoir
accueilli dans cette France où le vieil exilé ne mourra qu'en 1611,
savoir ces « trois mots, trois conseils qui ne sont pas de petite
considération : *Roma, Consejo, y mar* ». Avoir un bon Conseil,
être en état d'agir auprès de la Curie, c'est bien : « reste à représenter l'intérêt que le Roi a d'être puissant sur mer ».

Nous essaierons de voir tout ce qu'il y a dans cette V^e section.
Qu'il nous suffise pour l'instant de dire que Richelieu était bien
armé pour présenter à l'Assemblée des Notables du 2 décembre 1626 au 23 février de l'année suivante un vaste programme
d'action économique et maritime.

V

Devançons les temps et, sans nous soucier à l'excès de la
chronologie, considérons l'action de Richelieu lorsqu'après cette
année cruciale de 1626-27, il pourra pleinement jouer son rôle de
grand-maître du commerce et de la navigation.

En suivant cette activité jusqu'au bout de sa vie, il est impossible de n'être point frappé de l'importance qu'a revêtue constamment à ses yeux la défense des côtes — celles du Ponant,
d'ailleurs, comme celles du Levant.

C'est au reste, par les premières — anciennes Amirautés de
France, de Bretagne et de Guyenne — que l'on avait dû et pu
commencer. Au point de vue militaire, l'Océan, c'était d'abord
une côte exposée, tout comme celle de la mer du Nord, aux
entreprises de l'Espagne ; sans que la distance la mît à l'abri
des entreprises barbaresques, au moins marocaines ; c'était aussi
la côte où règnait La Rochelle, où la rébellion huguenote pouvait
se combiner avec une attaque anglaise. Commercialement,
c'était la mer d'où partaient les vins de Bordeaux et du pays
nantais, les pastels du Lauraguais, le sel de Brouage et de la
baie de Bourgneuf, les toiles de Bretagne ; c'était le chemin de
l'Angleterre, de la péninsule ibérique occidentale, de la Hollande,
du Maroc atlantique et de l'Afrique occidentale, de la Baltique,
sans parler du nord de l'Amérique. Aussi, dès 1629, un premier
enquêteur, Leroux d'Infreville, avait reçu mission de visiter les
côtes de Calais à Bayonne. Son rapport (1) en douze chapitres a été
publié en annexe à la *Correspondance de Sourdis* (t. III, p. 215),

---

(1) Voy. le résumé du rapport dans Caillet, t. II, p. 28-34.

par un homme dont le nom est resté plus célèbre dans les champs
du roman que dans ceux de l'histoire, Eugène Suë. Ce rapport,
traitant à la fois de la marine de guerre et de la marine de commerce, expose l'état de délabrement de la plupart des ports, leur
système de taxes, le nombre et la qualité des vaisseaux, tant de
ceux du Roi que de ceux des particuliers qui pourraient être
armés en guerre. Abbeville, Calais, Boulogne, Dieppe, Le Havre,
Caen, Nantes, Les Sables, Brouage, ont été soigneusement visités,
et aussi Saint-Valéry, Le Crotoy, Port-en-Bessin, Saint-Malo,
Brest et Blaye, etc., ports petits et grands. D'Infreville signale
des abus qui en disent long sur les difficultés de l'œuvre entreprise
par Richelieu : « A Caen m'a été fait plainte que vers Cherbourg
il y a des pirates français qui ont commission du Roi d'Espagne,
qui déprèdent leurs vaisseaux des marchandises, et sont soutenus
par ceux dudit Cherbourg et gentilshommes voisins. » Quant à
l'entretien des ports, nous apprenons que Brouage est envahi par
la vase, que le chenal n'est pas maintenu en état dans la rivière
de Nantes, que le port de Boulogne menace ruine, de même que le
quai de Dieppe. Tantôt l'entretien est au compte du Roi, tantôt
aux frais des localités, qui le négligent, même quand un octroi
leur a été alloué pour cet objet.

Le seul côté consolant de ce rapport, c'est que, depuis la
prise de possession du pouvoir par le cardinal, la construction des
vaisseaux du Roi a repris, à Dieppe, Fécamp, Le Havre, Honfleur, Brest, — dont Richelieu voulait faire un grand port et,
en 1632, confier le gouvernement, on l'a vu, à un sien cousin
Charles de Combout, marquis de Coislin, — Auray, La Roche-
Bernard, Couéron, Bordeaux. D'autres vaisseaux ont été ou sont
construits par les particuliers, par exemple à Granville et Saint-
Malo. Pas à Nantes, parce que (d'Infreville ici annonce les
curieuses observations d'Éon) « les Flamands [lisez les Hollan-
dais] étaient plus tôt frêtés que les Français, et avaient lesdits
Flamands des facteurs dans le pays de leur nation qui faisaient
tous les achats de vin ».

Recrutement des équipages, inspection des magasins, des
fonderies de canons, juridictions maritimes (en Bretagne, en
l'absence de Tribunaux d'Amirauté, les causes maritimes ressor-
taient aux juges ordinaires), remplissent le reste de ce rapport,
plus administratif peut-être que commercial, moins commercial
que celui dont nous allons parler.

Passons à « la mer du Levant ».

La tâche était encore plus difficile, et c'est seulement en 1633
— deux ans après le règlement définitif de l'Amirauté de Provence
par le départ du duc de Guise — que Richelieu put organiser

une mission d'inspection analogue à celle d'Infreville, celle-ci
confiée à Henri de Séguiran, seigneur de Bouc. Cette enquête,
menée avec un soin minutieux, est encore plus développée que
celle d'Infreville, et plus riche d'enseignements commerciaux (1).
Séguiran fit dresser des cartes de tous les ports, recueillir des
renseignements sur le trafic de ces ports avec le Levant, énumérant le nombre de vaisseaux de chacun, des armements contre
les pirates, réunissant et consultant des députés, analysant, de
concert avec les consuls de Marseille, les causes de décadence. Ce
travail était d'ailleurs dirigé par l'un des meilleurs collaborateurs
de Richelieu, François Sublet de Noyers, secrétaire d'État de la
Guerre. On peut, sans risquer de dramatiser l'histoire, s'imaginer
le cardinal se penchant sur ces dossiers avec Sublet et d'autres
spécialistes, comme Bouthillier et Fouquet le père.

La situation était, même trois ou quatre ans après la mission
d'Infreville, plus grave que sur les côtes du Ponant. Y avait-il
là un effet de la nonchalance provençale ? Toujours est-il que
l'éditeur de ces documents, le futur romancier, aurait pu cueillir
dans les textes qu'il publiait, maints détails d'un pittoresque
achevé. On croit rêver en lisant que le château-fort (ce mot a
l'air d'une ironie) de Cassis, appartenant à l'évêque de Marseille,
avait pour toute garnison un concierge, pour toute artillerie
deux fauconneaux, « l'un desquels est éventé ». A Toulon, l'un
des forts, « et le plus important », était « une vieille tour » aux
canons démontés, et sans autres munitions que celles que le
cardinal y avait fait envoyer quinze jours auparavant. A la tête
de cette place, « un bonhomme de gouverneur, qui n'a pour toute
garnison que sa femme et sa servante... ». On croirait lire, dans
La fille du Capitaine de Pouchkine, la description d'une citadelle
ukrainienne à la veille de la révolte de Pougatchef, et encore
l'avantage ne serait-il pas à ce Toulon dont Henri IV, au temps
de la reprise de Marseille, avait fait une place de guerre, mais
que, depuis, on avait « oublié ». Martigues, la petite Venise du
Bas-Rhône, était dépouillée de ses marins par les chasseurs
d'esclaves. A La Ciotat, comme dans toutes les calanques, on ne
pouvait se protéger que grâce à un système de signaux « de jour
et de nuit » et en transformant « chaque maison... en une sorte
de forteresse ». Ce qui est plus piquant encore, et fait l'effet d'une
galéjade, c'est la révélation du singulier trafic auquel ne craignaient pas de se livrer des chrétiens, résidant à Alger : « y ache-

---

(1) Elle est, elle aussi, publiée dans la *Correspondance de Sourdis*, t. III,
p. 221-224. L'enquête dura de janvier à mars 1633. D'autres renseignements,
donnés par Sourdis en 1637, sont à la même *Correspondance*, t. I, p. 497. Voy.
l'analyse de ces documents dans Caillet, II, p. 34-39.

tant à vil prix les marchandises volées par les pirates, nous dit
Caillet ; puis, les expédiant de nouveau en Europe, ils les ven-
daient au-dessus de leur valeur, gagnant encore à cet odieux
négoce ». Voilà qui ne s'invente pas et jette un jour assez cru
sur les habitudes commerciales de l'époque (1). Tout pirate
n'était pas un sectateur de Mahomet. Les choses s'étaient encore
compliquées par suite de conflits entre le gouverneur de Provence,
Vitry (de 1631 à 1637), et Sourdis, archevêque de Bordeaux, le
curieux prélat naval que protégeait Richelieu. Quant à la province voisine, et en partie aussi maritime, le Languedoc, un édit
de Toulouse (20 octobre 1632) y avait créé des bureaux d'Amirauté (2). Le Roi y rappelait une fois de plus que « la navigation
et le commerce de notre royaume et conservation des ports,
havres et côtes » étaient de suprême importance, constatait que
le Languedoc n'avait jamais eu d'officiers d'Amirauté et « que
les ports et havres de ladite mer [Méditerranée] y sont très mal
entretenus et sans police maritime ». Des bureaux d'Amirauté
étaient érigés à Narbonne, Agde, Frontignan et Sérignan, plus
des bureaux particuliers à Aigues-Mortes, Leucate et Vendres,
« pour être dès à présent pourvu aux dits offices... de personnes
capables, et ci-après à la nomination de notre cousin le cardinal
de Richelieu et ses successeurs... ».

Voilà qui élargissait encore le cadre de l'enquête de Séguiran.
Son rapport est nourri de renseignements sur le commerce de
chacun de nos ports avec ceux du Levant, échelle par échelle.
Il s'étend même sur le trafic du Maroc atlantique, aussi bien que
sur celui des côtes d'Espagne — Cadix, Séville, Lisbonne,
Canaries — et d'Italie. Il passe en revue les principales marchandises, drogues, soies, coton, toiles du Levant et de France. Nous
verrons plus exactement, dans un chapitre ultérieur, le lien étroit
que Richelieu établissait entre la question méditerranéenne et ce
commerce du Levant, qui trouvait dans les ports languedociens
et provençaux ses bases de départ et d'arrivée.

Nous croyons devoir donner une nouvelle entorse à la chronologie, en énumérant ici, après Caillet (3), quelques-unes des
activités de Richelieu comme ministre du commerce et de la
navigation. Des efforts furent faits, notamment en vertu de
l'ordonnance de 1629, puis par d'Infreville et Séguiran, pour

(1) M. Méthivier, *loc. cit.*, renvoie aux nos 1700-1705 et 1707 des Aff. étr.
France.
(2) P. Boissonnade, *L'essai de restauration des ports et de a vie maritime du
Languedoc de 1593 à 1661 et son échec,* d'après des documents d'archives (dans
Ann. du Midi, avril 1934).
(3) T. II, p. 44-61.

dresser une statistique des gens de mer où Colbert trouvera les
bases de l'inscription maritime, et aussi un dénombrement des
navires grands et petits, avec leur tonnage. Le code Michau
encore annonçait la création dans les ports d'écoles de pilotes.
Construction de vaisseaux, interdiction aux marins de prendre
du service à l'étranger, organisation du service sur les galères
(1635) des forçats vagabonds et mendiants, Turcs et renégats,
voire des soldats espagnols dépourvus de passeports... Nous ne
parlons pas des mesures strictement militaires, destinées cependant à rétablir la sécurité du commerce, mais signalons les travaux du Havre, de Brest, de Brouage, pour lequel Richelieu avait
une dilection particulière, et de Toulon. Encore en 1641, l'intendant Arnoux était envoyé dans ce port pour le remettre en état.

Œuvre immense, dont on voit qu'elle a, sans interruption,
préoccupé le cardinal durant vingt ans. On a pu parler à ce sujet
d'un « Acte de navigation » français.

Quand on l'a étudié d'un peu près, il semble qu'on doive
donner raison aux lignes par lesquelles le Nantais Jean Éon
saluera plus tard le duc de La Meilleraye, cousin de Richelieu et
son successeur dans son gouvernement de Bretagne, un « aussi
parfait imitateur que très digne héritier des vertus de ce grand
et incomparable cardinal ». Après avoir servi le Roi par ses
grandes actions « dedans et dehors », dira Éon, « purgé nos
côtes, étendu nos frontières, défendu nos alliés, jeté la confusion,
il [Richelieu] n'avait plus qu'un désir pour l'accomplissement de
ses grands desseins, qui était, après avoir porté le dernier coup à
l'hérésie et procuré une paix avantageuse à la France, de lui donner dans son repos le véritable moyen de se rendre heureuse de tout
point, en établissant de bonnes et fortes Compagnies pour l'entretien du commerce et de la navigation..., pénétrant par la force
admirable de son esprit dans les utilités du grand négoce ».

Ce panégyrique n'a qu'un défaut, c'est de donner l'impression
qu'il y aurait dans la vie de Richelieu deux tranches chronologiques : celle de la lutte contre la rébellion, de la guerre, de la
protection accordée aux arts et aux lettres, puis celle du grand
commerce. L'établissement de la charge de grand-maître du
commerce est contemporain des premiers pas du ministre. Son
dernier acte en ce sens, la première forme de la création d'une
Compagnie célébrée par Jean Éon, fut décidé en 1641. Du
début de son activité à la fin de sa vie, Richelieu fut un ministre
du Commerce et de la Navigation. Entre ses actes dans cet
ordre et ceux qu'il accomplit contre les rebelles et contre l'ennemi,
le synchronisme est complet et constant.

CHAPITRE III

L'ASSEMBLÉE DES NOTABLES DE 1626-1627

Cette Assemblée marque un moment décisif dans la vie de Richelieu (1), surtout si nous admettons que son avènement réel en 1624-25 peut se traduire, à beaucoup d'égards, par cette formule : l'économie nationale au pouvoir.

Si personne, dans l'entourage du Roi, n'avait gardé bon souvenir des États de 1614, si le ministre, qui en avait fait partie, ne désirait pas courir à nouveau le risque d'une rencontre avec une assemblée élue, rétive devant le pouvoir, divisée par des luttes intestines, le despotisme ministériel qu'il rêvait de transformer en un système de gouvernement ne pouvait, surtout pour réaliser des projets que nous connaissons, se passer d'un certain concours de l'opinion publique. On ne peut faire travailler une nation, fût-ce pour l'enrichir, contre son gré et sans son aveu. A l'exemple de Henri IV, qui était dans toutes les mémoires « le grand Roi », le ministre de son fils, se défiant des États, leur préférait ces assemblées plus dociles dont les membres étaient désignés par le gouvernement, choisis parmi les gens de robe et les magistrats des villes, à qui l'on demandait bien leur avis — avis et non plus doléances, — mais à condition que cet avis correspondît aux besoins et aux désirs de la royauté ! On leur disait, pour bien fixer et limiter leur rôle : « En ce chaos d'affaires, le Roi désire avoir vos avis pour apprendre par quelles façons il se pourra démêler et tirer hors de la nécessité pressante (2). »

I

« Chaos d'affaires... »

Ce n'est pas sortir de notre sujet que d'essayer de nous représenter quelles étaient, en cette fin d'année 1626, les multiples

(1) D'Avenel, *Richelieu et la monarchie absolue* (t. I, p. 141), écrit à propos de la convocation avec une légèreté dédaigneuse *sept* lignes sur les Assemblées des Notables sous Louis XIII : « Elles ne signifient rien ».
(2) Voy. Jeanne Petit, *L'Assemblée des Notables de 1626-27* (Paris, 1937, in-8°), que je ne pus connaître qu'un peu tard pour l'utiliser pleinement. L'auteur a vu beaucoup de documents au quai d'Orsay. Voy. *Mélanges d'hist. sociale*, t. II, p. 102.

et diverses préoccupations du chef du Conseil. Ainsi apparaîtra
plus à plein la place que, dans ce premier contact direct avec
l'opinion, dans cette véritable prise de possession du pouvoir
dirigeant, il entendait réserver aux questions économiques.

En mai 1626 avait été découvert le complot d'Ornano et de
Chalais, c'est-à-dire un projet de l'assassiner, lui, Richelieu,
pour le compte de Gaston, d'accord avec l'Espagne. Chalais
avait été exécuté le 25 août, d'Ornano emprisonné, et la reine
était si peu lavée de tout soupçon de complicité qu'elle ne fut
même pas admise à paraître à la séance d'ouverture de cette
Assemblée où siégeait la reine-mère, et dont la présidence avait
été déférée à Monsieur, le vaincu et le pardonné de la veille.
Un cérémonial imposant soulignait la gravité de l'heure.

C'est déjà en mars qu'un mandataire peu fidèle, l'ambassadeur
du Fargis, avait signé avec l'Espagne, à Monçon, un traité que
Richelieu abominait. Il redoutait par sucroît une rupture avec
l'Angleterre et une entente de cette puissance avec les huguenots
de La Rochelle. Et c'est dans ces circonstances angoissantes qu'il
devait exposer aux Notables un plan de relèvement financier et
économique.

L'abondance même des textes qui nous sont parvenus sur ce
qui se passa dans l'Assemblée et sur le contenu des propositions
navales et commerciales est une preuve de plus du prix qu'y
attachait « le grand-maître et surintendant du commerce et de
la navigation ». Il a voulu répandre aussi largement que possible
ses intentions et son programme. Là non plus, ce n'est pas sortir
de notre sujet que nous arrêter sur ces questions de publicité.
Dans les *Mémoires* rédigés après coup et par ses secrétaires,
Richelieu a résumé en particulier les propositions présentées
par le gouvernement « sur le fait de la marine et du commerce, ...
propositions nécessaires, utiles et glorieuses, non tant pour
remettre en France la marine en sa première dignité que, par la
marine, la France en sa première grandeur ».

De ces propositions mêmes nous avons deux états successifs.
D'abord le discours prononcé par le Garde des Sceaux Marillac,
et qui sera publié dans le *Mercure*, au tome XII (1). Ce discours
devait être l'expression d'instructions précises que le cardinal
avait données à son porte-parole. Notamment, le 18 novembre,
donc deux semaines avant la tenue de l'Assemblée, avait été
rédigé un *Mémoire touchant la Marine envoyé à Monsieur le
Garde des Sceaux*. En fait Marillac, dans un discours fleuri

---

(1) Voy. aussi dans *États Généraux*, t. XVIII. Il en existe plusieurs manuscrits. Voy. aussi Avenel, t. II, p. 297-304 et 315-334. Compléter avec Mlle Petit.

d'allusions mythologiques, avait inséré, sur le sujet qui tenait tant à cœur au cardinal, le passage suivant (1) :

« Vous aurez aussi à travailler sur l'établissement du commerce comme au plus propre moyen d'enrichir le peuple et réparer l'honneur de la France », de sortir de « la léthargie en laquelle nous avons vécu depuis plusieurs années. Nos voisins nous assujettissent à toutes les rigueurs de leurs lois ; ils donnent le prix à nos denrées et nous obligent à prendre les leurs à telles conditions qu'il leur plaît ». Nous sommes pillés par les pirates et Turcs, et autres déguisés en Turcs... Ils vous ôtent la pêche des morues aux Terres neuves » et ont « beaucoup retranché la pêche des harengs ; on vous a ôté celle des baleines en Spitzberg ».

Cependant nous possédons « tous les moyens de nous rendre forts sur la mer ». Nous avons du bois, du fer, des toiles, chanvres, « les froments pour les biscuits », les vins, cidres, bières, enfin les matelots « qui, pour n'être pas employés par nous, vont servir nos voisins ». Nous possédons « les meilleurs ports de l'Europe... la clef de toutes les navigations ». Possibilité de joindre les mers par des canaux, position avantageuse des îles de Provence, du Raz Saint-Mathieu, des ports de la Manche, telles sont les considérations « que M. le cardinal de Richelieu a représentées au Roi, entre les grands, honorables et généreux conseils qu'il lui donne... » (2). Et c'est là qu'apparaît cette conclusion, que ces considérations « ont fait résoudre S. M. de mettre à bon escient la main au commerce ». Les idées, on l'a certainement remarqué, et souvent les expressions sont les mêmes que celles du mémoire de Razilly et des documents que nous avons rencontrés depuis 1625.

Malgré cette abondance de détails concrets qui, à distance, nous étonne dans ce morceau d'éloquence officielle, il semble que Richelieu fut médiocrement satisfait de ce discours, puisqu'il jugea utile de revenir à la charge. De la comparaison de ce discours avec les instructions (et aussi avec les paroles ultérieures du cardinal), il ressort que Marillac n'a pas reproduit très exactement toutes les idées du maître, soit qu'il se préparât déjà à devenir un collaborateur infidèle, soit plutôt que, par dédain de grand seigneur, il ait trouvé méprisables plusieurs de ces détails. M. Méthivier exagère peut-être, mais exagère à peine lorsqu'il écrit que Marillac, saisi du mémoire du 18 novembre, « le déforma... totalement en l'atténuant ». Il lui enleva cet accent de cri d'alarme, cette allure de secousse salutaire que Richelieu avait voulu lui imprimer.

(1) *Mercure*, p. 759.
(2) Passages analysés par Caillet, t. I, p. 241 et suiv.

Toujours est-il qu'il crut nécessaire de donner de sa personne.
Le manuscrit conservé aux Affaires étrangères (*France*, t. 55,
f° 59) contient ces mots dans le récit de l'Assemblée :

Le cardinal y fit en présence du Roi le discours suivant : Il
n'est pas besoin, à mon avis, de représenter à cette célèbre compagnie les grandes actions que V. M. a faites depuis un an, tant
parce que M. le garde des Sceaux s'en est dignement acquitté que
parce qu'elles parlent d'elles-mêmes...

Il a donc parlé après Marillac. Les *Mémoires* (1), résumant ce
discours, vantent (nous l'avons dit)

« cette grande connaissance qu'il avait prise de la mer », et rappellent « plusieurs propositions nécessaires, utiles et glorieuses
non tant pour remettre en France la marine en sa première dignité
que, par la marine, la France en son ancienne splendeur ».

Ils montrent, ce qu'avaient déjà exposé les conseillers et les
confidents du cardinal,

que l'Espagne n'est redoutable et n'a étendu sa monarchie en
Levant et ne reçoit ses richesses d'Occident que par sa puissance
sur mer ; que le petit Etat de MM. des Pays-Bas ne fait résistance
à ce grand roi [d'Espagne] que par ce moyen ; que l'Angleterre ne
supplée à ce qui lui fait défaut et n'est considérable que par cette
voie ; que ce royaume [la France] étant destitué, comme il est, de
toutes forces de mer, en est impunément offensé...

Cela, déjà, vous a un autre air que les phrases de Marillac.
Mais pourquoi ne pas entendre Richelieu lui-même ? Les éditeurs
modernes des *Mémoires* (p. 26, n. 2) nous révèlent qu'un de
leurs manuscrits, celui qu'ils dénomment B, contient cette note :
« ce que M. le cardinal dit à l'assemblée des notables est inséré
tout au long à la fin de ce volume », et ces éditeurs ajoutent :
« On ne trouve pas cette pièce dans le manuscrit B », sur lequel
ils ont surtout bâti leur texte. Mais eux-mêmes piquent notre
attention en nous révélant que cette « pièce » — comme ils
disent — « a été transcrite dans le manuscrit A (f°ˢ 59-63), mais
qui n'a pas servi à la rédaction de ce passage ».

Ainsi donc, de l'aveu des éditeurs désignés par l'Académie
française, il résulte qu'il y a dans l'un des manuscrits des *Mémoires*
— rédaction due sans doute à Harlay de Sancy, évêque de
Saint-Malo — l'annonce formelle d'un discours de Richelieu en
personne, et si cette pièce manque dans l'un des manuscrits, elle
figure *in extenso* dans un autre au moins. Or que nous donne-

(1) Sous l'année 1627, t. VII, p. 25 de l'édition récente.

t-on ? Le manuscrit où cette pièce ne se retrouve pas ! Refaisant,
un siècle après l'édition Petitot, le texte des *Mémoires*, les savants
éditeurs rencontrent cette pièce unique, un discours authentique
du cardinal, sur une des matières qui lui tenaient le plus à cœur,
et ce discours, document essentiel pour l'histoire des lettres,
pour l'histoire économique, pour la critique même des *Mémoires*,
ils ne nous le donnent pas !

Singulière et troublante discrétion ! Rapprochons-la d'une
note de la page 26 : « Les pages qui suivent ne sont qu'un résumé
très incomplet d'une série de documents relatifs au commerce
et à la marine, qui occupent dans le manuscrit A les folios 63 vᵒ
à 96 vᵒ. » Ainsi donc, plus de trente feuillets, une soixantaine de
pages inédites que l'on juge inutile de nous faire connaître, sans
doute parce qu'on les estime indignes de nous et du grand
ministre, en somme peu intéressantes, étrangères à la grande
politique, aux secrets des Cours et des Cabinets. Bref, c'est l'état
d'esprit de Voltaire qui continue à s'imposer. Commerce et
marine, toiles et cordages, huiles et safran, teintures et draps,
harengs et morues, bagatelles que tout cela.

Devant ce poteau indicateur qui déconseille l'excursion, il
vous prend, comme au voyageur impénitent dont une agence de
tourisme officielle veut détourner l'indiscrète curiosité, une irré-
sistible envie d'y aller voir. C'est-à-dire d'aller manier le manuscrit A, volume 59 des *Mémoires : France*.

On y trouve, reliés ensemble, une série de cahiers soigneusement numérotés, et qui sont annoncés par un triple titre :
Assemblée des Notables. Harengue (sic) *du cardinal en icelle.
Propositions sur le fait de la marine.* Les derniers cahiers (fᵒˢ 80-90)
portent cette mention : *Suite de la marine.* Donc Richelieu,
lorsqu'il préparait le travail de ses *Mémoires*, voulut remettre
à ses secrétaires ce document, qu'il jugeait essentiel. Preuve
supplémentaire de l'importance qu'il ajoutait à ses manifesta-
tions oratoires de 1627, du soin qu'il avais mis à documenter
l'Assemblée, de la fierté qu'il gardait de son intervention, de
l'intérêt qu'il ne cessait de porter à son double département du
commerce et de la navigation. Et cela nous excusera d'appuyer
sur ces détails de cuisine.

Donc Richelieu parla dans l'Assemblée : « Le cardinal y fit
en présence du Roi le discours suivant. » Il parla, nous le rappelons, après Marillac, soit qu'il ait été insuffisamment satisfait
de l'exposé du Garde des Sceaux, malgré les compliments dont
il crut devoir publiquement le gratifier, soit qu'il ait voulu y
ajouter le poids de son autorité.

Pourquoi ne pas reproduire ce discours ? Il n'est pas inconnu.

Richelieu, qui aimait, comme nous dirions, la publicité, l'a
livré à la presse. Il a été imprimé, dès 1627, dans le tome XII du
Mercure (1).

Les rédacteurs des *Mémoires* en ont reproduit le début, que
nous avons cité, sur « les grandes actions du Roi » depuis un an.
Mais cette politique de « grandes actions », fertile en résultats
pour la France et ses alliés, est une politique chère. Pour y faire
face, il ne suffit pas de réduire les dépenses du Roi, de sa famille,
de la Cour, des services publics. Il faut augmenter les recettes,
« non par de nouvelles impositions que les peuples ne sauraient
plus porter, mais par des moyens innocents »... Au premier rang
les rachats de domaine aliénés, et surtout le relèvement du
commerce. En ouvrant à l'État cette nouvelle source de revenus,
on pourra se dispenser, espère-t-il, du recours onéreux aux
financiers, à ces sangsues du Trésor contre lesquels la haine de
l'évêque de Luçon éclate ici librement : « Il ne faudra plus cour-
tiser les partisans pour avoir de bons avis d'eux, et mettre la
main dans leurs bourses, bien que souvent elles ne soient pleines
que des deniers du roi. »

C'est par ce biais que sont introduites les propositions sur
la marine « pour la remettre en son ancienne splendeur ». Ces
propositions, ce sont bien, en substance, celles que nous fournit
le texte des *Mémoires*, mais combien ces notes sont plus précises,
plus riches de réalités que la pâle rédaction des secrétaires ! Au
lieu de la pauvreté académique des lieux communs officiels,
nous avons là les rapports mêmes qui furent soumis à l'Assemblée
pour obtenir son adhésion aux desseins du Roi. A la phrase sur la
puissance maritime de l'Espagne dans le Ponant s'ajoute cette
considération que, pour en réserver le bénéfice à ses Castillans
et Aragonais, Philippe II — suivi par les autres Philippes —
a interdit même à ses sujets flamands le commerce des Indes.
Au lieu d'une allusion aux injures, violences, qui sont tous les
jours faites aux sujets du Roi par les étrangers, on révélait aux
délégués que, depuis 1622, nous avions perdu trois cents vaisseaux
sur l'Océan, « sans ceux de Marseille qui ont été volés dans la
Méditerranée par les corsaires d'Afrique ou arrêtés et confisqués
dans les ports de l'obéissance d'Espagne », la perte totale étant
estimée à plus de 1 million d'or, c'est-à-dire d'écus, environ
30 millions de livres.

Ce que Richelieu veut faire entendre à l'Assemblée, c'est un
cri d'alarme.

Il se sent si pressé que, sept jours après avoir remis ses ins-

1) P. 760 et suiv.

tructions à Marillac, soit le 25 novembre, il avait écrit à Claude
de Razilly, puis le 1ᵉʳ décembre, veille de l'Assemblée, à son
frère Isaac, et encore le 10 décembre 1626 pour presser la construction des vaisseaux. Car, avait-il fait dire par Marillac, « ç'a été
jusqu'à présent une grande honte que le roi, qui est l'aîné de
tous les rois chrétiens, ait été en ce qui est de la puissance de la
mer [toujours revient cette expression prise à Razilly], inférieur
aux moindres princes de la chrétienté ». Et l'exposé des répercussions de cette faiblesse navale sur le trafic s'achevait sur cet
air de fanfare : « Maintenant ces misères cesseront. »

Les harangues de 1626-27, c'était un exposé de ce que nous
appellerions la grande misère du commerce français.

II

Comment Richelieu avait-il fait préparer le travail des
Notables ? En prévision de la convocation de l'Assemblée, il
avait demandé à ses ambassadeurs dans les pays dont notre
marine et notre commerce avaient à se plaindre des rapports
circonstanciés sur les vexations dont nos nationaux étaient
victimes. Par une initiative qui dérangeait les habitudes de
l'époque et qui fait penser à la pratique des Commissions parlementaires de notre temps, il mit ces rapports à la disposition
des députés, de façon à leur permettre de mesurer la gravité
de la situation.

Pour l'État dont la menace paraissait la plus pressante et
dont il commençait, malgré le parti dévot, à dénoncer les tentatives d'étouffement de la France, à savoir l'Espagne, en dehors
de ce que l'on trouve à ce sujet dans le fonds *France* des Affaires
étrangères, M. Albert Girard, dans sa thèse (1922) sur *Le commerce français à Séville et à Cadix*, a utilisé excellemment la
Correspondance politique : Espagne (vol. 14) du même dépôt,
et aussi les Archives de la Marine (B. 7). Or qu'y a-t-il trouvé ?
*Un avis proposé au Roi et à Messieurs de son Conseil ajusté sur
l'état présent des affaires d'Espagne, envoyé par son ambassadeur
le 20 août 1626.* Ce document faisait connaître, en prévision de
l'Assemblée et quatre mois à l'avance, la création à Séville
en 1624 d'une Compagnie privilégiée, dite *Almirantazgo*, destinée
à ruiner au profit des seuls ports espagnols et au détriment des
tiers le commerce hollandais. Lorsque Richelieu faisait exposer
aux Notables que « l'état que l'Espagne fait de sa puissance
sur mer paraît en la compagnie et amirauté établie depuis peu
en Espagne et en Flandres », il ne parlait pas en l'air, mais se

référait à des textes dont il avait fourni aux auditeurs la connais
sance préalable. Cette Compagnie était composée des négociants
flamands, et aussi hanséatiques, établis soit dans la péninsule,
soit en Flandres, voire ceux qui, dans les villes de la Hanse,
commerçaient avec l'Espagne. Avec ces vingt-quatre navires
armés qui devaient escorter les marchands sur la route de mer
Anvers-Séville et *vice versa*, elle se donnait le droit de visiter
les vaisseaux pour y saisir les biens hollandais et les articles de
contrebande. Une nouvelle ordonnance, toute récente (du 26 septembre 1626), interdisait même, sous peine de confiscation, le
transport des marchandises d'Espagne en Flandre et récipro-
quement sur d'autres navires que ceux de l'*almirantazgo ;*
M. Girard nous révèle, d'après une lettre d'un envoyé français à
Bruxelles du 19 octobre (donc à la veille presque de l'Assemblée),
que même les Flamands protestaient contre ce monopole. Nous
verrons comment celui-ci se combinait avec d'autres vexations
dont les Français étaient victimes.

Ce que du Fargis avait été chargé de faire pour l'Espagne,
Richelieu l'avait demandé à un autre diplomate, Baugy, pour les
Pays-Bas espagnols, à un autre, Blainville, pour l'Angleterre, à
un autre enfin pour les Provinces-Unies. Soyons assurés que si
un travail analogue à celui de M. Girard était entrepris sur
les correspondances *Angleterre* ou *Hollande*, nous rencontre-
rions dans ces sources des documents plus ou moins semblables
à ceux qui nous sont révélés pour l'Espagne, par exemple au
*Mémoire sur les vexations que les marchands français souffrent
en Espagne sur le fait du commerce*, et à un autre sur *La Différence
des traitements que les Français reçoivent en Espagne et Flandre
d'avec celui que les Espagnols et Flamands reçoivent en France.*
C'est de ces mémoires que sort l'exposé gouvernemental. Il
rappelle que la nouvelle politique économique de l'Espagne
s'était affirmée, avant l'arrivée de Richelieu aux affaires, par la
Pragmatique de 1623, qui interdisait l'entrée en Espagne de tous
produits manufacturés étrangers. Les Espagnols ne devaient nous
acheter, en dehors des blés, que les « toiles, cordages, merceries
du Palais dont ils ont besoin pour leurs voyages des Indes ».

On remarquera l'allusion à la Galerie du Palais, à laquelle,
au même moment, Corneille consacrait une de ses comédies et
dont les estampes d'Abraham Bosse célébraient le mouvement
et l'élégance, à ces articles de Paris qui étaient réclamés par les
créoles de Lima et de Mexico. Quevedo, en une page célèbre, a
beau faire jeter au vent des Pyrénées par un de ses bravaches
les babioles apportées par nos colporteurs et traiter ceux-ci de
poux qui rongent l'Espagne, de parasites qui attirent chez eux

les trésors des Indes par le sortilège de leurs affiquets, de leurs
peignes, de leurs roues de rémouleurs, ce commerce ne s'arrête
pas. L'Espagne ne peut se fermer davantage aux toiles, basins,
futaines, treillis d'Allemagne, aux tapisseries de Flandres que ne
concurrence pas encore la Manufacture Royale de Madrid. Mais,
en principe, tout produit ouvré est prohibé « afin que le peuple
du pays s'occupe à travailler et puisse mieux vendre son ouvrage,
celui des étrangers étant défendu » — définition même du mercantilisme, avec tendance à l'autarcie. En fait on ferme ains
le marché espagnol à une large part de notre bimbeloterie et
quincaillerie, à nos livres et papiers, surtout à nos soieries « en
œuvre et hors d'œuvre » — soit grèges soit ouvrées — pour protéger « celles qui se cultivent en grand nombre à Valence, Murcie,
Grenade et Tolède, ... à quoi le peuple qui gagne sa vie au labeur
de ladite soie recevrait un notable intérêt » — c'est-à-dire qu'il
éprouverait un réel dommage si la soie française était admise.

La Pragmatique de 1623 et la création en 1624 de l'*Almiran-
tazgo* venaient d'être complétées par un édit du 7 février 1626
enjoignant à tous importateurs de donner caution de remployer
dans l'année le produit de leurs ventes en marchandises du crû.
S'ils laissent passer les douze mois, ils seront payés en monnaie
de cuivre. Or, si l'Espagne était restée assez fidèle aux règles
rigides imposées par Philippe II pour le maintien du taux des
monnaies jaunes et blanches, M. Earl Hamilton a démontré
qu'on assiste, à partir de 1598, à une détérioration constante et
progressive de la monnaie noire, ou *vellon*. Le malheureux négociant français qui était forcé d'échanger ses lourds sacs de
maravédis contre des *escudos* perdait en 1626 plus de 50 % de sa
créance. Et que pouvait-il faire de la moitié restante, puisqu'il
lui était interdit de sortir des royaumes or ou argent, sous
peine de mort ?

Aux mesures s'ajoutaient les vexations, ce que le texte
imprimé des *Mémoires* nomme « impositions et conditions inouïes
et injustices ». Richelieu avait fait extraire des rapports de du
Fargis des détails d'une rare précision : l'Espagne lève sur les
Français des taxes supérieures à 40 %, tandis que les droits
d'entrée et de sortie en France ne dépassaient pas, sauf pour
un petit nombre d'articles, les 2 1/2 % ! La liberté des Espagnols
commerçant en France (il devait y en avoir assez peu) était
complète. En Espagne, tandis que les Anglais hérétiques échap-
pent à l'Inquisition, « parce qu'ils sont « forts en la mer et en
pourraient prendre revanche », les Français redoutent les prisons
du Saint-Office, et « on les y met bien souvent, non pour religion,
mais, sous ce prétexte, pour plusieurs autres choses ». N'est-il

pas intéressant de voir notre cardinal accuser publiquement MM. les Inquisiteurs de faire de religion métier et marchandise ?

Un placard du 29 juillet 1625 avait suspendu le commerce de Calais avec l'Espagne sous prétexte que les marchandises de Calais ressemblaient aux hollandaises. Depuis 1626, les correspondances des Français pour les Provinces-Unies ne pouvaient plus passer par voie de terre, par les Pays-Bas espagnols ; les messagers de Paris et de Rouen étaient obligés, à Calais, de confier leurs lettres aux périls de la mer. Tout Français allant en Hollande ou même à Bruxelles devait, après d'interminables attentes, obtenir un passeport de l'Infante, payer 100 sols pour le droit du secrétaire d'État, 14 francs pour le sceau, puis, au sortir d'Anvers, 1 écu par tête. Quand on revient de Hollande, 14 francs par tête encore pour le sceau des passeports, sans distinction entre le maître et le valet, si bien qu'un gentilhomme qui a trois valets, chose courante, paiera 56 livres, plus 5 pour le secrétaire d'État, plus 12 à Anvers, en tout 73 livres. Nos commerçants doivent, et eux seuls, faire passer obligatoirement par Dunkerque toutes les marchandises pour Nord-Hollande. Leurs navires sont confisqués s'ils sont chargés de blé ; les blés étant considérés par les Espagnols comme contrebande de guerre, même s'ils sont destinés à une place ouverte et non assiégée. Cette confiscation a lieu sur « la confession simple d'un ou deux coquins », — c'est-à-dire que, durant une visite, les Espagnols achètent la dénonciation de quelques matelots infidèles. Ils arrivent ainsi à ruiner complètement notre fructueux commerce avec les Provinces-Unies. Mêmes persécutions contre les Français qui vont en Angleterre, à Dantzig, en Suède, en Danemark (1).

A ces vexations s'ajoutaient de violentes mesures passagères. En 1625, il y avait eu rupture des relations et les biens des Français avaient été saisis en Espagne (2). Louis XIII avait dû riposter par des contre-mesures, malgré le traité de Monçon les saisies ne seront levées qu'en mars 1627.

La pratique journalière rendait, d'ailleurs, encore plus révoltantes les règles iniques. Fiers de leur supériorité navale ; que le désastre de 1588 n'avait pas anéantie, les Espagnols se livraient en pleine mer à d'humiliantes visites à main armée, brisant les coffres et caisses, mettant les marins à la question. Impossible, ensuite, d'obtenir réparation judiciaire de ces sévices. On traitait comme ennemis même des Hollandais naturalisés Français. Tel

---

(1) Tous les documents soumis à l'Assemblée ont leurs correspondants dans e fonds analysé par M. Girard.
(2) A. Girard, *La saisie des biens des Français en Espagne en 1625* (*Revue d'hist. écon.*, 1931).

ce Jean Jacob, Zélandais domicilié à Calais, et qui fut détenu plusieurs mois en prison à Dunkerque.

Le rapport présenté aux Notables multiplie ces faits divers. Nous donnerions bien des phrases grandiloquentes pour cette simple historiette : Théophile Marion, de Ré, a fait charger dans cette île sur un navire dont le maître, Claes Classens, était Hollandais, « quantité de sel et de vin pour vendre en Zélande » ; les deux produits d'exportation des ports saintongeois. Pris en mer par un capitaine flamand dont on nous donne le nom, Jean Hinnebroot (le 1ᵉʳ décembre 1625), il a été conduit à Ostende, où il est encore prisonnier, et en grande misère. En cette même Ostende sont détenus avec lui, et aussi « depuis plus de douze mois », deux simples passagers qui se trouvaient en ce navire, Étienne Rodde et Mathieu Poitevin. Détails qui ne peuvent guère être inventés. C'est un fait aussi que la disgrâce survenue à Jacques Gallière, de Nantes, parti sur le *Tobias* avec vingt tonneaux de vin d'Anjou qu'il allait échanger à Dantzig contre de la poudre et des munitions. Ce Nantais était cependant porteur d'un certificat de la ville et du capitaine du château de Nantes. Mais, rencontré en mer par l'amiral de Dunkerque, son vaisseau a été pillé et brûlé en pleine mer. Malgré les instances de notre agent, Baugy, l'affaire est pendante devant la Cour de Bruxelles.

Il y a pis, à savoir les actes journaliers de piraterie. Assurément, les intéressés ont tendance à exagérer, et il ne faut pas oublier qu'alors la piraterie était un acte quasi normal de la vie maritime. Quiconque le pouvait se faisait délivrer des lettres de course par un roitelet quelconque, fût-ce le duc de Lorraine au temps où celui-ci était dépouillé de ses États. Pirateries des Français contre les Français, aussi bien que de la part des étrangers (1). Pirateries des Normands contre les Bretons, de ceux-ci contre les Saintongeois. Pirateries des Malouins contre les Nantais... Ceci dit, il n'est pas contestable que les Dunkerquois prétendaient être les maîtres sur les côtes de France. Preuve en soit la mésaventure de Thomas Arson (2), de Saint-Malo, qui revenait de San-Lucar-de-Barrameda, le port de haute mer de Cadix, sur son galion le *Saint-Pierre-le-Grand*. Il fut abordé, dans les parages d'Ouessant, par Cornelis Noet, commandant du *San-Salvador*, qui lui prit une caisse de musc

(1) Réflexion que sa profonde et riche érudition nspire à M. Bourde de La Rogerie, l'ancien archiviste d'Ille-et-Vilaine.
(2) Sieur de Trelabouet, d'une famille malouine connue, qui a dû naître en 1592 et sera inhumé en 1636, d'après P. P. Paris-Jallobert, *Anciens registres paroissiaux de Saint-Malo*. Note due à M. Bourde de la Rogerie.

(était-ce donc de la contrebande de guerre ?), plus des monnaies espagnoles, valeur de 18.000 livres en réales de huit, sous prétexte que notre Arson avait sorti ces pièces d'Espagne sans payer les droits. C'est bien possible ; mais Espagnols et Flamands n'avaient nullement le droit d'arraisonner les navires français hors de leurs eaux territoriales, en l'espèce hors de la barre de San-Lucar. D'où colère de Richelieu contre cette application du droit de visite contraire à ce que le Hollandais Grotius, qui écrira en France sous la protection de Louis XIII, appellera la liberté des mers ; « entreprise si hautaine, dira le cardinal, que cette nation prétend usurper l'autorité souveraine sur la mer, ne laissant pas le trafic libre, même des autres nations entre elles ». Au moment même où il travaillait, non sans rencontrer des résistances, à l'absorption des droits d'Amirauté de Bretagne dans sa charge générale de surintendant et dans son office spécial de gouverneur, ne devait-il pas particulièrement s'intéresser à cette province à qui ses multiples estuaires donnaient une telle place dans la vie maritime et le commerce de la France, et qui, par suite, avait tant à souffrir ? Dès le 22 septembre 1622, devant les États de la province séant à Nantes, François du Noyer, qui sera l'un des collaborateurs de Richelieu, n'avait-il pas présenté un projet de Compagnie qui devait, entre autres, défendre la Bretagne contre les pirates, et employer un tiers de ses vaisseaux à la protection des côtes ? Il est vrai que, par souci de maintenir leurs privilèges et de conserver leurs droits fructueux et devant les résistances toujours frondeuses des Malouins, les États avaient refusé de donner suite à cette proposition (1).

Il fallait, on le voit, ménager les Bretons tout en les servant. Au printemps de 1626 (31 mars), Richelieu avait adopté ce projet de Compagnie, dont il avait sans doute repris l'idée à l'*Almiran-tazgo*, et qui aurait réuni trois Parisiens, et un habitant de Redon (2), ville où il possédait une de ses nombreuses abbayes, et qui était alors un port assez important pour qu'on y fît débarquer les pierres saumuroises, descendant par la rivière de Loire et

(1) Voy. l'*Advis et Révolution des Etats de Bretagne* (Rennes, 1623), cité par La Roncière, t. IV, p. 483. Mais le récit de l'historien de la Marine est quelque peu romancé. Il montre du Noyer désespéré, s'adressant au Conseil du Roi, dont Richelieu ne sera le chef qu'en 1624, et il ne sera surintendant qu'en 1626.
(2) M. de La Roncière dit : « Trois Parisiens et un Breton. » Caillet (p. 333) disait plus prudemment « Jean du Meurier, sieur de Saint-Rémy, *demeurant à Redon* ». En réalité Jean du Meurier (note de M. de la Rogerie) est nommé à partir de 1614 dans les actes de l'état civil de Redon comme « noble homme » ; en 1615, gentilhomme ordinaire ; en 1616 écuyer. Il fut pourvu d'offices modestes, lieutenant du juge de Redon, châtelain de Rieux et de la Roche-Bernard, sieur de Saint-Rémy (qui ne paraît pas une seigneurie du pays). Son fils sera sénéchal de Redon.

prenant ensuite la mer, destinées à la construction du Palais de
Justice de Rennes. Nous reviendrons sur cette Compagnie et ses
successifs avatars. Rappelons seulement ici que ces tractations
étaient presque contemporaines de l'Assemblée, et de peu posté-
rieures à cet édit de Saint-Germain qui avait inquiété l'esprit d'indépendance des Malouins. En particulier le 20 février 1627, à la
veille de la clôture de l'Assemblée, Richelieu jugeait utile d'écrire
à ces farouches marins (1). Il avait appris qu'ils s'étaient inquiétés
de ce que « depuis qu'il a plu au Roi me commander de prendre
soin de la marine, je voulais entreprendre sur vos privilèges ».
Qu'ils écartent cette pensée pour se tourner avec lui contre
« les ennemis du Roi et envieux du bien de son État, qui ne peut
être florissant que par l'établissement de la navigation et du
commerce ».

Jusqu'où ne va pas la tyrannie de ces « ennemis du Roi »,
surtout des Espagnols ? Ne veulent-ils pas obliger nos marchands
à tenir leurs livres à la façon d'Espagne, « chose de soi impossible,
pour n'être la plupart desdits marchands assez intelligents en
la langue du pays », le tout sous peine de prison et d'amende,
et à la merci des confiscateurs. L'Espagne ne craint pas de
réquisitionner leurs navires, et aussi leurs équipages, pour porter
des munitions aux présides d'Afrique, voire parfois pour des
voyages au Brésil, où il s'agissait de combattre les Hollandais,
alliés de la France.

III

Mais étions-nous mieux traités par les Anglais ?

Le *Testament* rappellera encore à Louis XIII, non sans une
indignation inapaisée, « l'insolence » que « cette nation orgueil-
leuse... fit, du temps du feu roi, au duc de Sully », intimant au
vaisseau qui le portait « commandement de mettre pavillon bas ».
Sans remonter jusqu'à ce vieil affront, il avait lu cette phrase
écrite par l'ambassadeur Blainville, du 15 novembre 1626, au
lendemain de l'édit de Saint-Germain : « Les Anglais ont déclaré
la guerre aux Espagnols, mais ne la font qu'aux Français. »
Ils proclamaient de bonne prise tous vaisseaux français trans-
portant des marchandises « dans les pays de l'obéissance d'Espagne ». Ils ont pris à l'entrée de la Manche neuf navires chargés,
puis encore deux le 1er décembre. Les visites anglaises valent
les espagnoles. Nos voisins « défendent et confisquent les marchandises des Français qui vont en Espagne en beaucoup de

(1) Avenel, t. II, p. 380 et 419.

façons semblables à celles que les Espagnols et Flamands prati-
quent quand elles vont en Hollande », la France se trouvant
ainsi entre deux feux. Ils prétendent que telles marchandises
appartiennent à des Espagnols ou Portugais, naturalisés ou non ;
ils les vendent à vil prix ou, s'ils reconnaissent leur erreur, ils
s'arrangent pour ne les rendre que lorsqu'est passée la saison
de les vendre, par exemple la morue ou les harengs en juin.

Quant au commerce franco-anglais, quelle « différence entre
le traitement que nous font les Anglais et celui que nous leur
faisons » (1) ? Ce commerce est soumis, depuis les Tudors, aux
règles du protectionnisme le plus farouche et le plus inique, et
le système s'est encore perfectionné avec les Stuarts (2). Rien ne
faisait prévoir à cette date l'Angleterre libre-échangiste des
années 1845-1914, bien au contraire. Défense aux Français d'enlever les toisons, c'est-à-dire de priver le Royaume de la laine
dont il était si fier, sous peine d'avoir... le bras coupé ! Tandis
que nos draps sont exclus d'Angleterre sous peine de confiscation,
nous sommes inondés de draperies anglaises à bon marché,
c'est-à-dire « altérées et falsifiées, n'ayant le lez, le nombre de
fils ni l'aunage », produits de la *new-drapery*, ce qui provoque le
chômage : « d'où vient que la plupart des ouvriers en laine de
France abandonnent leur métier et leur maison ».

En Irlande, il s'agit de réserver toute la production au marché
de « l'île sœur ». Sur la draperie qu'ils enlèvent, les Français
payent deux fois autant que les Anglais, soit 4 livres (tournois)
10 sols, au lieu de 45 sols, etc.

Pour sortir l'étain, antique monopole d'Albion, les Français
payaient déjà double taxe ; mais voici que l'exportation vient
d'en être interdite à tous, sauf à une Compagnie anglaise, ce qui a
fait monter le prix du précieux métal de 8 à 16 sols la livre.
Pour les bas d'estame, les Français payaient naguère un quart
de plus que les Anglais ; c'est maintenant le double. Les Français
achètent toutes marchandises en Angleterre au poids du vendeur
et, s'ils vendent, c'est au poids du Roi, tandis qu'en France
le même poids vaut pour les unes et les autres opérations. L'Anglais qui, chez nous, n'a pas vendu sa marchandise dans un an
et un jour peut l'enlever ; le Français doit remployer le prix de
la sienne en marchandises anglaises. Il paye 5 sols à l'entrée,
50 à la sortie ; l'Anglais, rien.

« Les Français ne peuvent vendre en chambre, ce qu'au
contraire les Anglais font journellement en France. » Un Français

(1) France, 59, f° 82.
(2) Voy. Astrid Fries, *Alderman Cockayne*.

ne peut donc s'adresser directement à la clientèle anglaise, mais
doit passer par une Compagnie qui achète à sa volonté et vend
à son prix. Nos marchands de vin ne peuvent vendre directement
aux taverniers le précieux *claret*, mais à une autre Compagnie
maîtresse des prix.

Tout le système économique anglais, fait d'inégalités flagrantes, est organisé sur des bases que nous qualifierions de
mercantilistes : réserver à l'Angleterre la matière première de
ses industries, fermer la porte aux produits fabriqués. Ce n'est
pas la seule laine, ce sont « or, argent, chevaux, armes, munitions,
victuailles, cordages, peaux de bœuf, vache ; et toutes sortes de
marchandises non manufacturées qui ne peuvent sortir d'Angleterre ». Défense, par contre, sous peine de confiscation, d'entrer
des soieries qui ont leurs similaires en Angleterre, « afin que par
cette défense l'artisan anglais puisse être employé et ait moyen de
vendre mieux son ouvrage ». Seuls « les toiles de France, Flandres,
cordages et papiers sont exempts, parce que les Anglais ne s'en
peuvent passer, d'autant qu'il s'en fait fort peu en Angleterre ».
Ces articles sont donc assimilés aux matières non ouvrées,
chanvres, lins, soie, huile, qui entrent en franchise « afin qu'étant
employés en œuvre par le peuple, le pays en reçoive le profit ».

Il y a là, en deux phrases, comme un raccourci de la politique
économique inaugurée par Burghley (1), le fameux carré magique
dont on fait d'ordinaire remonter le mérite à Colbert : entrée
libre et interdiction de sortie des matières, prohibition d'entrée
et large sortie des produits fabriqués. Ce tétragramme protecteur
du travail national est une invention anglaise, que Richelieu
essaiera d'acclimater chez nous.

Avait-il moins à se plaindre des Hollandais ? Bien qu'ils
fussent nos alliés à peu près de toujours depuis Henri IV — et
ils allaient le devenir plus étroitement encore après 1634, — on
signale au Roi « les nouvelles injures faites à ses sujets par les
Hollandais qui arrêtent nos vaisseaux et divertissent nos marchandises ». Ils ne respectent pas plus que les Espagnols nos
eaux territoriales, et ils viennent de couler une frégate dunkerquoise en plein port de Boulogne. Nous avons relevé un curieux
passage sur le *mynheer* déguisé en Turc non seulement dans la
Méditerranée, mais, fait moins connu, dans nos mers septentrionales : « Non contents de souffrir que les pirates d'Alger
volent avec impunité en toute la Manche, ils empruntent souvent
leurs noms pour couvrir leur violence et, après avoir pillé nos

(1) Voy. U. Nef, *L'industrie et l'État en France et en Angleterre, 1540-164 0*
(*Rev. hist.*, janv.-mars et avr.-juin 1941).

vaisseaux, font paraître tous turbans, pour ôter la créance que ce soient eux qui nous aient outragés. » Singulier stratagème qui fait penser aux moyens par lesquels les mêmes Hollandais se maintenaient en relations commerciales avec le Japon. Ajoutons, comme nous le révèlera peu de temps après la mort de Richelieu l'auteur nantais du *Commerce honorable*, le plan hollandais de colonisation et d'exploitation que les Hollandais mettaient en œuvre dans les régions viticoles de la Basse-Loire et à Bordeaux.

Bref, entre les puissances maritimes, toutes plus ou moins belligérantes entre elles et toutes pratiquant la piraterie à l'égard de tous, le commerce français occupait en 1626-27 la position peu enviable de *tertius patiens*, neutre sans défense, recevant de tous côtés les coups sans y pouvoir répondre. « Ainsi, conclut-on mélancoliquement, notre trafic est perdu, et la franchise de nos rades et de nos ports est impunément violée. » Il importe donc de prendre des mesures décisives : « ou il faut que le Roi se rende fort sur la mer ou bien défendre le commerce », car, tel qu'il est pratiqué, « il ne fait que déshonorer Sa Majesté et enrichir nos voisins de nos dépouilles ».

IV

Les remèdes, Richelieu les avait d'avance recommandés par la bouche de Marillac et dans sa propre harangue.

Ils étaient déjà préconisés dans un document daté de 1625, et intitulé *Règlement pour toutes les affaires du Royaume*, où nous relevons un écho des idées de Razilly, notamment la curieuse protestation du marin contre le pullulement inconsidéré des « gens d'escritoire ». Sous cette rubrique : *Collèges*, le proviseur de Sorbonne avait écrit cette phrase presque rageuse :

Considérant que la grande quantité de collèges qui sont en notre royaume fait que, les plus pauvres faisant étudier leurs enfants, il se trouve trop peu de gens qui se mettent au trafic et à la guerre, qui est ce qui entretient les Etats...

Trafic et guerre, telles sont les deux maîtresses professions. D'après un manuscrit des Affaires étrangères, qui a été négligé par les récents éditeurs des *Mémoires*, voici le texte original et complet de la note qui avait été préparée pour l'Assemblée sur ou plutôt contre les collèges :

Il faudrait de plus [avec la réduction du nombre des officiers] restreindre le grand nombre des collèges qui sont ès petites villes du Royaume à la ruine de l'Etat, vu que par ce moyen non seule-

ment les marchands mais les laboureurs même font quitter leur
vacation à leurs enfants pour les rendre capables de suivre une
profession où ils ne gagnent rien le plus souvent et ruinent les
autres. En Espagne, par la pragmatique faite en l'an 1622, le
nombre des écoles et collèges est restreint à un nombre beaucoup
moindre que celui qui était auparavant, et ce en considération de
la guerre et du trafic et du commerce qui, par la facilité qu'il y
a de faire instruire la jeunesse aux lettres, perd beaucoup de
soldats et de marchands.

   Il y en a fort peu en Angleterre.

   La Hollande, qui ne subsiste que par le trafic, en a encore moins.

   *La guerre, le trafic et le commerce... Beaucoup de soldats et de
marchands...* Toujours cette mise en vedette des deux professions
les plus utiles à l'État. Ces idées reviendront dans le *Testament*,
dans un passage moins connu que celui sur le commerce, à savoir
dans le chapitre *Des lettres* (1). Richelieu se garde bien d'y faire
l'éloge de l'ignorance et d'y condamner l'instruction. Le protecteur des écrivains, le futur patron de l'Académie ne pouvait se
dispenser de saluer dans les lettres « l'un des plus grands ornements des États ». Mais il ajoute ce correctif : « Comme la connaissance [des lettres] en est tout-à-fait nécessaire à une république,
il est certain qu'elles ne doivent pas être indifféremment ensei-
gnées à tout le monde », parce que — reprise presque textuelle
des arguments de 1626 — « le commerce des lettres bannirait
absolument celui de la marchandise, qui comble les États de
richesse, ruinerait l'agriculture, vraie mère-nourrice des peuples,
et déserterait en peu de temps la pépinière des soldats, qui
s'élèvent plutôt dans la rudesse et l'ignorance que dans la poli-
tesse des sciences... ». Il ne faut donc pas, expression remarquable,
que les lettres soient « profanées à toutes sortes d'esprits ». Il
ajoute, idée féconde où l'on peut trouver le programme de l'enseignement technique, « que les politiques veulent, dans un État
bien réglé, plus de maîtres ès arts mécaniques que de maîtres ès
arts libéraux pour enseigner les lettres ». Il reprend donc le plan
esquissé devant l'Assemblée de réduction du nombre de collèges.
Il invoque l'autorité du cardinal du Perron, cependant un lettré
illustre, qui souhaitait « ardemment la suppression d'une partie
des collèges de ce royaume » et « désirait en faire établir quatre
ou cinq célèbres dans Paris et deux dans chaque ville métro-
politaine des provinces » (2). On aurait ainsi des corps plus
puissants, qu'on pourrait « remplir de dignes sujets qui conser-

   (1) Ch. II, section X, p. 139-140.
   (2) En réalité on projetait (d'Avenel, t. IV, p. 373) de mettre un collège
dans chacune des villes suivantes : Rouen, Amiens, Troyes, Dijon, Lyon,
Toulouse, Bordeaux, Poitiers, Rennes, La Flèche, Pau. C'est peu.

veraient le feu du Temple en sa pureté ». Les collèges des villes non métropolitaines seraient réduits « à deux ou trois classes suffisantes pour tirer la jeunesse d'une ignorance grossière, nuisible à ceux mêmes qui destinent leur vie aux armes, ou qui la veulent employer au trafic ». Un système de sélection permettra de faire sortir du rang les enfants les plus distingués. Bref un enseignement technique et commercial avec des pointes vers l'enseignement classique.

Des soldats, des marchands toujours.

En ce qui concerne nos concurrents, il est piquant de lire chez Thomas Mun que, malgré ce que pensait Richelieu, les jeunes Anglais se tournaient insuffisamment vers le commerce, à la différence des Hollandais. Il est vrai, cependant, que, sur deux points, la multiplication des collèges avait en France un effet particulièrement dangereux : 1º le Roi doit réduire « le grand nombre des collèges *et des monastères* qui lui ruinent le trafic »... N'est-il pas curieux de trouver sous la plume de ce prince de l'Église, chargé d'abbayes, grand réformateur d'Ordres, cette condamnation de l'abus des monastères, de l'oisiveté des moines, condamnation qui deviendra courante chez les économistes du siècle suivant, mais qui devait scandaliser un Bérulle ou même un M. Vincent ? — 2º *Le Testament* (chapitre *Des Lettres*) stigmatisera après Razilly ces gens « plus chargés de latin que de bien », dont la multiplication « remplirait la France de chicaneurs plus propres à ruiner les familles particulières et à troubler le repos public qu'à procurer aucun bien aux États ».

Quand le latin ne mène pas au couvent, il est le chemin qui conduit aux offices.

Ceci est encore une des idées fixes du petit hobereau devenu prélat famélique. Feu Pagès a expliqué avec une clarté parfaite comment la combinaison de la vénalité de ces offices et de l'hérédité de fait établie par la paulette avait fait des fonctions publiques la propriété des titulaires, propriété productrice de revenus. Déjà aux États de 1614, l'évêque de Luçon, comme orateur du Clergé, avait soutenu contre les officiers les revendications communes de cet Ordre et de la Noblesse à laquelle le rattachait sa naissance. Dès lors il avait porté le fer dans la plaie et analysé toutes les conséquences du système :

Comme on a vu que, vendant les offices, plus il y en aurait, plus pourrait-on avoir d'argent, on les a multipliés par une infinité de nouvelles créations. Et ainsi la vénalité des charges en a apporté la multiplicité, qui achève d'accabler le peuple... à raison des gages attribués à tous offices, et diminuant les forces qui lui sont nécessaires pour porter tel fardeau...

Il parlait, dans le *Règlement sur les affaires du Royaume*, de présenter aux États Généraux (États qui ne seront jamais réunis, mais cette mention prouve qu'il n'avait pas encore, à cette date, pris le parti de se contenter d'une Assemblée des Notables) un projet interdisant pour l'avenir de vendre ni acheter aucun office, nonobstant toutes lettres de grâce, et réduisant les charges au nombre qui suffisait sous Henri III, du temps du grand-prévôt. Plus brièvement, une note de 1628 sur l'infériorité du commerce français, dira : « *Remède :* supprimer force offices, et donner prix au trafic et rang aux marchands » — programme d'une transformation sociale qui eût fait de la bourgeoisie française, au lieu d'une classe de robins, une classe de négociants.

Ce qui donne tout son prix à cette condamnation formelle prononcée contre la vénalité entre 1625 et 1627, c'est que le Richelieu plus assagi du *Testament* n'aura plus cette belle intransigeance. Tout en souhaitant que la vénalité n'eût jamais commencé d'être, il conseillera, en opportuniste, de ne pas ébranler cette vieille institution (1).

Et cependant il écrira encore, au chapitre *Commerce :* « Si V. M. trouve bon d'accorder au trafic quelque prérogative qui donne rang aux marchands » — reprise des formules de 1626, — « au lieu que maintenant des sujets le tirent seulement de divers offices qui ne sont bons qu'à entretenir leur oisiveté et à flatter leurs femmes » — Mme la Conseillère ou Mme l'Élue, — « elle rétablira le commerce jusqu'à tel point que le public et le particulier en tireront grand avantage ».

En avançant ces thèses, Richelieu pouvait se croire soutenu par l'opinion, dans l'Assemblée même. La Noblesse, en revendiquant pour elle le droit d'accéder aux charges, avait demandé la suppression des collèges où le Tiers se préparait à les conquérir. Singulier aveu, puisqu'il reconnaissait implicitement que les nobles, en raison de leur inculture, étaient incapables de les exercer ; mais expressions (2) analogues à celles des déclarations ministérielles :

Aujourd'hui votre royaume est rempli d'un nombre infini de collèges, lesquels au dommage de l'Etat, soustraient au public une infinité de gens qui abandonnent les arts (3), le commerce, le

_____

(1) Pagès, *La vénalité des offices dans l'ancienne France* (*Revue hist.*, t. CLXIX, 1932, p. 5) et *Le Conseil du Roi et la vénalité des offices pendant les dernières années du ministère de Richelieu* (*ibid.*, CLXXII, 1938, p. 245). Voy. R. Mousnier, *La vénalité des charges au XVIIe siècle. Les offices de la famille normande d'Amfreville* (*ibid.*, CLXXIII, p. 10).

(2) Citées par Caillet, p. 123.

(3) C'est-à-dire, en langage de l'époque, les métiers.

labourage et la guerre, tournent à charge au public et qui, après
avoir passé leur jeunesse dans l'oisiveté des lettres, deviennent
pour la plupart incapables de servir...

Ni l'idée ni l'expression ne mourront. Si le *Commerce honorable*
de Jean Éon, religieux nantais (p. 47), ne devait paraître que
trois ans après la mort du cardinal, ce livre est plein de sa pensée
et dédié, dans un sentiment d'admiration pour le grand homme,
à son parent La Meilleraye, son successeur comme gouverneur
de Bretagne (1). Or que dit-il, en comparant lui aussi notre
pratique à celle de nos rivaux, voyant dans cette différence
l'une des causes essentielles de notre décadence ? Les Français,
constate-t-il, sont détournés du commerce par « les états, charges
et offices de justice, que les nécessités de l'État ont beaucoup
multipliés et rendus vénaux ».

Cela est vrai surtout pour les bourgeois les plus riches, « et
qui sont par conséquent les plus capables de faire le commerce,
où devraient aller leurs capitaux ». Mais ils « l'abandonnent pour
employer leurs moyens à avancer leurs enfants dans les charges ».
Or il y a « quasi autant de charges que d'acheteurs ».

Éon, qui n'est pas dénué de psychologie, a même analysé
cette maladie nationale, le dédain des Français pour les « affaires »,
regardées comme la besogne propre de ceux qui sont incapables
de faire mieux. On n'y investit pas plus le capital intellectuel
que l'autre : « Les Français ont de longtemps formé une très
mauvaise idée du commerce, qu'ils considèrent, comme le partage
des âmes basses ». Non sans humour, il montrait que les gens
du Tiers « qui ont quelques moyens, envoient leurs enfants
dans les collèges ». Sitôt qu'ils en sortent, poursuit-il en des
termes qui ne manquent pas de saveur sous une plume monas-
tique, « les uns s'adonnent à l'amour » — nous sommes au temps
des précieuses ; — « les autres vont dans les jeux de paume à
suer par plaisir..., les autres faisant les dés et les cartes arbitres
de leur fortune, ... dans les cabarets, à boire, à railler ou à faire
quelque rythme de poësie », ou bien — pis encore, comme nous
l'avons entendu dire par le cardinal lui-même — « s'arrêtent à
apprendre et exercer le style de la chicane ». Qui ne peut atteindre
à la robe, se contente de la basoche ! Il ne reste pour le commerce
« que ceux qui sont trop pauvres, donc incapables du grand commerce », bons pour la regratterie et vente au détail, tout au plus
pour le transport de proche en proche. Ou bien, quand un homme
qui a réussi au collège n'est pas assez riche pour acheter une
charge, il vit de son revenu en rentes constituées, si bien qu'une

(1) P. 44, 46, 48.

des causes de notre déclin commercial est cette institution des rentes, par où l'on vit sans peine ni péril, mais sans utilité pour le public. Nation de rentiers : le tableau est assez bien brossé, et par un très fidèle élève du cardinal.

« Donner rang au commerce... », avait dit le maître. Mais deux moyens pour cela ; faire monter les riches, enrichir la classe supérieure en tournant vers le commerce cette Noblesse appauvrie dont lui-même était issu. Ce n'était pas la première fois — Louis XI déjà l'avait tenté (1) — que la royauté essayait, en vain, de déraciner les préjugés anticommerciaux de la Noblesse, de la persuader qu'elle pouvait faire le grand commerce sans déroger. De bouche, la Noblesse à l'Assemblée parlait comme le Roi et son ministre, réclamait ce droit à la non-dérogeance, signalait la « pauvreté qui accable la noblesse, l'oisiveté qui la rend vicieuse ». C'était, semble-t-il, à sa requête que la Déclaration royale du 1er mars 1627 sur les Notables promettait solennellement de :

Rétablir le commerce des marchandises, renouveler et amplifier ses privilèges et faire en sorte que la condition du trafic soit tenue en l'honneur qu'il appartient et rendue considérable entre nos sujets, afin que chacun y demeure volontiers, sans porter envie aux autres conditions,

et permettait à ses nobles d'y entrer

sans déroger à leurs qualités ni préjudicier à leurs privilèges ; mais veut Ladite Majesté que ceux qui s'y rendront considérables par leurs soins, labeurs et industries, cela leur serve pour accroissement de noblesse.

Nous verrons la place que l'on fera aux nobles, et aussi la porte que l'on ouvrira à l'anoblissement des grands marchands, armateurs et voyageurs au long cours, dans la création des Compagnies à l'instar de celles des Hollandais et des Anglais. C'est encore à Razilly que Richelieu a pu et dû prendre cette idée « d'établir de fortes compagnies en ce royaume pour le fait du commerce, en leur donnant des privilèges et avantages à l'exclusion des autres États ». Sur ce terrain encore, où nous le suivrons, il ne devait pas pénétrer sans soulever des résistances, l'esprit individualiste ou particulariste, la jalousie des marchands ou des sociétés commerçantes déjà en possession d'état, les méfiances des loups de mer de toute provenance.

Malouins, Rouennais, Dieppois, Rochelois, Bordelais, Basques

_____

(1) Voy. Gandilhon, *La politique économique de Louis XI.*

et, dans la mer du Levant, Marseillais. Pour essayer de convaincre, le ministre présentait les arguments qui, dans l'état des
relations maritimes et de leurs périls, justifiaient alors et semblaient commander ces créations.

Pour y parvenir [à se rendre maître de la mer] il faut voir
comme nos voisins s'y gouvernent, faire de grandes compagnies,
obliger les marchands d'y entrer (1), leur donner de grands privilèges comme ils [nos voisins] font ; que, faute de ces compagnies
et pour ce que chaque petit marchand pratique à part et de son
bien et, partant, pour la plupart, en des petits vaisseaux et assez
mal équipés, ils sont la proie des corsaires et des princes nos alliés,
parce qu'ils n'ont pas les reins assez forts, comme aurait une grande
compagnie.

Plaidoyer éloquent et topique. Il se complétait par une sorte
d'Acte de navigation (p. 47), analogue aux mesures anglaises ci-
dessus rappelées et qui s'appliquaient bien avant les lois fameuses
de 1651 (p. 60-62). Dès 1617 au reste, on avait, à Rouen, interdit
de charger des marchandises étrangères sur navires étrangers tant
qu'il y aurait des navires français disponibles le long des quais de
la ville. L'ordonnance dont nous allons voir qu'elle fut la conclusion de l'Assemblée de 1627 généralisa cette interdiction pour toute
marchandise de provenance française autre que le sel, car restreindre notre exportation en sel de Saintonge ou de Bretagne à
destination des Iles Britanniques, de la Hollande et de la Flandre,
de la Hanse et des pays nordiques aurait été faire le jeu des
Espagnols et Portugais, de nos concurrents terriens (Venise,
Comté, Lorraine, Tirol) et aussi ruiner l'un des ports de sel,
Brouage, dont Richelieu recevait la lieutenance au nom de la
Reine-mère précisément le 4 février 1627, et dont il rêvait de
faire la très belle chose que nous rappellent aujourd'hui
encore des ruines imposantes. La même ordonnance interdit
aux étrangers le cabotage, sauf autorisation spéciale.

D'autres questions furent encore soumises aux Notables.
C'était une tradition déjà vieille que de recourir, en cas d'embarras économiques, aux lois somptuaires. On ne pouvait y
manquer. D'abord restreindre les « dépenses excessives qui se
font par seule ostentation en choses du tout inutiles et superflues » et dont l'argent va aux étrangers : moyen de concilier la
lutte contre le luxe avec le protectionnisme. Défense à tous, par
exemple, de porter « clinquants, broderies et parements de

---

(1) Richelieu ne se rend pas compte (et Colbert héritera de cette erreur)
que les Compagnies hollandaises et anglaises sont nées spontanément, au
lieu d'être créées par la contrainte.

Milan ». Mais c'est encore le gentilhomme pauvre qui parle pour
exiger « que chacun règle et modère sa dépense selon sa condition
et son bien ». Interdiction à tous non-nobles de rouler carrosse,
et à leurs femmes de porter pierreries, robes de satin et de velours.
On réservera également aux nobles les manteaux de velours, les
habits de satin, les bas de soie, les chapeaux de castor, et aux
seuls enfants de France la dorure de leurs carrosses ou de leurs
appartements. Défense aux doreurs et brodeurs de contrevenir
à ces dispositions lacédémoniennes sous peine d'une amende
égale au quadruple de l'objet vendu. Enfin défense de faire des
festins de plus de trois services (ce qui paraîtrait plus que suffisant à nos modernes estomacs).

Simple projet, d'ailleurs, et dont on pense bien qu'il ne fut
pas plus exécuté que les mesures antérieures. Car le Richelieu
créateur de grandes Compagnies cherchera plutôt à étendre le
marché des peaux du Canada, et le protecteur de la soierie tourangelle n'aurait pas voulu empêcher la vente des satins, velours
et parements, pourvu que ceux-ci ne fussent ni de Milan ni de
Gênes.

Il semble bien d'ailleurs que ces beaux desseins, qui figuraient
déjà dans le projet de *Règlement* de 1625 (1), ne furent guère
appliqués. Ils étaient trop contraires au goût du siècle.

A côté des remèdes d'ordre moral et, peut-on dire, pédago-
gique, l'ordonnance de 1629, expression des volontés de l'Assemblée, contient comme mesure de représailles contre les Anglais
et les Hollandais aussi bien que contre l'Espagne, ce que Mariéjol
a nommé un véritable Acte de Navigation (2) :

renouvellement et généralisation d'une ordonnance de l'amiral de
France, de 1617 (3), qui interdisait de charger à Rouen des
marchandises sur des navires étrangers, tant qu'il y aurait des
navires français disponibles dans ce port (p. 69), exception faite des
chargements de sel ; interdiction du cabotage aux non-régnicoles ;
réciprocité des mesures douanières ; obligation aux marchands
étrangers de passer par commissionnaires français, etc. Mais, en
raison de la politique générale qui exigeait de bons rapports
avec la Grande-Bretagne et les Provinces-Unies, l'application
de ces principes rigides était très hésitante.

(1) Avenel, t. II, p. 182-183
(2) Mariéjol (t. VIII de l'*Histoire de France* de Lavisse), p. 414 et suiv.
Et déjà Pigeonneau, *Histoire de France*, p. 387.
(3) Citée par Pigeonneau, *op. cit.*, d'après Th. Lefebvre, seigneur du Grand-
Hamel, *Discours... de la navigation et du commerce, jugements et pratique
d'iceux* (Rouen, 1650, in-4°).

V

Quel accueil l'Assemblée réserva-t-elle à l'ensemble des propositions ministérielles ?

Si nous en croyons une phrase des *Mémoires*, la réponse fut enthousiaste :

L'Assemblée, après avoir approuvé et loué le bon ordre et ménage notable que le cardinal avait déjà commencé d'apporter en la défense de l'amirauté, fut d'avis de la proposition en toutes ses parties, en la résolution de laquelle elle supplie S. M. d'autant plus instamment de demeurer ferme que les étrangers en montraient déjà une extrême jalousie.

Mais nous avons mieux, à savoir le procès-verbal officiel de cette adhésion qui paraît avoir été complète, et, réserve faite de quelques résistances locales comme celles de Saint-Malo, quasi unanime ; et d'autant plus décisive qu'elle fait état des documents que le surintendant du commerce lui avait largement communiqués — *Advis de l'Assemblée* (1) :

L'Assemblée, après avoir vu, entendu et examiné les avis des ambassadeurs et ministres du Roi résidant en Espagne, Angleterre, Flandre et Hollande, le mémoire des déprédations faites par toutes les nations sur les sujets de S. M. depuis l'année 1622..., la différence des traitements qui sont faits aux étrangers en ce royaume, à ceux que reçoivent les Français aux pays étrangers..., n'a pu sans douleur et sentiment entendre l'état des choses passées, l'oppression que, de toutes parts, ont souffert (e) les sujets du roi..., les attentats entrepris en plusieurs rencontres de mer... au préjudice du respect dû au pavillon et bannière de France...

L'Assemblée loue pleinement les propositions dont elle a été saisie et déclare qu'il faut rendre à ce Royaume les trésors de la mer que la nature lui a si libéralement offerts par la constitution et assiette de si sûres et favorables rades, ports et havres, la nourriture de si experts matelots, mariniers et hardis soldats, l'abondance de toutes les matières propres à la structure et équipage des vaisseaux et des provisions, nourriture et denrées nécessaires...

Elle remercie le Roi de ses propositions, se prononce pour les fortes Compagnies, pour la délivrance des captifs en Barbarie (vœu du P. Joseph), l'augmentation des galères, la mise en défense des îles qui commandent la route d'Espagne en Italie, enfin pour « l'interdiction et défense de toutes manufactures étrangères ».

(1) *Aff. étrang. : France*, 59, f° 94. La ligne de titre a été barrée.

Richelieu ne pouvait mieux souhaiter : approbation de ses efforts durant les années précédentes, carte blanche pour l'avenir. Il ne restait plus qu'à consigner ces résultats en forme législative. C'est pour les mettre en vigueur que le Garde des Sceaux, le même Michel de Marillac qui avait présenté les projets, fut chargé de rédiger à partir de 1627 une grande ordonnance dont les résistances du Parlement de Paris retardèrent la promulgation jusqu'au lit de justice du 15 janvier 1629. Le titre vaut la peine d'en être reproduit, car il montre que ses quatre cent soixante et un articles prétendaient fournir une solution à tous les problèmes soulevés depuis la mort de Henri IV :

Ordonnance du Roi sur les plaintes et doléances faites par les députés des États de son Royaume, convoqués et assemblés en la Ville de Paris l'an 1614 et 1615, et sur les avis donnés à S. M. par les Assemblées des notables tenues à Rouen en l'an 1617 et à Paris l'an 1626.

Cette ordonnance dut au prénom du Garde des Sceaux (Michel) d'être communément baptisée *Code Michau*. Et, malgré la rupture retentissante de Richelieu avec les Marillac en 1630, l'essentiel en passa dans plusieurs édits postérieurs. Dans le *Code* lui-même figurait la permission pour les gentilshommes de faire le commerce sans déroger et la concession correspondante de la noblesse aux armateurs et marchands au long cours (1), vrai moyen, s'il eût été réellement appliqué, de les détourner des offices et de les lancer, à l'instar des bourgeois de Hollande et Zélande et des cadets d'Angleterre, vers les deux Indes ; la défense aux Français de naviguer sous pavillon étranger ; la libre exportation des graines et des vins, sauf en cas de disette ; enfin des mesures nettement mercantilistes : d'une part, la prohibition de sortie des laines, matières premières, et, symétriquement, de « la vente et usage des draps, estames, serges et autres manufactures étrangères ». Et pour quelle raison ? Pour celles qui avaient été exposées à l'Assemblée : « afin de donner moyen à nos sujets de s'appliquer davantage à ce trafic et enrichir notre royaume d'autant de deniers qui demeurent en icelui » ; protection du travail national combinée avec le mercantilisme monétaire. Ajoutez d'autres mesures encore sur les officiers de finances et leurs malversations, sur les finances elles-mêmes et les impôts, sur les prix des blés, etc.

Que va devenir, à l'épreuve, ce vaste plan de réforme économique, arrêté dans tous ses détails ? Et comment va se traduire

---

(1) On notera l'application de ces mesures lors de la création des Compagnies de commerce.

dans les faits la Déclaration royale du 1er mars 1627, qui résonne comme une synthèse des travaux à l'Assemblée, comme un constat de l'accord entre Louis XIII et ses sujets ?

Rétablir le commerce des marchandises, renouveler et amplifier ses privilèges, et faire en sorte que la condition du trafic soit tenue en l'honneur qu'il appartient, et rendue considérable entre nos sujets, afin que chacun y demeure volontiers, sans porter envie aux autres conditions... (1).

(1) Renvoyons encore au travail très estimable de Mlle Petit.

CHAPITRE IV

LE COMMERCE DU LEVANT

L'Assemblée, par son approbation unanime et, semble-t-il, enthousiaste, avait conféré au grand-maître toute latitude d'exercer sa charge, comme nous l'avons vu au chapitre précédent.

De tous les problèmes commerciaux qui se posaient à lui, les lecteurs de la section VI de la IIᵉ Partie du *Testament* auront l'impression qu'il mettait au premier plan celui de la Méditerranée et, par voie de conséquence, celui du Levant (1).

On l'a parfois contesté. Même le scrupuleux Caillet — sans doute faute d'avoir suffisamment connu les documents des Affaires étrangères où sont les sources des parties correspondantes du *Testament* — n'a pas aperçu le lien étroit que Richelieu établissait entre ces deux éléments de notre activité : le trafic de la Méditerranée toute proche et celui des Échelles (t. II, p. 77-79). Après avoir loué les efforts du cardinal pour rétablir la sécurité dans la mer voisine, Caillet écrit cette phrase inquiétante : « Il laissa malheureusement décliner notre antique influence dans le Levant. » Revenant (p. 80) sur la décadence de cette influence au début du xviiᵉ siècle, il conclut d'une façon pessimiste : « Tel était l'état des choses lorsque Richelieu prit en main la direction des affaires. Soit qu'il en ait été empêché par les embarras de toute sorte..., soit *qu'il n'ait pas compris l'importance de notre position dans le Levant* », il aurait fait peu de choses dans cette direction.

Que faut-il penser de cette grave opinion ? Comment l'accorder avec ce fait que, dès 1626, dans son projet de Compagnie du Morbihan, le nouveau grand-maître avait déjà dit de ce commerce qu'il était le plus fructueux du royaume ?

---

(1) Le sujet est introduit par ces rubriques : « Il reste à voir ce qui se peut faire dans la Méditerranée. Commerce de la mer Méditerranée. Mémoire de divers commerces que se font en Levant. »

I

Un premier point a déjà été mis par nous hors de conteste, c'est le souci que le grand-maître avait de la question méditerranéenne. Nous savons déjà que des diverses Amirautés qu'il s'agissait d'englober dans la charge nouvelle, c'est l'Amirauté de Provence (p. 44) qui lui donna pendant longtemps le plus de préoccupations (1).

Il faut le rappeler : d'abord, du point de vue militaire, le littoral méditerranéen et les eaux voisines constituaient l'une des zones où se manifesterait le péril espagnol le jour, prévu et de plus en plus attendu par le cardinal, où nos relations se brouilleraient définitivement avec la monarchie maîtresse non seulement de toute la péninsule ibérique et de positions dans le Maghreb, mais des Deux-Siciles, de la Sardaigne, de Milan, presque de la Toscane, et virtuellement suzeraine de la République de Gênes, elle-même dominatrice de la Corse. Si la guerre éclatait, *l'armada* espagnole essaierait de se saisir de nos ports de Languedoc et de Provence, et surtout (comme elle le fera en fait) des îles provençales qui lui fourniraient d'excellents points d'appui et lui permettraient de troubler nos communications. Inversement, si l'on mettait en défense ces îles et ces ports, et si l'on reconstituait la flotte des galères, c'est nous qui pourrions troubler les relations entre le littoral que les Espagnols appelaient de *Levante* (royaume de Valence et Catalogne) et la banque gênoise. Le *Testament* (2) dira plus tard :

la séparation des Etats qui forment le corps de la monarchie espagnole en rend la communication si malaisée que, pour leur donner quelque liaison, l'unique communication est l'entretenement de grand nombre de vaisseaux en l'Océan [ceci pour les relations avec les Indes occidentales], et de galères en la Méditerranée, qui, par leur trajet continuel réunissent en quelque façon les membres à leurs chefs ; portant et rapportant les choses nécessaires à leur subsistance, ... les ordres, ... les chefs..., les soldats..., l'argent... ; d'où il s'ensuit que, si l'on empêche la liberté de tels trajets, ces Etats, qui ne peuvent subsister d'eux-mêmes, ne sauraient éviter la confusion, la faiblesse, et toutes les désolations dont Dieu menace un royaume divisé.

Et plus loin, revenant sur la position de l'Italie « considérée comme le cœur du monde », il ira jusqu'à proclamer : « A dire le vrai, c'est que ce les Espagnols ont de plus grand dans leur

---

(1) Observation de M. Méthivier, *loc. cit.*, p. 125.
(2) *De la puissance sur mer.*

Empire ; c'est le lieu où ils craignent le plus d'être attaqués et troublés, et celui auquel il est plus facile d'emporter sur eux de notables avantages... ». Le front de la mer Méditerranée était donc une des principales bases d'où nous pourrions repousser les tentatives d'encerclement de la monarchie espagnole.

D'autre part, les rapports soumis à l'Assemblée avaient montré combien il était urgent de mettre nos populations à l'abri des pirateries barbaresques. Au reste la côte de l'Afrique du Nord n'était pas seulement l'ensemble de ces nids d'où s'élançaient les corsaires pour venir enlever chez nous les hommes qu'ils utilisaient dans les chiourmes de leurs galères comme rameurs et « en Alger » comme esclaves ruraux et domestiques, quand ils n'en faisaient pas des renégats, et les femmes dont ils peuplaient leurs harems — sœurs de la Provençale de Regnard. Cette côte était aussi en relations commerciales avec nous, c'est-à-dire avec Marseille. Au moins depuis le règne de Henri II, des Marseillais (dont plusieurs d'origine corse) avaient même un établissement permanent près de La Calle, et qu'on appelait le Bastion de France (1) ; « bastion », non pas dans le sens de poste fortifié, mais simple *bastidoun* à la provençale, maison et magasin, muni de quelques défenses, d'où venait surtout une marchandise alors précieuse, le corail, mais aussi des cires et des peaux.

Il fallait donc assurer la tranquillité de ce trafic de la Méditerranée occidentale. Mais depuis qu'au xvie siècle s'était opérée la « turquification » de la Berlérie (exception faite du Maroc), la clef de la situation n'était plus à Alger, à Bône, ni à Tunis, mais bien à Constantinople. Depuis Henri IV, l'ambassadeur de France auprès de la Porte, lors de son voyage de retour, faisait une sorte de tournée d'inspection dans les ports algéro-tunisiens. Lorsque, périodiquement, le Bastion de France était détruit ou pillé par un douar voisin ou sur l'ordre des chefs locaux, par exemple parce que les Français, en exportant frauduleusement du blé nord-africain, avaient encouru le reproche de provoquer la famine, il fallait obtenir du Grand Seigneur un « commandement » pour faire relever les édifices détruits et rendre à la Compagnie du Corail ses privilèges. Commandements aussi pour essayer de mettre fin aux pirateries, libérer les prisonniers, indemniser les victimes. Ainsi la Méditerranée occidentale apparaissait comme une dépendance de la Méditerranée orientale ; la « mer du Levant » était une unité. Telle est, en partie, la leçon qui se dégageait du rapport de Séguiran.

---

(1) Voy. les beaux et décisifs travaux de Paul Masson sur la Compagnie du Corail.

Mais, comme nous l'avons dit, nos ports méditerranéens
étaient surtout les bases de départ de notre commerce levantin.
La Méditerranée orientale était sillonnée par les navires marchands marseillais, car les Capitulations de 1536, plusieurs fois
renouvelées, avaient conféré à la bannière de France une sorte
de monopole. Les accrocs infligés à notre privilège par nos
rivaux anglais et hollandais n'avaient pas supprimé, malgré nos
faiblesses et nos abandons, cette situation de fait (1). Ils le
savaient bien. En 1621, lorsque l'évêque de Luçon n'était qu'un
futur homme d'État, un grand marchand de Londres, mêlé aux
affaires de la *Levant Company* et de l'*East India Company*,
Thomas Mun sous le voile de l'anonyme, avait publié un
Discours de 56 pages in-4º *sur le commerce d'Angleterre aux
Indes Orientales* (2).

Or, il y disait, non sans envie, que Marseille seule envoyait
chaque année à Alger et Alexandrie au moins un demi-million
de sterling. On avait beau, à cette même date, se plaindre non
sans raison du déclin de notre commerce levantin (3), c'était
encore une puissance.

Ce n'est pas seulement à Alexandrie et à Alger, à Constantinople — exactement dans le quartier « franc » de Péra, — c'est
aussi à Beyrouth, à Saint-Jean-d'Acre, dans toutes les « Échelles »,
comme on disait alors, que se rencontraient les commerçants
marseillais, groupés en communautés qui se donnaient à elles-
mêmes le nom de « nation française » de telle escale. L'un de ces
marchands portait d'ordinaire le titre et exerçait les prérogatives
de consul de France. Mais, bien qu'il fût reconnu par le Roi, et
non pas seulement par la puissante Chambre de Commerce
instituée à Marseille par Henri IV et par le Bureau de Commerce
de cette ville, le consul ne dépendait que très nominalement de
l'ambassadeur de France auprès de la Porte. Il s'enrichissait des
droits qu'il prélevait sur les marchands fréquentant son échelle,
soit tant pour cent sur le chiffre d'affaires. Le consul d'Alep, par
exemple, était un très gros personnage, car cette ville, si elle
n'était pas située dans un port, devait à sa position, entre le
golfe d'Alexandrette et les gués de l'Euphrate, d'être le point de
départ des routes intérieures qui pénétraient la masse du continent anatolien.

Tout ce commerce, nous l'avons rappelé tout à l'heure, était
en décadence : l'enquête de Séguiran confirmera encore cette

(1) Voy. Paul Masson, *Commerce du Levant au XVIIᵉ s.*
(2) *A Discourse of Trade from England unto the East Indies*, réédité à Oxford
en 1928.
(3) *Ibid.*, et Em. Levasseur ,*Histoire de 'industrie* ,t. II, p. 268 et suiv.

impression. Paul Masson, dans un livre vieux déjà de plus de
trente ans (1), a remarquablement étudié ce déclin et les efforts
de Richelieu. Il a surtout fait un admirable travail, qui n'a plus
à être refait, dans les riches Archives de la municipalité marseillaise et de la Chambre de Commerce de Marseille. Il avait
également pénétré dans celles du Quai d'Orsay. Mais, à cette
époque déjà lointaine, l'accès de ce dépôt — le dépôt de Richelieu — n'était pas très facile ; les inventaires n'étaient pas mis
à la disposition du public, et c'est surtout à l'amabilité d'un chef
de service que les érudits étaient redevables de quelques découvertes. L'accès du dépôt est devenu aisé, et cette circonstance
nous permettra d'ajouter quelques traits au tableau jadis brossé
par Paul Masson, de préciser la pensée et les tentatives de
Richelieu.

Disons après Masson que, depuis les guerres civiles de France et
malgré les efforts de Henri IV et de quelques-uns de ses ambassadeurs comme Savary de Brèves, nous n'avions pu reconquérir
notre antique primauté. Des concurrents redoutables, parfois
camouflés sous la bannière de France pour jouir de la faveur
ottomane, étaient apparus dans la Méditerranée orientale comme
dans celle de l'ouest. Avec des vaisseaux de plus fort tonnage,
et groupés en convois à demi-armés en guerre, ils représentaient
un volume commercial important. Enfin, certaines de leurs
marchandises, par exemple les draps légers de la *New drapery*
anglaise, étaient mieux adaptés au goût et même aux besoins de
la clientèle levantine que les produits traditionnels venus de
France, soumis à la rigueur des règlements.

Ce commerce des Échelles servait de véhicule, par Alexandrie
et les caravanes égyptiennes, à une partie de celui de l'Inde et,
par Alep, à celui de la Mésopotamie et de la Perse. Mais tous ces
trafics, en Angleterre aussi bien qu'en France, jouissaient alors
d'une assez mauvaise réputation. N'oublions pas que le mercantilisme commençant était à base monétaire, spécialement métallique, et trouvait son expression théorique dans la balance du
commerce. Or, les partisans de la doctrine accusaient le commerce
levantin de ruiner les États occidentaux, sous prétexte que les
produits du Levant et de l'Orient étaient des marchandises
chères, et qu'on les échangeait à peu près exclusivement contre
des métaux précieux, cause d'une véritable hémorragie monétaire.

Lorsque Mun avait publié son *Discours* de 1621, il répondait,
peut-on dire, à un livre publié vingt ans plus tôt par un autre
marchand et économiste anglais, Gérard de Malynes. Livre au

(1) *Op. cit.* à notre p. 39, n. 1.

titre sensationnel, *Le Cancer de la République d'Angleterre* : « A treatise on the canker of England's Commonwealth ». Il avait montré la Turquie débordante des monnaies étrangères qui servaient à payer les soies, les épices, dont le prix croissait par la concurrence des acheteurs, les pierres précieuses, l'indigo, etc., tandis qu'on ne portait en Orient, affirmait-il, que des étoffes à bas prix. Même dans les États barbaresques, ce « Levant » tout voisin, les importations de sucre ne suffisaient pas à diminuer le solde passif des échanges.

L'attaque, on le voit, était directe. En France, un même cri d'alarme avait été poussé, au moment de la convocation des États de 1614, par l'anonyme auteur, en qui nous avons reconnu Montchrestien, de l'*Advis au Roy*. Cet *Advis*, qui avait pour objet « d'empêcher le transport de l'argent et faire demeurer par chacun an dans le royaume près de cinq millions d'or (1), de sept millions d'or ou environ qui en sont transportés », visait nommément le trafic du Levant. « Il ne se fait aujourd'hui, disait l'auteur, qu'avec argent monnayé, et non avec commutation et change de marchandises. » Il calculait que de Marseille sortaient, chaque année, plus de sept millions d'écus en pièces d'argent — calcul voisin de celui qui figure dans son titre, — dont un tiers, spécifiait-il, en monnaies au coin de France. C'était donc, dans les idées courantes, le type d'un mauvais commerce, d'autant plus défavorable, pourrait-on dire, — commerce qui ne profite pas au travail national, — qu'il était plus prospère en apparence. Cette condamnation est répétée, dans les mêmes termes, par le *Traicté de l'économie politique*, et c'est même l'un des arguments qui permettent de voir dans l'auteur de l'*Advis* celui du *Traicté*. Isaac de Razilly n'était pas plus indulgent et, dans ce Mémoire de 1626 dont Richelieu avait d'abord fait son bréviaire, il avait déclaré ce commerce inutile. Tous deux suivaient Isaac de Laffemas, qui, préoccupé de « rendre la France *argenteuse* en peu de temps », avait déjà repris à son compte les invectives de son père Barthélémy contre les commerces qui, introduisant en France des objets de luxe superflus, en faisaient sortir or et argent. Ne retrouvera-t-on pas, chez un des collaborateurs de Richelieu, La Gomberdière, l'éloge « des grands moyens que nous avons en France de tirer des nations étrangères leur or et leur argent, et *non pas eux le nôtre...* », ce qui vise le commerce du Levant ? Notons en passant que Colbert sera médiocrement favorable à ce commerce, et là sera même l'une des causes profondes de ses démêlés avec la puissante république marseil-

(1) C'est-à-dire d'écus, soit 15 millions de livres tournois.

laise, accusée de ne voir que l'intérêt immédiat de ses négociants et non pas l'intérêt général du royaume.

Dans ce concert d'anathèmes, nous ne relevons qu'une voix discordante, celle du compatriote de Gérard de Malynes, Thomas Mun, plus haut cité, en son *Discours sur le commerce de l'Angleterre aux Indes orientales*, dont le titre se complète ainsi : *réponse à diverses objections contre ledit commerce*. Il s'agissait donc d'une apologie. En effet, on s'était plaint au Parlement, conformément aux doctrines ultra-mercantilistes du règne du premier Stuart, de la raréfaction des espèces en Grande-Bretagne, et l'opinion en avait rendu responsable le commerce oriental. Cette plainte, nous dit Mun, était « si bruyante et générale » qu'il avoue que lui-même, membre de la Compagnie du Levant, en avait été troublé. N'entendait-il pas certains opposants — il y a toujours de ces gens qui poussent la *laudem temporis acti* jusqu'au regret du progrès des connaissances et des méthodes d'action — avancer que « ç'aurait été un bonheur pour la chrétienté que la navigation des Indes par la route du Cap n'eût jamais été découverte ». De même et inversement, Palmerston ne dénoncera-t-il pas dans l'ouverture de Suez, retour aux voies anciennes, une invention diabolique (1) ? Car, disaient des conservateurs contemporains de Jacques Ier, cette route du Cap épuisait l'argent du royaume « en marchandises non nécessaires », Mun les traitait d'ignorants, et leur répondait hardiment que ce commerce « ne consume pas, mais bien plutôt accroît le trésor de ce royaume ».

Nous savons déjà qu'il prenait des exemples à Marseille et évaluait au moins à 500.000 livres sterling les espèces que le port méditerranéen exportait bon an mal an pour solder ses achats aux Échelles, et il ajoutait : « peu ou point de marchandises ». Mais, tout en faisant cette concession à l'adversaire, il expliquait cette situation comme suit : ces espèces sont surtout — et on se rappellera que Montchrestien lui-même avouait qu'elles étaient, pour les deux tiers — des réaux et des *escudos* espagnols que les Marseillais se procuraient par leurs ventes à Gênes, Livourne, Carthagène, Malaga et autres ports d'Espagne et d'Italie, sans parler de monnaies similaires qui leur arrivaient de Paris, de Rouen, de Saint-Malo, de La Rochelle, de Dieppe, toutes places qui expédiaient également des marchandises en Espagne ou dans les dépendances de l'Espagne, ce qui provoquait vers le port méditerranéen un véritable drainage de pièces espagnoles. Analyse très exacte et serrée, car les gens des Échelles étaient

(1) Voy. le beau ivre d'A. Siegfried, *Suez et Panama*.

friands de ces monnaies, timbrées au revers, entre les deux
colonnes d'Hercule, du lion de Castille, auquel les Levantins donnaient le nom moins farouche de « chien ». *Kelb* en arabe, *perro*
(*perrito* pour les petites pièces) en espagnol, telle était la déno-
mination courante de ces monnaies, qui avaient été données aux
Français pour payer les marchandises, françaises ou importées,
et qui servaient, à Beyrouth ou à Smyrne, à solder les soies et
autres marchandises chères, drogues, épices, indigo, calicots, etc. :
c'est-à-dire, affirmait Thomas Mun, des produits utiles à la
chrétienté et qu'il était économique de faire venir en droiture au
lieu d'aller, comme jadis, les chercher à Lisbonne. Réponse
directe, on le voit, à l'argumentation rétrograde de Malynes.
Mun ajoutait, pour ses compatriotes, que ce commerce, pratiqué
par les Anglais à l'instar des Provençaux, favorisait l'essor de la
marine britannique et, par voie de conséquence, l'emploi de gens
qui, sans cela, resteraient oisifs : deux mille cinq cents marins
au moins, plus de cinq cents charpentiers pour la construction
des navires, plus de cent vingt « facteurs » dans les ports des
Indes. Bref, le travail national trouvait son compte dans ce
négoce considéré comme condamnable.

Deux parts sont à faire dans l'exposé de Mun. Il affirme
d'abord la primauté du commerce français dans le Levant, tandis
que les intéressés parlent de déclin. Faut-il croire que leurs
récriminations sont exagérées ? De 1616 à 1620, disent des
mémoires — il est vrai postérieurs et même rédigés rétrospec-
tivement après la mort de Colbert, — ce commerce se serait
encore tenu au-dessus de 30 millions de livres, dont 12 à l'exportation (1). Mais la recrudescence de la piraterie après un incident
dont nous étions responsables (un massacre d'Algériens à Marseille en 1620), avait réduit ce chiffre de plus de moitié. Reste
l'autre aspect du problème : ce commerce vaut-il la peine d'être
restauré ? Peut-on, sans danger, voir se relever la proportion
de 18 % que Mun accorde aux importations ? Tel est le problème
essentiel que, le posant pour l'Angleterre, Mun posait *ipso facto*
pour la France.

II

Richelieu a-t-il eu connaissance de cet ardent plaidoyer,
dont tant d'éléments étaient pris à l'expérience française ?

Nous n'avons aucun moyen de le savoir. Nos données sur
l'influence des idées anglaises en France ne nous fournissent rien

_____

(1) Chiffres donnés par P. Masson.

à cet égard. Nous n'avons même aucune raison de le supposer, si
ce n'est qu'on retrouve presque le mouvement d'une phrase, et
presque les expressions de Thomas Mun dans un passage célèbre
du *Testament*.

Mun disait, on s'en souvient : la plainte contre le commerce
oriental était « si bruyante et générale » que lui-même en avait
été troublé. Or que dit Richelieu ?

J'avoue que j'ai été trompé longtemps au commerce que les
Provençaux font en Levant. J'estimais, avec beaucoup d'autres,
qu'il était préjudiciable à l'Etat, fondé sur l'opinion commune
qu'il épuisait l'argent du royaume, pour ne rapporter que des
marchandises non nécessaires, mais seulement utiles au luxe de
notre nation. Mais après avoir pris une exacte connaissance de ce
trafic, condamné de la voix publique, j'ai changé d'avis sur de si
solides fondements, que quinconque les connaîtra, croira certainement que je l'ai fait avec raison.

Ainsi donc ce cardinal, que la légende aime à se représenter
comme une volonté immuable et inflexible, toujours attaché à
poursuivre les mêmes buts, voilà qu'il avoue avoir changé d'avis
sur un point essentiel ! Il nous confie qu'il a d'abord été gagné
par les idées de Montchrestien et de Razilly, par « l'opinion
commune », et « la voix publique », tout comme Mun par l'opposition « bruyante et générale ». Comme Mun, il a cru que ce
commerce « épuisait l'argent du royaume pour ne rapporter que
des marchandises peu nécessaires ». Puis, comme Mun encore, il
a changé d'avis, éclairé par les leçons de l'expérience.

Comment s'est-il, dans les années qui ont suivi l'Assemblée
de 1626-27, renseigné sur ce fameux commerce « condamné par
la voix publique » et cependant continué grâce à l'obstination
marseillaise ?

Renseigné, nous savons déjà qu'il l'était par les écrits,
imprimés ou non, des missionnaires et autres voyageurs. Si la
Relation du P. Pacifique de Provins (voy. p. 22, 37) *du voyage
de Perse, où vous verrez les remarques particulières de la Terre
Sainte... aussi le commandement du Grand Seigneur pour établir
des couvents de capucins par tous les lieux de son empire ; ensemble
du bon traitement que le Roi de Perse fit au R. P...*, etc., n'a paru
qu'en 1631, il n'est pas douteux qu'au cours de ses voyages il
avait adressé au P. Joseph des relations, comme sa *Lettre* de 1622
sur la mort du Grand Turc, et que ces relations durent être
mises sous les yeux de Richelieu.

Nous avons déjà eu l'occasion, à propos de son voyage à
Ispahan, de voir que le P. Pacifique, malgré son austère piété,
savait noter les faits d'intérêt commercial, si bien que les com-

merçants anglais et hollandais le soupçonnaient d'être venu en
Perse pour travailler à la création d'une Compagnie. En 1626,
il sera chargé « d'établir des capucins dans la ville d'Alep en
Syrie, pour puis de là passer en Perse » : Alep, le grand nœud
de routes. Son itinéraire, depuis Marseille, fut Malte, Saïda,
Damas. Après un séjour à Chypre, il repartira d'Alep en 1628
pour Bagdad et Ispahan.

Parallèlement à ces missions capucines, les prédécesseurs de
Richelieu, quelle que fût la faiblesse de leur politique, avaient
chargé nos ambassadeurs de défendre nos droits, commerciaux
aussi bien que politico-religieux. Césy, qui était en fonction
depuis 1619, avait dû s'employer en 1621 à faire restituer aux
Cordeliers l'église de Bethléhem, occupée par les Arméniens. Il
avait obtenu de la Porte un commandement à cet effet (1), fait
réparer les lieux saints, et laissé un consul à Jérusalem. Il
défendra victorieusement les Jésuites. Il se vantait aussi d'avoir
efficacement servi le commerce français. « Depuis trois ans que
je suis ambassadeur, écrivait-il aux consuls de Marseille, les
négociants d'Alep n'ont pas eu une avanie de dix piastres (2). »
Toutes ses lettres aux mêmes correspondants insistent sur les
services qu'il a rendus aux marchands. Faut-il en croire sa
correspondance qui, sauf les lettres destinées au Roi, a pour
destinataire « M. d'Herbault, conseiller du Roi en ses Conseils
et premier secrétaire d'État en Cour », qui sera employé par
Richelieu ? Elle semble bien contenir certaines idées heureuses. Il
apparaît aussi que, suivant la tradition de ses prédécesseurs, il
estimait que l'un des devoirs de notre ambassadeur près de la
Porte était d'obtenir des « commandements » en faveur de nos
commerçants des régences barbaresques. Dès 1623, Sanson
Napollon lui avait été envoyé à cet effet à Constantinople même.
En 1625, c'est dans la correspondance *Turquie* (83, f° 169), dans
des lettres-patentes du 2 novembre vantant les bienfaits des
capitulations, que Louis XIII rappelle que notamment en Alger
il a obtenu des commandements de « donner en leur havre toute
sûreté aux vaisseaux trafiquant sous la bannière de France,
conservant la paix et ne rien entreprendre *(sic)* contre la liberté
du commerce ». Cézy se plaindra souvent que les excès de zèle
des agents spéciaux viennent troubler ses négociations nord-
africaines.

(1) Voy. Aff. étr., 834, f° 83 : Commandement adressé au gouverneur de
Jérusalem et au cadi : recouvrement des lieux usurpés par les Arméniens,
obtenu par de Césy (traduction par le R. P. Bernard de Paris, prédicateur capucin). On trouve à la suite les pièces des consulats de Syrie.
(2) P. Masson, *op. cit.*, p. 4-5 et 108.

Parmi ces négociateurs en marge de la diplomatie officielle, qui étaient parfois investis de la confiance du cardinal et dont les conflits avec l'ambassadeur devaient alimenter la chronique de Péra, le plus connu est Louis des Hayes de Courmenin (ou Cormenin) (1). C'est de lui qu'émane la relation intitulée : *Voyage de Levant fait par le commandement du Roi en l'année 1621*, par le sieur D. C..., relation imprimée dès 1624 (2), ce qui a permis à Richelieu de la lire sous cette forme, même s'il n'en avait pas eu connaissance antérieurement par sa correspondance.

Ce voyage soulève une question. Comme deux Courmenin, le père et le fils, ont certainement été en Levant, que tous deux se sont trouvés en contact avec de Césy, que celui-ci s'est exprimé avec colère contre ces deux « des Hayes père et fils », on a parfois été tenté de voir dans le père — Antoine — l'auteur de la *Relation* de 1621 ; dans le fils — Louis — le personnage qui reparaîtra en Turquie, sur l'ordre de Richelieu, en 1626. M. Tongas (3) semble avoir définitivement établi que Louis apparut en Turquie dès 1621, pour y reparaître en 1626, après avoir effectué une première mission en Danemark et Suède en 1624. Mais il paraît bien qu'Antoine, d'abord, avait accompagné son fils.

En 1621, Louis, parti de Strasbourg le 15 avril, rapporte qu'il avait traversé l'Allemagne et la Hongrie, vu au passage nos ambassadeurs, car il était chargé de moyenner la paix entre Turquie et Pologne, puis d'obtenir du Grand Seigneur que les Cordeliers fussent maintenus, contre « l'insolence » des Arméniens, dans la jouissance de l'église de Bethléhem : c'est donc, si on l'en croit, que Césy n'avait guère réussi dans cette négociation, et il est probable que, dès lors, Courmenin a dû se mal entendre avec l'ambassadeur, jaloux de ses prérogatives. Des Hayes déclare avoir « reçu commandement du Roi de publier la relation » de son voyage, dont il se vante d'avoir écarté les banalités connues, pour ne s'attacher qu'au Gouvernement ottoman, à la description des villes et de l'État, à la religion, et aux « intérêts que les plus grands princes de la Terre ont avec le Grand Seigneur ». Il devait, dès ce voyage de 1621 (donc antérieur à l'avènement de Richelieu), aller en Perse ; mais il ne put dépasser Constantinople, sauf un voyage en Terre Sainte durant lequel il fit réparer les lieux

---

(1) On trouve également la forme Courmesnin et même, postérieurement, Courmesvin. La famille sera représentée encore sous la Restauration par un publiciste presque célèbre.

(2) Bibl. Nat., n° O² 27, Paris, Adrien Taupinard. Privilège du 5 juin 1624 404 p., costumes et plans.

(3) *L'ambassadeur Louis Deshayes de Cormenin, 1600-1632. Les relations de la France avec l'Empire Ottoman, le Danemark, la Perse et la Russie* (Paris 1937 in-8°).

saints et installer un consul à Jérusalem ; encore des triomphes
dont Césy revendiquait l'honneur.

Dès 1621 aussi, des Hayes s'était préoccupé du rétablissement
du commerce franco-turc. Il en esquisse même l'histoire, d'une
façon qui fait penser à la description donnée par Mun :

> Il y a quelques années que tout le commerce de Turquie était
> entre les mains des Vénitiens, et qu'il partait de Venise en tout
> temps un grand nombre de vaisseaux pour aller en toutes les
> parties du Levant... Mais, depuis que les sujets du Roi leur ont ôté
> le trafic, il est toujours parti de Marseille plus grand nombre de
> vaisseaux pour aller en Turquie que de Venise, de manière que
> maintenant on y trouve beaucoup plus de commodités pour faire
> ces voyages que non pas à Venise...

Il explique cette victoire marseillaise par la lourdeur des trop
grands vaisseaux vénitiens, qui naviguent mal, sont obligés de se
réfugier souvent dans les ports, tandis que ceux de Marseille
résistent aux tempêtes, sont plus rapides et mieux armés contre
les corsaires. Il est permis de croire que des Hayes, se faisant le
porte-parole des négociants marseillais, exagère cette immunité
de leurs navires : « les corsaires, prétend-il, n'en ont jamais pris
aucun allant en Levant, mais au retour ils sont tellement chargés
et embarrassés des marchandises qu'ils portent, qu'il leur arrive
aucune fois de malheur ». D'où une fois de plus il ressort, les
corsaires ne s'attaquant pas à des vaisseaux vides, que les cargaisons de retour étaient bien plus importantes que celles d'aller.

Des Hayes est-il plus croyable quand il affirme que la réputation des Marseillais dans la Méditerranée égale celle des Hollandais sur l'Océan, et que « ceux qui veulent aller présentement
en Levant s'embarquent à Marseille » ? Cependant, malgré son
optimisme, il concède aux adversaires du commerce oriental que

> tout le trafic que les Chrétiens font aujourd'hui à Constantinople
> n'est pas de grande importance. Ils y portent des draps et des
> étoffes de soie, et les Anglais de l'étain, du plomb et de la poudre ;
> l'on en rapporte des cuirs, des laines, de la cire et des camelots.

C'est pourquoi il insiste sur les caravanes qui apportent en
Turquie les produits du Levant. C'est par là que l'on peut régé-
nérer ce commerce, c'est-à-dire développer le marché d'Alep,
malheureusement paralysé par l'état de guerre entre la Perse et
la Porte.

Est-ce sur le vu des rapports adressés par le même Louis des
Hayes à la secrétairerie d'État — à Herbault — que furent rédi-
gées les lettres-patentes déjà citées par nous du 2 novembre 1625,

où l'influence de Richelieu est déjà visible, comme celle de son protégé Sanson Napollon ?

Ces lettres touchaient une question délicate : l'une des causes qui ruinaient notre commerce et favorisaient la contrebande anglo-hollandaise, c'est, il faut bien l'avouer, que nos marchands n'étaient pas toujours d'une scrupuleuse honnêteté vis-à-vis de leur clientèle levantine. Cette idée préoccupe toujours beaucoup Richelieu, persuadé que le prestige de la France est fait en grande partie du bon renom des Français à l'étranger : « Le Roi, reconnaissant combien il importe à la réputation du nom français ès provinces de Levant d'empêcher toutes sortes de fraudes, abus et malversations au fait du commerce » (1), décide de réprimer ces abus et ordonner la réorganisation des consulats.

Les choses, en ce qui touche le commerce marseillais, s'étaient-elles améliorées en 1626 ? Césy écrit alors que de **Marseille** « tous les quinze jours il part des vaisseaux pour Constantinople, Scio ou Smirne », et que les derniers ont passé de Marseille à **Péra** en moins de quinze jours, lui permettant de recevoir des dépêches de la Cour en quarante, parfois même en trente jours, tandis que par la voie de Venise il reste parfois trois ou quatre mois sans dépêches du Roi, ce qui n'est peut-être pas un effet du hasard. Il demande que, pour les affaires importantes, on lui adresse un double par la route de terre, celle que suivaient naguère les ambassadeurs des Valois.

Césy nous apparaît, dans ses lettres, très fier du succès de ses travaux. Aussi lorsque Richelieu décide, en 1626, de renvoyer des Hayes à Constantinople avec une mission qui fait penser à celles de nos attachés commerciaux, Césy est-il très peu disposé à faire accueil à celui que, dans leurs démêlés héroï-comiques, il appellera ce « petit docteur », « ce petit charlatan », ou encore « une jeune barbe ». Il vitupérera contre l'arrivée de cet indésirable, en qui il flaire un détracteur ou même un successeur possible : « Il s'est fait donner une commission d'aller par toutes les échelles de Levant sous prétexte d'y restaurer le commerce à quoi il n'y a rien à faire où j'eusse besoin d'un suffragant..., le rétablissement dudit négoce ne consistant qu'en la seule paix des corsaires de Barbarie », soit en l'exécution des commandements obtenus par l'ambassadeur.

Ainsi éclate le conflit. Harlay de Césy ne cesse de répéter à d'Herbault que « le voyage du sieur des Hayes de Courmenin a

(1) Rappelons la formule célèbre plus générale que M. HANOTAUX a publiée dans *Maximes d'Etat* : « Bien que les fautes soient personnelles, il est certain que les légèretés et indiscrétions que les Français commettent aux pays estranges, impriment une marque de honte sur le front de toute la nation. »

été entrepris hors de saison et contre mon avis », que « son arrivée
ici m'est profondément préjudiciable ». Il accuse le jeune ambitieux de croire et de dire « qu'il ne sortira point des États de
l'Ottoman ou du Persien sans être ambassadeur, malgré »,
ajoute-t-il plaisamment et méchamment, « la tache de vin qu'il
a sur le visage » et qui « n'est pas propre à le faire aimer dans les
pays où l'on suit la loi de Mahomet ». Assuré de la protection du
P. Joseph, Césy n'a pas l'air de soupçonner que le voyage de
Courmenin a été voulu par une personnalité plus haute encore,
car il supplie d'Herbault de mettre au courant « Mgr le cardinal
de Richelieu ». Il veut se persuader qu'un secrétaire de celui-ci,
gagné par les Courmenin, n'a pas remis ses lettres au ministre,
« car, n'ayant point été favorisé de quatre lignes de quelqu'un
de ses secrétaires », il pense « qu'on veut que Mgr le cardinal me
tienne pour un fat et pour un impertinent de ne lui avoir point
rendu mes devoirs ».

Voilà qui en dit long et sur le prestige dont jouissait dès
lors (1626) le cardinal, et sur l'intérêt qu'on savait qu'il portait
aux affaires du Levant. Cela nous donne aussi des raisons de
croire que, dans cette rivalité plutôt scandaleuse et qui fait
penser au *Lutrin*, le cardinal ne penchait guère du côté de
l'ambassadeur.

Celui-ci, reconnaissons-le, était dans une situation peu
enviable. Mal et irrégulièrement payé, comme l'étaient alors tous
nos diplomates, il avait dû s'endetter fortement auprès des
négociants d'Alep, c'est-à-dire des Marseillais. Situation d'autant
plus embrouillée que le consulat d'Alep, après avoir été géré par
Sanson Napollon, Corse devenu Marseillais, avait été confié par
le Roi, et en dehors de l'influence marseillaise, à un curieux
personnage, Gédoyn dit « le Turc », protégé de l'ancien ambassadeur de Brèves et en termes détestables avec de Césy (1). Les
Marseillais avaient obtenu d'être rétablis dans le consulat en
la personne d'un nommé Viguier, et Gédoyn était parti par
Raguse, dégoûté, disait-il de « Madame la Nation ». Mais cela
n'empêchait pas la liquidation des dettes de l'ambassadeur de
s'acheminer interminablement vers une issue lamentable. Pendant deux ans, la correspondance de notre Césy n'est pleine que
de jérémiades, en clair et en chiffre, sur cette malheureuse
affaire, peu faite pour rehausser notre prestige.

Il ne devait pas seulement aux Marseillais, mais aussi à des
commerçants anglais de Galata, — nous avons les signa-

_____

(1) *Journal et correspondance de Gedoyn « le Turc », consul de France à Alep
1623-1625*, p. p. A. Boppe (Soc. d'hist. diplom., 1909).

tures : Anthony Wilson, F. Hodges, Edward Ramsden, William
Woodhouse, etc. — qui adressent en italien, langue courante
des Échelles, une supplique *Alla Sacra Maestà del Christianissimo
Re*, à l'effet d'être payés de 60.000 écus par eux prêtés à l'ambassadeur depuis six ans (1). N'y avait-il pas là de quoi ternir
l'honneur de la nation ? Il doit encore à des chrétiens de Péra,
c'est-à-dire des Grecs ou Arméniens, à des Juifs, à des Turcs ;
ceux-là se sont imaginé, en voyant des Hayes apparaître aux
rives du Bosphore, qu'il venait pour les rembourser. Trois jours
après son arrivée, il nous raconte que plus de soixante assié-
geaient sa maison en proférant des menaces. Il ne put les calmer
qu'en les assurant impudemment « que le Roi commanderait qu'ils
fussent payés ». Sans quoi, écrit-il, « ce sera la perte de tous
les biens que les Français ont dans le Levant ». Des Hayes, avec
humour, et un peu sur le ton d'un Loti anticipé, décrit ainsi la
vue qu'il a du sérail où il est logé avec un de ses compagnons de
voyage : « M. de Vaugelay, dit-il, de sa chambre considère les
sultanes du G. S. quand elles mettent la tête à la fenêtre, de sorte
que nous aurions occasion de trouver le séjour de cette ville bien
agréable si les créanciers de M. de Césy n'interrompaient point
notre repos... » Césy, de son côté, trouve que la conduite de son
jeune compatriote est « digne d'un farceur et d'un comédien ».
Il l'accuse d'avoir trop parlé de sa mission, et « réveillé les
créanciers à qui il ne donne que du galimatias ». Que leur eût-il
donné, grands Dieux ! puisqu'il n'avait pas d'argent ? Il ne veut,
ajoute l'irascible diplomate, que me faire faire « des commen-
taires sur Job ». On ne s'attend pas à lire des phrases de ce style
dans une correspondance diplomatique.

Césy apparaît dans ces textes à peu près inconnus un bien
piètre ambassadeur. Il a beau se plaindre des « calomnies, des
censures et fabuleuses inventions, des friponneries » de l'intrus,
se lamenter sur le « déplaisir que lui ont causé les lettres que
j'ai reçues du Roi et de vous [d'Herbault] à son occasion ». Il
ne pouvait se dissimuler que des Hayes avait reçu du Roi, donc
de Richelieu, « une commission d'aller par toutes les Échelles du
Levant », pour y restaurer le commerce, et spécialement de se
rendre à Alep et en Perse. Il fait tout pour l'empêcher, retarde
sa présentation aux vizirs, par exemple sous prétexte que la
peste a éclaté à Péra : il est vrai qu'il a cessé d'y loger, mais il y
a laissé les brides et selles de ses chevaux, qui sont contaminées,

---

(1) Voy. aussi *Turquie*, vol. 3, f° 287, 18 août, *Vera relatione del credito dato
dalli Mercanti inghlezi residenti in Galatla all' Ill*mo *et Ecc*mo *sig*re *Barone de
Césy...* Suit un compte arrêté à 54.210 *tallari*.

et qui ne seront désinfectées de quinze à vingt jours ! Et si des
Hayes lui offre des chevaux harnachés de frais, alors il faut
attendre les nouvelles d'Alger, pour savoir si les corsaires ont
obéi aux commandements, « de peur de remercier le G. S. d'une
chose qui ne serait pas arrivée ».

Ce déplorable conflit, ruineux pour notre prestige et notre
commerce, ne doit pas nous faire oublier que les plans de Courmenin, sans doute approuvés par le cardinal, ne manquaient pas
d'audacieuse ingéniosité. Il voulait se rendre à Alep avec un
passeport turc, ou même sans passeport. Au besoin, explique-t-il
à d'Herbault dans une lettre très intéressante du 12 juillet 1626,
chiffrée, il passera par l'Arabie déserte, « principalement si le
Roi de Perse conserve Babylone », car il faut toujours prévoir,
en ce théâtre oriental, quelque nouvelle péripétie. Il ira jusqu'à
l'Euphrate, « sans passer ni par ville ni par village », donc sans
rencontrer de fonctionnaires turcs, car « les Arabes sont les
maîtres de la campagne ». On voit que ce Courmenin, qui n'en
était pas à son premier voyage, connaissait les Bédouins. Il
connaissait même « leur Roi » — quelque émir Fayçal de ce
temps — « qui est actuellement au service des Persans ». Si je
fais ce voyage, concluait-il, « outre les grands avantages que le
commerce en retirera », le G. S. n'en aura que plus de considération pour le Roi de France. Une autre lettre nous révèle qu'il
était chargé d'apaiser la querelle entre la Perse et la Turquie,
comme il l'avait fait entre la Porte et la Pologne.

Il ne réalisa pas ce voyage. De Césy fit tout pour l'empêcher
de partir : « Il me trahit ouvertement, écrit le voyageur, ... c'est
une querelle d'Allemand qu'il me veut faire ou une avanie à la
mode du pays. » Fin septembre, Courmenin s'embarquera pour
Marseille « sans dire adieu », à la grande satisfaction de
l'ambassadeur.

Ainsi, dans un déplorable échec, s'abîma un grand projet, qui
aurait relevé notre commerce levantin. Ainsi la volonté d'un
ministre, qu'à distance nous nous figurons tout puissant, se
brisait contre l'obstination d'une personnalité jalouse de ses
droits. N'est-il pas curieux également de voir ce ministre, lorsqu'une question lui tenait particulièrement à cœur, passer
par-dessus la tête de son ambassadeur, et essayer de la faire
régler par un homme de confiance ?

N'ayant pas réussi à faire ouvrir par Courmenin la route
d'Alep vers cette Perse dont le P. Pacifique allait faire connaître
les splendeurs, il lui incombait de liquider la déplorable aventure
de l'ambassadeur endetté. Celui-ci essayait de se défendre en
utilisant ses dettes mêmes dans l'intérêt du commerce français.

Lorsqu'il réclamait de l'argent pour payer ses créanciers, il déconseillait de le faire passer par la route Venise-Raguse, et aussi par les mains des marchands anglais et flamands (lisez hollandais). Et surtout qu'on n'envoie point d'espèces, qui pourraient tenter les corsaires. « Je me suis résolu d'écrire à La Croix, conclut-il, qu'il m'envoie des étoffes de soie et des draps pour être embarqués sur le premier vaisseau qui partira de Marseille pour Constantinople, Scio ou Smirne, ayant traité ici avec un marchand qui prendra ce qu'on m'enverra et me donnera mon argent en trois mois. » Par son propre exemple, ce diplomate homme d'affaires ajoutait une preuve à l'appui de cette thèse que l'on pouvait expédier en Orient autre chose que des cargaisons de monnaie.

Pour mieux contre-balancer les projets de Courmenin, il proposait, lui aussi, son plan de pénétration commerciale en Perse. Liant toujours les affaires du Levant avec celles de Barbarie, il conseillait de recourir aux bons offices de Napollon, « qui sait le turc », et qui avait déjà été en Perse au temps d'un prédécesseur et parent de Césy, Harlay de Sancy. Sanson partirait de Marseille, irait sans bruit d'Alep à Ispahan, avec « les caravanes, vêtu en Arménien, comme sont nos marchands ». Il voyagerait sous prétexte d'acheter des tapis.

Ce plan, plus modeste et conforme aux habitudes, n'était point sot, et il est malaisé d'en comparer les mérites à ceux du projet plus voyant de Courmenin. Mais il semble que Césy ne l'ait lancé que pour faire échec à l'autre. Il nous révèle, en effet, qu'au moment de son départ, aussi inopiné qu'involontaire, Courmenin avait « laissé ici cinq ou six jeunes hommes de Paris auxquels il donne espérance d'aller en Perse ». Il s'agissait donc d'écarter de la route d'Ispahan même les créatures de son ennemi.

D'ailleurs, pour réussir n'importe laquelle de ces opérations, il eût fallu ne pas se brouiller avec les Marseillais et leurs représentants aux Échelles, notamment avec les consuls de Smyrne et d'Alep. Ce dernier, nous le savons, était le véritable maître du trafic turco-persan, personnage plus puissant que l'ambassadeur, voire que le lointain ministre.

Or, sous prétexte que les Marseillais, en échange des droits prélevés par l'ambassadeur sur les marchandises, lui avaient promis une pension annuelle de 16.000 livres et que, cette pension étant impayée, Césy prétendait contracter des emprunts forcés sur leurs navires, ce qui les amenait à les décharger en cachette. Singulier ambassadeur, dirait notre optique d'aujourd'hui, qui corrompait les ministres du sultan et le grand-vizir lui-même pour obtenir la suppression du droit sur les soies à Alep et se faire concéder un cinquième de la ferme des douanes de cette Échelle ! Il avait, dans ces tractations que nous jugerions louches, encore accru le montant de ses dettes et, ne pouvant plus rien tirer de sa vaisselle plate et de ses pierreries, il voulait forcer les marchands français d'Alep de rembourser ses créanciers ! Il les fait emprisonner — emprisonner par les Turcs ! — et deux tchaouchs gardent à vue notre consul ! Leurs marchandises sont saisies, et ils écrivent à Marseille, implorant le secours de Messieurs du Bureau du Commerce de cette ville. « Nous vous pouvons dire à bon droit les restaurateurs du commerce. » Marseille proteste contre « ces indues exactions que M. de Césy faisait exiger en Alep ». On peut même dire que Marseille se met en grève, c'est-à-dire interdit le commerce de toutes les Échelles jusqu'à complète satisfaction, supplie le gouverneur de Provence, qui est encore à cette date le duc de Guise, d'obtenir du Roi un châtiment exemplaire. En fait, le Roi fait partir pour Alep Sanson Napollon, puis un expert financier, de La Picardière (1), qui engage une longue procédure : le commerce paiera les dettes de Césy moyennant une taxe de 3 % sur le trafic des Échelles !

Ce compromis ne rend pas moins intenable la position d'un ambassadeur qui, en somme, était en guerre avec tous ses nationaux de Turquie et plutôt mal vu du ministre d'État. Gédoyn, en 1629, était même renvoyé en Turquie pour achever cette liquidation. S'il meurt en route, dès Corfou, les Marseillais n'en obtiennent pas moins le remplacement de Césy par Marcheville. Mais l'indésirable ambassadeur reste cependant à Constantinople, sous la figure peu avantageuse d'un débiteur insolvable, et gêne son successeur par ses intrigues. Au reste, Marcheville multiplie si bien les maladresses que, par un procédé qui n'était pas inédit en Turquie, il se fera, en 1634, réexpédier en France sur une galère et que Césy reprendra ses fonctions, sans d'ailleurs recouvrer aucune autorité.

Quelle pitoyable anarchie ! Il faut insister sur ces tableaux d'histoire vraie pour se débarrasser des conceptions traditionnelles de l'histoire diplomatique : on se représente trop la diplomatie de l'ancien régime comme une sorte de voie royale sur laquelle cheminaient sûrement et droitement les volontés du Roi et de ses ministres ; on se figure en particulier Richelieu, de son cabinet de Rueil ou du Palais-Cardinal, lançant des ordres à ses

(1) Voy. tout cela dans P. Masson, *op. cit.*, p. 52-54. Il convient de dire que le P. Joseph, dans sa *Correspondance*, est, en somme favorable à Cézy, en qui il voit le protecteur des missions.

ambassadeurs, des ordres qui sont obéis. La réalité, on l'a vu, est toute différente. C'est en se heurtant aux hommes et aux choses que le cardinal essayait péniblement de relever ce commerce en décadence.

III

Tout ce qui précède, si incomplet et obscur que reste notre exposé, montre au moins que Richelieu ne songeait pas à renoncer, tant s'en faut, au commerce du Levant. Les négociations menées par Napollon à Alep de 1626 à 1628, le traité de paix signé avec les Barbaresques le 19 septembre 1628 n'avaient pas seulement rétabli notre situation dans la Méditerranée occidentale malgré les efforts des Anglais, refait du Bastion de France un corps de magasins protégés dès lors par une vraie forteresse, permis aux vaisseaux de Sanson d'aller et venir « aux Bastion et Échelle de Bône... pour y vendre, négocier et acheter, enlever cuirs, cires, laine et toute autre chose comme était anciennement » — sauf interdiction en principe de l'exportation des blés, et en principe seulement, — « les autres vaisseaux ne pouvant aborder ou négocier dans les mêmes Échelles qu'avec une autorisation écrite du même Sanson », mais encore cette détente avait bénéficié à notre commerce avec les Échelles orientales (1). Malgré l'habileté des Hollandais, qui avaient profité de la période de rupture pour obtenir en 1630 du Grand Seigneur la faveur de ne payer que 3 % sur leurs marchandises tandis que leurs concurrents, dont les Français, payaient 5 %, les capitulations reprenaient leur vigueur.

Nous pourrions donc admettre, *a priori*, qu'entre les thèses anti-levantines de Montchrestien, de Razilly et la thèse que nous qualifierons de marseillaise, Richelieu avait fait un choix. L'enquête confiée à Seguiran ne laisse guère de doutes sur ce point. Mais le cardinal faisait aussi mener, après le voyage manqué de Courmenin, des enquêtes sur place, c'est-à-dire dans les Échelles mêmes, où la mission de La Picardière s'était poursuivie en 1631-33. De ces enquêtes, les Archives des Affaires étrangères conservent de précieux résumés, trop peu utilisés jusqu'à présent.

Il est un passage du *Testament* qui a souvent surpris les lecteurs. Tout d'un coup, dans la section VI du chapitre IX (de la II⁰ Partie) c'est-à-dire *qui traite du commerce, comme une dépendance de la Puissance de la mer, et spécifie ceux qu'on peut faire commodément* et doit nous révéler les arrière-pensées commer-

(1) P. Masson, *Barbaresques*, p. 27.

ciales de l'auteur, le texte, après un passage sur les Antilles, semble s'interrompre (p. 141 de l'édition de 1688 (1) entre cette phrase : « Il reste à voir ce qui se peut faire dans la Méditerranée » et cette autre déjà signalée (p. 144) : « J'avoue que j'ai été longtemps trompé au commerce que les Provençaux font en Levant (2). » Entre ces deux phrases se lisent les titres suivants : « COMMERCE DE LA MER MÉDITERRANÉE. Mémoire de divers commerces qui se font en Levant », introduction à des notes sur les Échelles dont nous allons parler. Les éditeurs de 1764 ont soin de nous dire : « Tout ce qui est en petit romain est mis en note dans le manuscrit de Trudaine et de Sainte-Palaye, et dans le manuscrit de Sorbonne. »

Viennent ensuite ces notes, précises et détaillées, dont la forme tranche avec celle de l'exposé où elles sont encadrées. Cueillons rapidement certaines indications : « *Napoli de Romanie*. Les Français y portent quelques marchandises et argent... *Smirne*. Les Français y portent beaucoup plus de marchandises que d'argent... » Puis défilent Scala Nova, Constantinople, Chypre, Alexandrette et le « Port d'Alep », Seyde (Saïda), Tripoli, Barut (Beyrouth), Saint-Jean-d'Acre, Alexandrie et « le grand Caire », enfin Tunis, Alger « et ports voisins ».

Quand on lit de près ces notes, on y voit déjà poindre une thèse. Elles ne manquent pas de signaler qu'à Nauplie on apporte « quelques marchandises » et non seulement de l'argent, à Smyrne « beaucoup plus de marchandises que d'argent », dont beaucoup sont redistribuées à Chio, dans l'Archipel et à Constantinople ; marchandises variées, et que l'on énumère : papiers, bonnets, draps de Paris et de Languedoc, brésil et cochenille, épicerie, « satins qui se fabriquent à Lyon ». A Constantinople, « les Français y portent quantité de marchandises, ... les mêmes qu'à Smyrne, ... et fort rarement de l'argent ». Pour Alexandrette et Alep, « grande quantité de marchandises et d'argent », mêmes marchandises que pour Smyrne. A Tunis « du vin, du miel, du tartre, des draps, des papiers et autres marchandises, et rarement de l'argent » ; de même pour les ports algériens.

Il est clair que cette analyse tend à prouver que les marchandises jouent un rôle bien plus considérable qu'on le ne croit dans nos exportations vers le Levant et que ce commerce ne se solde nullement par de simples sorties d'argent. On cite, comme

(1) Troisième tirage de Henry Desbrosses, in-12.
(2) Les choses se présentent comme ceci : la première de ces phrases est signalée pas un astérisque, et le haut de la page se termine par une réclame: J'a(voue). Un astérisque introduit, en bas de la page 141, la note en petit texte qui va usqu'après la moitié de la page 144.

des exceptions, les escales de ce dernier type : Satalie, « où l'on ne porte que de l'argent », les ports de Syrie ; qui ont dû être à l'origine de la généralisation mercantiliste : « On y porte de France quelque peu de marchandises et presque tout en argent. » En Égypte, « plus d'argent que de marchandises ».

D'où Richelieu sait-il cela ? Où a-t-il appris, en retour, les marchandises qui nous arrivent des Échelles ? les « soies, maroquins, laines, cire et fromages » de Nauplie, et qui lui a dit qu'une partie de ces marchandises, loin de rester chez nous, « se distribue et se débite en Italie » ? Cotons, cires et maroquins de Satalie ? Soies de Perse et rhubarbes persanes transitant par Smyrne, filés de coton, soies chypriotes, drogues de l'île ; soies encore et drogues, « toutes sortes de cotons », galles, maroquin « qu'on appelle du Levant, rouges, jaunes et bleus », toiles de coton, qui viennent d'Alexandrette et, par là, d'Alep, avec « quelquefois des marchandises des Indes qu'on y apporte par la voie de Perse ».

Non seulement il a une idée très exacte du rôle joué par Alep, mais il sait pertinemment pourquoi ce commerce que des Hayes de Courmenin avait en mission de revivifier, avait périclité :

Auparavant que les Anglais et Hollandais allassent aux Indes, toutes les soies, drogues et autres marchandises de Perse venaient à Alep, d'où on les portait à Marseille, qui après les débitait par toute la France, l'Angleterre, Hollande et Allemagne. Et maintenant lesdits Anglais et Hollandais nous ont ôté ce commerce, et pourvoient toute la France non seulement de marchandises de Perse mais encore des terres du grand Seigneur qu'ils font passer par la Perse pour aller à Goa, où ils chargent.

Ce détournement de routes, qui a pour effet de nous faire venir de l'Inde même des marchandises de l'Empire Ottoman, a donc atteint gravement Marseille dans son rôle de redistribution. Richelieu se rend compte que ces marchandises, condamnées au nom de la balance du commerce, ne restaient pas en masse dans notre pays. Il l'a déjà dit à propos de celles de Nauplie, dont nous fournissions l'Italie. Il redit que les marchandises venues du Levant « se débitent en Sicile, Naples, Gênes, Livourne, Majorque et par toute l'Espagne, Flandres et Allemagne ». Il s'est fait expliquer le mécanisme financier de ces opérations : Si l'on ne trouve pas à employer à Constantinople, où l'on n'exporte guère que des cuirs et laines, le prix des marchandises qu'on y a vendues, « on en envoie à Smyrne pour y être employé, ou bien on le remet par lettres de change à Alep, où il y a toujours quantité de marchandises à acheter pour porter en la Chrétienté ».

On se demande d'abord où Richelieu a pu acquérir une si

riche érudition, et si spéciale. Pour répondre à cette question,
il est nécessaire et il suffit de se reporter à deux curieux documents
conservés dans ses papiers, aux Archives des Affaires étrangères.
Il faudrait pouvoir imprimer ces deux pièces et, en regard, les
phrases correspondantes du *Testament*. La conviction du lecteur
serait faite.

La première de ces pièces (f⁰ˢ 780-782) *correspondance :
Turquie*, est datée de 1628. De qui émane-t-elle ? Certainement
d'un Marseillais. Non pas seulement parce que Smyrne y est
communément épelé, à la provençale, *Esmirne*, mais parce qu'il
y est fait allusion, dans les dernières lignes, aux temps glorieux
où Marseille était la reine du trafic levantin : « Un commerce
ruiné, duquel les étrangers se prévalent », et dont le rétablissement remettrait Marseille « au lustre qu'elle a été pendant plusieurs années, qu'elle distribuait des marchandises du Levant à
toute la chrétienté ». Cette pièce a été rédigée expressément pour
Richelieu lui-même, car il y est dit : « Si son Éminence est en
volonté de faire quelque fonds pour rétablir ledit commerce...
En outre son Éminence pourrait faire un fonds notable pour être
négocié par ceux qu'elle commettrait, auquel fonds on pourrait
y associer ceux qui s'y voudraient joindre. » Enfin le dernier
paragraphe débute par cette espèce d'invocation : « Son Éminence
ne saurait jamais rien entreprendre qui pût lui attirer plus de
bénédictions. »

Ces quatre petites pages, qu'à notre connaissance personne
n'a jamais citées, sont d'un intérêt capital. D'abord pour la critique du *Testament*, dont elles confirment une fois de plus l'authenticité et la valeur. Après cette entrée en matière :

« Toutes les échelles du Levant où se font négoces sont ci-
après spécifiées, et où y a consul des Français et commence par
Napoli de Romanie et finit par Alger. »

Vient une énumération qui correspond, point par point, à
celle du *Testament*. C'est le même ordre des Échelles, Napoli,
Satalie, Smyrne, etc., avec les mêmes marchandises d'importation et d'exportation. Mêmes réflexions sur Smyrne : « fort
bonne échelle où se fait grand négoce et où se porte de France plus
de marchandises que d'argent... » ; sur Alep : « On y porte
grande quantité de marchandises et d'argent... d'où on les
voiture pour la Perse. » C'est de là que provient en droiture
l'observation attristée sur les Hollandais et Anglais qui ont
accaparé le commerce des marchandises de Perse, et « de celles
du grand Seigneur qu'ils font passer par la Perse pour aller à Goa
où ils les chargent ». La reproduction est textuelle, et l'on sait
maintenant où Richelieu avait cueilli ce curieux renseignement.

Textuelle aussi la phrase, si précise en sa technicité financière, sur la remise à Alep des lettres de change, etc.

Aucun doute, par conséquent : Richelieu a fait extraire à son usage, il a fait copier pour les annexes de son *Testament* cette note sur les Échelles. A peine a-t-il laissé tomber quelques détails : le fructueux commerce des Juifs de Livourne avec leurs coreligionnaires d'Alger sur « les marchandises prises sur les chrétiens », commerce que n'osent faire les Marseillais, dit non sans une pointe de regret leur porte-parole, « nous étant défendu par les officiers de la marine » — et nous savons que ces défenses n'étaient pas toujours efficaces ; — omise aussi la possibilité de créer à Alep un magasin de draperies et autres marchandises de France contre drogueries et soieries du Levant ; omises les données sur le commerce de Damas, sur le riz et aussi le blé qu'on peut charger à Saïda les années de bonne récolte ; omis encore les calculs bien marseillais sur les profits que procure le trafic levantin, contrats, changes, assurances, etc. Mais nous ne risquons pas de nous tromper en affirmant que Richelieu a lu de près ce mémoire, qu'on y trouve précisément les idées qui deviendront les siennes sur l'intérêt de ce commerce :

> Pour faire voir, dit notre anonyme, que le commerce de Levant est profitable à l'Etat, faut remarquer que nous ne pouvons nous passer des marchandises qu'en viennent, que si nous ne les allons quérir les étrangers y vont, de qui il faut que nous les achetions pour de l'argent comptant et par ce moyen leur donnons le profit que nous pouvons faire. Ce commerce donne moyen à grandissime quantité de familles de s'entretenir, grande quantité de marins s'exercent à cela. Nous faisons valoir nos manufactures de draperies, papiers, bonnets et autres. Nous débitons nos bois pour faire des navires, nos chanvres pour les agrès et mille autres choses qui servent à la navigation. Les douanes et autres droits du roi en valent beaucoup davantage.

Enfin notre Marseillais inconnu prend corps à corps la fameuse objection : le commerce du Levant, dont la balance est défavorable, est ruineux. Double réponse :

> De dire que cela épuise l'argent de France, il y a à répondre que bien véritablement il ne se porte pas la moitié en argent comptant de ce qu'on charge pour le Levant où il y a quantité de marchandises, comme déjà a été dit.

A ce premier fait s'en ajoute un autre, qui tient au mécanisme de ce commerce ; et répond à cette question subsidiaire : d'où vient l'argent ?

> *Et l'argent* qu'on y porte *n'est pas du coin de France*, mais bien d'Espagne, lequel, par le moyen de notre trafic, nous tirons.

Donc l'argument de la balance ne tient pas, d'autant plus que les produits du commerce oriental nous enrichissent indirectement, grâce au rôle de redistributeur joué par Marseille :

Bon nombre des marchandises que nous prenons en Levant nous les débitons en Sicile et Naples, Livourne, Gênes, Majorque et par toute l'Espagne et que d'icelles nous en faisons venir des réaux plus qu'il ne faut pour le commerce de Levant...

Ainsi donc le circuit se ferme.

Remarquable analyse qui frappa Richelieu ; car, dans les pages du *Testament* où il plaide pour ce commerce, on retrouvera tous ces arguments : l'utilité de marchandises que (la phrase est encore calquée sur celle du mémoire),

« si nous ne les allons quérir, les étrangers nous les apportent, et tirent par ce moyen le profit que nous pourrions faire par nous-mêmes » ; les marchandises que nous y envoyons ; l'argent que nous y portons « n'est pas du cru de France, mais d'Espagne, d'où nous le tirons par le trafic des mêmes marchandises que nous apportons du Levant », etc...

Bref tous les points du mémoire sont repris ici pour expliquer ce qu'on peut appeler la conversion du cardinal, et amener cette conclusion :

Il faudrait être aveugle pour méconnaître que ce trafic n'est pas seulement avantageux, mais qu'il est tout-à-fait nécessaire.

Cette enquête de 1628 ne fut pas la dernière par laquelle Richelieu voulut éclairer sa religion sur cette question controversée. Dans un autre fonds des mêmes Archives du Quai d'Orsay (*Documents*, no 839, fos 209-211) on trouve, sous la date de 1639, un autre *Mémoire des avantages que porte le commerce de Levant et des moyens de le faire plus utilement pour cet État.* Aussi peu connu que le premier, ce second mémoire émane d'une plume plus experte, plus habituée à écrire sur ces problèmes. Un fonctionnaire de la marine ou des ports, un inspecteur de la navigation ?

L'auteur, également anonyme, se pose aussi la question de savoir « s'il y a plus d'utilité à ce commerce que de désavantage quoique, se faisant par le transport d'argent il semble qu'on en épuise le Royaume et qu'on n'y rapporte que des marchandises dont la plus grande part ne sont pas nécessaires, mais plutôt superflues et fomentant le luxe ».

Et il répond comme le faisait, onze ans plus tôt, son prédécesseur ignoré. Il rappelle

qu'au temps que Marseille faisait davantage ce négoce [phrase où s'inscrit le regret d'une véritable décadence], il s'y trouvait beaucoup plus de piastres et pièces de dix sols, qui sont les seules espèces servant à ce commerce qu'il ne s'y en rencontre aujourd'hui, d'où l'on peut conclure que le même trafic qui l'emporte [l'argent] le fait revenir après avec grand profit.

Nous ne reproduisons pas les arguments connus sur la redistribution des marchandises. Nous dirons seulement,

que les soies et les cotons filés, qui sont les principales marchandises qui viennent de Levant se manœuvrent en France, qu'elles se transportent en après aux lieux ci-dessus mentionnés [Italie, Espagne, Allemagne, Flandre] où elles se débitent avec profit de cent pour cent sur le prix de l'achat, ce qui provient de la manufacture, en laquelle d'ailleurs trouvent leur vie nombre d'artisans qui souffriraient beaucoup sans cet emploi, de même que nos matelots, pilotes et canonniers devraient chercher du service à l'étranger.

L'une des preuves, avec d'autres, que Richelieu a travaillé son *Testament* après 1639, c'est que des expressions de ce second mémoire se retrouvent, à peine modifiées, dans ce texte célèbre, par exemple le passage sur les filés de soie et de coton, et celui sur les artisans et les matelots. La seconde partie du mémoire posait une question familière à Richelieu, à savoir, « l'utilité dudit négoce étant assez visible », s' « il sera plus utile de le faire par compagnies ou bien par particuliers ». L'auteur se prononce, après discussion, écarte la solution d'une Compagnie unique, sur le modèle des Compagnies des Indes. Les raisons qu'il en donne suffiraient à prouver qu'il n'est pas, lui, de Marseille :

tant sont volages et de peu de foi les peuples de Provence. D'ailleurs ce négoce est trop connu et trop facile pour le défendre aux Provençaux ; leur humeur est trop libertine [nous dirons : indépendante] et trop séditieuse pour endurer cette contrainte.

Il reconnaît qu'elle mettrait à l'hôpital plus de mille deux cents familles qui vivent avec ce trafic, que ce commerce serait trop lourd pour une seule Compagnie en raison du grand nombre des Échelles, et qu'elle provoquerait une hausse des prix nuisible à nos réexportations. Le vrai moyen, pour lui, de restaurer le commerce, c'est de nettoyer la mer de ses corsaires, en d'autres termes « le soin qu'il plaît à votre Éminence de tenir des vaisseaux et des galères armées », ce qui rabattra l'orgueil des « Barbares » et rendra du cœur aux Provençaux. Après quoi on pourra faire une petite Compagnie, au modeste capital de 6 ou 800.000 livres.

Nous croyons que la preuve est faite :

La curieuse note par quoi s'interrompt dans le *Testament*

l'exposé du *Commerce de la Méditerranée* est bien le résultat d'une
« contamination », où Richelieu a fondu les données de l'enquête
marseillaise de 1628 et de l'enquête plus officielle de 1639, enquêtes
faites à sa demande et à lui adressées. Il a donc, pendant plus de
dix ans, constamment été préoccupé de cette question, désireux
de la tirer au clair. A la lumière de ces documents, il a peu à peu
abandonné la position qu'avait voulu lui faire prendre Razilly.
Déjà persuadé en 1626 de l'importance du commerce levantin, il en
a étudié et mieux compris le mécanisme, et c'est à ces correspondants inconnus — confirmés par l'enquête de Séguiran — qu'il a
pris les conclusions et, parfois, jusqu'aux expressions par lesquelles
le *Testament* « avoue » son erreur primitive. Erreur sur le drainage
de l'argent du Royaume, erreur sur l'inutilité des importations
de luxe, affirmation que « si nous ne les allons quérir, les étrangers
nous les apportent, et tirent par ce moyen le profit que nous
pourrions faire par nous-mêmes ». Où donc, sinon dans ces
textes, le cardinal eût-il puisé le droit de déclarer, contrairement
à « l'opinion commune » :

Il est encore très certain que nous portons beaucoup moins
d'argent en Levant, que de marchandises fabriquées en France... ?

A qui, sinon à notre Marseillais et à son émule de 1639, eût-il
pris les éléments de cette démonstration minutieuse sur la fer-
meture du circuit économique, sur le commerce « triangulaire »
Marseille-les Échelles-Gênes ou Valence, c'est-à-dire : réaux
espagnols-marchandise levantine-ventes françaises dans les ports
espagnols, commerce analysé en cette phrase magistrale, déjà
partiellement citée ?

Tous ceux qui savent ce qui se passe au négoce du Levant
savent certainement que l'argent qu'on y porte *n'est pas du crû de
France, mais d'Espagne* (1), d'où nous le tirons par la traite des
mêmes marchandises que nous portons du Levant... Ils savent
que plus la ville de Marseille a fait le négoce du Levant, plus
a-t-elle [eu] d'argent.

Avec la même netteté — et la même fidélité à ses sources
personnelles d'information — il n'hésite pas à dire que ce commerce, en apparence défavorable, profite au travail national,
transforme ses apports en produits ouvrés pour l'exportation :

les principales marchandises qui viennent du Levant *se manœuvrent
en France* et se transportent après aux pays étrangers, avec profit
de cent pour cent sur le prix de l'achat de la manufacture [*i. e.* des

1) C'est nous qui soulignons.

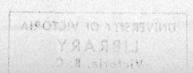

produits fabriqués avec ces matières ou semi-ouvrés] ; que ce
commerce assure la vie à un grand nombre d'artisans ; qu'il nous
conserve beaucoup de matelots...

En vérité, Montchrestien, Razilly, ces textes figurent dans
la littérature économique du temps. Mais c'est lui, Richelieu,
le véritable économiste à la pensée vigoureuse, large, riche d'avenir. Disons même que, sur ce point capital du commerce des
Échelles, Colbert, prisonnier des formules couramment admises,
marquera une régression.

IV

Nous l'avons déjà dit maintes fois : l'expression « Levant »
s'étend alors même aux pays musulmans que les Arabes appellent
le « Couchant » — en vertu de la même figure qui nous fait qua-
lifier d' «orientalistes» un Delacroix peintre d'Alger aussi bien que
de «Scio» ou un Eugène Fromentin — donc tous les pays qui dépen-
daient de la « mer du Levant » et avec qui le trafic s'opérait surtout par galères. Même l'Empire chérifien, qui était indépendant
de la Sublime Porte et dont le littoral atlantique s'atteignait parfois à partir des ports du Ponant, ne saurait, ni dans la réalité du
temps ni dans la pensée de Richelieu, être isolé de cet ensemble.

Essayons donc, sur ce sujet d'ailleurs beaucoup mieux connu
(notamment grâce à Paul Masson), de résumer l'essentiel. Deux
noms dominent : celui de Sanson Napollon pour l'Algérie-
Tunisie (1) ; celui de Razilly pour le Maroc.

Nous avons déjà parlé de la façon dont Napollon avait, en
1628, relevé notre position au Bastion. Un mémoire de lui représente alors vingt-quatre bateaux faisant la pêche du corail (2),
huit cents hommes employés dans les quatre places des concessions, plus quatre cents travailleurs occupés en Provence « à polir
le Corail et faire donner ordre aux provisions nécessaires pour
ledit Bastion », d'où se retirent «corail, cuirs, cire, laines, chevaux»
et même, malgré les interdictions, du grain, qui « sert pour les
pauvres, d'autant qu'il est à bon marché, n'étant pas si bon que
celui qui croît en Provence, étant néanmoins net et sans aucun
mélange ». En janvier 1629, il en offre aux consuls de Marseille,
« toute la quantité que vous désirez ». En 1632, il rappelle qu' « il
y a trois ans que j'ai toujours mandé tout le blé que j'ai pu pour
secourir ladite ville et continuerai toujours de bon cœur », et il en

(1) Voy. Paul Masson, *Barbaresques*, p. 26, 38, 99 et *passim*.
(2) Dont une frégate de vingt hommes, deux de dix, deux tartanes.

adresse 1.000 charges aux consuls d'Aix (1). C'est un aspect assez inattendu que ce Bastion ravitailleur en blé de la Provence.

Il est assez difficile, malgré les documents donnés par Avenel et Paul Masson (2), de voir très clair dans cette activité du restaurateur du Bastion et ses conflits avec les Marseillais. Il semble bien que ceux-ci, habitués à commercer directement avec Alger, aient obéi à des susceptibilités jalouses et à cet esprit « libertin » qui supportait mal la centralisation des affaires entre les mains de quelques privilégiés. N'oublions pas que les consuls de France en Alger étaient leurs chefs. Il n'est pas impossible, d'autre part, que Napollon ait abusé de ses avantages. Un mémoire de 1629 le qualifie assez perfidement « d'homme habile », et d' « homme de fortune », en ajoutant cette formule dubitative : « Je crois qu'il soit homme de bien.... » Rappeler qu'il était « Corse de nation, et qui n'a point ou comme point de bien en France », n'était-ce pas insinuer qu'il pourrait bien regarder du côté de Gênes ?

Lors de l'enquête de Séguiran, les consuls de Marseille, après avoir fait état de la « quantité de cuirs, laines, cires, vernis, plumes d'autruche et quelques maroquins de couleur en provenance de « tous les quartiers de Barbarie », se plaignaient que « du côté d'Alger on ne peut savoir la quantité de négoce qui s'y fait depuis l'établissement du Bastion, d'autant que tout ce négoce passe maintenant par les mains dudit Sanson, qui en divertit une bonne partie en Italie » — voilà l'accusation directe, et voici l'irritation de ces commerçants indépendants contre le maître du commerce africain : « Auparavant il allait tous les ans audit Alger ou en sa côte, qui est Le Colle [Collo] et Bône, quatre ou cinq vaisseaux qui portaient 20.000 livres chacun... »

C'était peu. On comprend donc que malgré les violences marseillaises, que Masson qualifie de « sauvages », et leur désir de détruire le Bastion, malgré les émeutes suscitées contre la maison de Napollon à Marseille même, Richelieu lui ait gardé sa confiance et l'ait félicité de son activité (29 avril 1632) :

> J'avais toujours bien attendu de votre adresse et de votre courage que vous mettriez le Bastion en tel état qu'il serait assuré au roi et que vous feriez bâtir au royaume de Tunis les autres places dont vous m'écrivez...

Il l'engage à donner à la fortification du cap Nègre (3) où il empêche les Gênois de s'installer, le nom de Saint-Louis ou de

---

(1) Il avait su marier sa fille à un conseiller du Parlement.
(2) Avenel, t. IV, p. 282 et Masson, p. 38, 46, 86, 99 et *passim*.
(3) Masson, p. 46, *Mémoires du baron de Vienz à Richelieu*

Fleur-de-Lys. Il lui prescrit, en termes quelque peu sibyllins, de s'entendre pour toutes ses affaires avec son protecteur Harlay, l'évêque de Saint-Malo, et avec un envoyé spécial (le sieur de L'Isle) qu'il lui envoie exprès sur ce sujet. Faut-il, malgré tout ce que nous pouvons penser de l'intégrité du cardinal, voir là comme une amorce de propositions ultérieures (1633) où il est incité à se réserver le bénéfice personnel de ce commerce et de celui qui proviendrait de Tunis ? Il semble qu'une négociation parallèle avait été menée, avec un renégat provençal, par un négociant marseillais, Jean Estelle, mari d'une nièce du bey, et qui paraît avoir saisi l'importance de Béja : « cette place, à deux journées et demi du cap Nègre, peut fournir grande quantité de grains pour le secours de la France et de toute la chrétienté » — « blé, seigle, orge, fèves, pois chiches, lentilles, les plus belles », sans parler des habituels cuirs, laines et cires. Il est probable qu'un accord se conclut entre Estelle et Sanson.

Celui-ci fut tué, dit-on, en attaquant Tabarka, qu'il voulait enlever aux Gênois (ce qui exclut l'hypothèse d'une collusion). Après sa mort, les choses se gâtèrent, surtout avec le duc de Guise, qui était le gros profiteur de la Compagnie du Corail. Le Divan se plaignit de l'exportation clandestine des blés, et fit détruire le Bastion (1637). Cette ruine, à son tour, entraîna le soulèvement des tribus de la frontière tunisienne, dont elle lésait les intérêts, et un agent de Guise put négocier en juillet 1640 un traité pour le rétablissement du Bastion. Richelieu, qui était toujours en lutte avec le duc de Guise, fit traîner la ratification pendant un an, et l'œuvre de Napollon se trouva irrémédiablement compromise, victime des luttes mesquines entre les intérêts rivaux.

V

Pour le Maroc, nous savons (ch. II, section II) que Razilly y avait suivi de bonne heure une politique de pénétration, et c'est précisément en revenant du Maroc qu'il avait présenté au cardinal le fameux mémoire de Pontoise (1626).

A cette date, la situation était peu brillante. Le P. François d'Angers — encore un capucin du P. Joseph, — mécontent de ne pas voir revenir Razilly (1), écrit que les sujets du Chérif « en

---

(1) P. Masson, p. 91, résumé, Voir François d'Angers, *Histoire des Pères Capucins de la maison de Touraine au Maroc*, sur la période 1624-35 (Niort, 1644, rééd. à Rome, 1888), n° 4078 des sources d'André. Le même recueil signale Pierre Dan, Trinitaire, *Histoire de Barbarie et de ses corsaires* (Paris, 1637, 1649, rééd. en Hollande, 1684).

témoignaient publiquement de l'impatience, pressés de leurs intérêts ». Le commerce était perdu depuis la prise des Français ; il n'y
avait pas même un seul marchand dans la ville de Maroc (Marrakech) et, dans cette côte, il restait seulement à Saffi un Anglais.

Mauvais point de départ, on le voit.

Or si l'accord de 1628 avec le Grand Seigneur et le renouvellement de l'alliance avec Alger en 1625 avaient sérieusement
diminué la piraterie algéro-tunisienne et, suivant un texte de ce
temps, « rendu assez marchande la Méditerranée », la côte occidentale restait redoutable à nos navigateurs, surtout à cause
des corsaires de Salé.

Sur les efforts qui furent dirigés en ce sens, nous sommes
renseignés par un ouvrage qui tire une partie de son intérêt du
nom inscrit dans son titre, ouvrage paru en 1631, réédité en 1633 :
*Voyages d'Afrique faits par le commandement du Roi, où sont
contenues les navigations des Français entreprises en 1629 et 1630
sous la conduite de M. le commandeur de Razilly ès côtes occidentales des Royaumes de Fez et de Marroc, le traité de paix fait avec
les habitants de Sallé et la délivrance de plusieurs esclaves français...,
le tout illustré de curieuses observations par Jean Armand, Turc de
Nation, lequel a eu emploi audit voyage* (1).

Jean-Armand, c'étaient les prénoms de notre Richelieu.
« Jean Armand, dit Mustapha », ainsi était signée la dédicace du
livre, adressé au cardinal « en un temps où l'envie crève de
dépit vous voyant recueillir une partie des honneurs justement
dus à votre vertu », c'est-à-dire après la défaite de Marie et de
Gaston. « Jean Armand, Turc de Nation, chirurgien de Mgr le
Comte de Soissons ». Ce Turc n'était donc pas le premier venu.
On nous apprend par hasard qu'il enseignait à Paris les langues
étrangères. Il nous renseigne lui-même sur son passé en disant à
son protecteur : « Si je vous offre quelque chose, c'est sans doute
afin de vous témoigner que, pour reconnaître vos bienfaits, j'ai
la volonté meilleure que la puissance. » Quels bienfaits ? « Si j'ai
quitté la Barbarie pour me retirer en un pays où la courtoisie
et la civilité ont établi leur séjour, ... si j'ai changé mon premier
état », probablement celui d'esclave turc sur les galères de Sa
Majesté Très Chrétienne, « en une douce liberté, c'est un bonheur
et celui de la France » qui en sont cause. En bon Français, il a été
converti grâce à l'intervention du cardinal : « Secouru de votre
zèle, j'ai embrassé une religion... », je passe ce qu'il en dit. « Vous
m'avez retiré des erreurs de l'Alcoran... et m'avez fait oublier
les superstitions de l'impie Mahomet. »

(1) Analysé par Caillet.

De ce renégat de l'Islam, Richelieu a fait un agent de sa politique : « C'est un voyage qui doit son origine et ses progrès à vos conseils. » Ce Mustapha devenu Armand sait ce que rêve le cardinal : « Il ne vous suffit pas de faire des merveilles sur terre, vous voulez encore faire avouer à la mer que la largeur de son étendue n'égale en rien la capacité de votre esprit. Vous l'avez une fois emprisonnée pour la conquête d'une ville rebelle [c'est de la digue de La Rochelle qu'il veut parler] ; maintenant vous ouvrez ses ports et ses golfes ». Si ce récit — et ces flagorneries plaisent au grand homme, Armand continuera, racontera que, « Turc de nation, il avait vécu et hanté longtemps parmi les Mores ». Son éditeur le montrait, à cette date de 1631, « encore plein de vie et faisant profession de la Religion Catholique » et pouvant, comme témoin oral, rendre raison d'une partie de ce « qui se trouve couché par écrit » dans ce livre qui contient de longues descriptions du pays, des productions du sol... Armand Mustapha lui-même nous renseigne sur ses séjours en Turquie, Perse, Égypte, Grèce, Esclavonie et Barbarie.

Il n'a pas rempli son mirifique programme. Il s'est contenté de fournir des notes aux rédacteurs du voyage de 1631. Pourquoi cette reprise des affaires marocaines ? Parce qu'il ne suffit pas au Roi de faire jouir ses sujets « tant seulement des biens que la France produit abondamment ». Mais, assisté « de Mgr l'Illustrissime cardinal de Richelieu », il souhaite « que les Français joignent aux commodités qui croissent chez eux les richesses qui viennent ès terres étrangères ». C'est donc bien dans une pensée commerciale que Razilly a eu commandement du Roi et « reçu l'ordre de Mgr le cardinal » — toujours, mis ainsi en vedette — d'aller contraindre les Salétins à une trêve. Dans un second voyage, parti de l'île de Ré avec trois vaisseaux — *La Licorne*, *La Renommée* et une patache de Saint-Jean-de-Luz, — Razilly a emmené avec lui des navires marchands et les a protégés d'une attaque turque au large du cap Finistère. Il a signé un si bon traité avec Salé que des Anglais et Hollandais demandent à s'y associer. Les capucins du bord descendent à terre, sont reçus avec pompe, et délivrent les esclaves, échangés contre des marchandises. Un consulat est créé. Razilly adresse des lettres au sultan, fait voile pour Saffi, et négocie par l'intermédiaire de deux Juifs marocains, David Pallache et Judas Lévy.

Richelieu aurait voulu faire de Mogador un établissement analogue, sur la côte de l'Extrême-Couchant, à ce qu'était à l'est le Bastion de France. D'accord avec lui, le P. Joseph disait à Razilly : « La perfection de votre ouvrage serait, après avoir pris Mogador, de le faire trouver bon au roi de Maroc et qu'il

l'agréât pour la sûreté du commerce et lui faire voir le profit
qu'il en retirera pour la sûreté du commerce et la sûreté de ses
États. » Donc, deux Bastions de France, aux deux bouts du
Maghreb.

L'affaire de Mogador ne fut pas suivie. Mais en 1631, un
traité de commerce fut signé avec le chérif Abd-el-Malek, ouvrant
le Maroc aux marchands français contre payement de 10 %,
autorisant l'érection de consulats, l'exercice de la religion, etc.
c'était le régime turc des capitulations transporté au Maroc.
Malheureusement l'autorité du Makhzen ne s'étendait guère sur
les Salétins, qui recommencèrent leurs pillages et captures
d'esclaves, et il semble que Moïse Pallache, frère de David,
intrigua contre les Français à Marrakech ; d'ailleurs l'Empire
était alors la proie de l'anarchie. Cependant, M. Paul Masson
relève des traces d'activité commerciale à Salé et à Tétouan.
C'est l'entrée de la France dans la guerre de 1635 qui, en détour-
nant d'envoyer de l'argent au Maroc, porta à ce commerce un
grave préjudice.

Razilly avait dû connaître le rôle joué dans ce commerce
maghrébin, alors comme au siècle précédent, par les Rouennais,
notamment par Thomas Legendre, marchand protestant de
Rouen (1), dont l'activité semble se placer entre 1618 et 1625,
et nous est relatée par une *lettre escrite en réponse... sur les
parties de l'Afrique où règne aujourd'hui Muley Arxid, roy de
Tafilelle, par M...*

On peut supposer que ces Rouennais, comme leurs prédécesseurs, s'occupaient à la fois de plantations de cannes et du
commerce du sucre. Entre eux et Razilly s'était en 1633 conclu
comme un partage d'influence : Razilly étendant son activité
au sud de Salé jusqu'au cap Blanc, en Maurétanie, tandis qu'au
delà dominait une Compagnie de Rouen-Dieppe : le Ponant et
le Levant se rencontraient sur le littoral atlantique du Sud
marocain (2). A cette date l'enquête Séguiran recueillait ces
dires des consuls de Marseille (3) :

Il y a encore au delà du détroit dans le royaume de Fez et
Maroc les échelles de Tétouan (4), Salé et Saphis (Safi), d'où l'on

(1) D'une famille qui, même après la Révocation, tiendra le premier rang
parmi les ravitailleurs du royaume. On verra sur eux les travaux encore inédits
de M. Meuvret. Voy. sur ce Thomas Legendre, Ch. Serfass dans *Bulletin de la
Société d'hist. du Protestantisme français*, avril-juin 1930.
(2) La Roncière, t. IV, p. 485 et 698. A l'exportation, ce commerce a dû
être représenté dès lors par les toiles.
(3) Masson, p. 91.
(4) Qualifié d' « échelle », comme Alep en Orient, malgré sa position terrienne.

tire des cuirs, laines, cires, plumes d'autruches, et mendicats,
qui sont pièces d'or

donc ce commerce du « Levant » barbaresque ne se traduisait
pas exclusivement par des sorties d'or.

Tous les ans, de Marseille, il y va vaisseaux et barques qui
portent 4.000 écus chacun en toiles, safran, tabac et autres
marchandises.

En dépit de ces efforts convergents — et que, parfois hélas !
rendaient divergents les rivalités commerciales — il semble
qu'il faille accepter cette conclusion plutôt découragée de Paul
Masson (1), que le commerce de Barbarie resta, dans l'ensemble,
assez peu actif. Même à Alger et à Bône, le volume en était peu
considérable. A Tunis, c'était moins encore. A la concurrence
anglaise et hollandaise s'y ajoutait celle des Livournais. Bien
plus le grand-duc de Toscane qui, lui aussi, avait négocié avec
Fakr-ed-Dine, avait tenté d'agir au Maroc. Ici comme dans le
Levant proprement dit, la ténacité de Richelieu ne fut qu'im-
parfaitement récompensée.

VI

Nous reviendrons plus tard sur la liaison ci-dessus signalée
entre le commerce marocain et celui de l'Afrique occidentale.
Mais passons d'abord à l'autre bout de la Méditerranée.

Au delà de ces pays du Liban où le P. Joseph avait trouvé un
client inattendu de la politique française dans l'émir des Druses
converti au catholicisme, Fakr-ed-Dine, « l'émir à la croix » (2),
Richelieu s'intéressait à l'Égypte, non seulement parce que s'y
rattachait le souvenir de saint Louis, mais parce qu'Alexandrie
était un des chemins de l'Orient.

Au delà de l'Égypte, il y avait l'Éthiopie, où vivaient des
chrétiens restés fidèles à une secte indépendante de l'Église
romaine. Dès 1627-1628, un Jésuite français, le P. Aymard
Guérin de Romans y faisait un voyage. D'autre part les missionnaires du P. Joseph essayaient assez naïvement de ramener les
Abyssins dans le giron du catholicisme. Ceci nous permet de
mentionner un épisode assez curieux : celui du prince abyssin
Zaga-Christ. Il aurait été le fils d'un négousch, d'un « Prêtre-
Jean » comme on disait en Occident, du nom de Jacob, négousch

---

(1) P. 87.
(2) Voy. le récit quelque peu romancé, mais vrai dans l'ensemble de
Mme Arrache récemment paru sur cet « émir à la Croix ». Cf. Eugène Roger,
La Terre Sainte, ...vie de Fehrredin, prince des Druses, titre complété à la
page suivante.

détrôné par un rival qui aurait feint d'être catholique. Dans un
livre paru seulement en 1644, *La Terre Sainte ou terre de pro-
mission... et une relation véritable de Zaga Christ, prince d'Éthiopie, qui mourut à Rueil près Paris l'an 1628*, un récollet, le
P. Eugène Roger, au chapitre « *Des Abissins* », parle de ce mystérieux personnage que, dit-il, « nous avons vu ces années dernières
en notre France ». Fugitif dans le Sennaar, puis en Égypte, où
Roger l'a vu pendant près de cinq mois, enfin à Jérusalem où
il se convertit au catholicisme, Zaga, dont le récollet a reproduit
le portrait en pied, apprit au couvent de Nazareth l'italien,
langue du Levant, « et un peu de français ». De Rome, où il
resta deux ans, notre ambassadeur de Créquy l'emmena en
France où il demeura trois ans avant de mourir de pleurésie.
Où cela ? A Rueil, c'est-à-dire sous l'œil du cardinal et du
P. Joseph (1). Voilà qui suffit à nous renseigner sur l'usage que la
politique française comptait tirer de ce prince pour ses projets
orientaux. Il mourut trop tôt, presque en même temps que ce
P. Joseph qui, la veille de sa mort, lisait encore des dépêches
de ses missions du Levant.

De la Perse à la Barbarie, de Constantinople à l'Abyssinie,
Richelieu n'a jamais perdu de vue le problème du Levant, sous
tous ses aspects et avec tous ses prolongements. Après son échec
partiel de 1626-1628, son esprit puissant et capable d'embrasser
les vastes ensembles concevra même une opération singulièrement hardie : la reprise du commerce du Levant par les pays
du Nord.

---

(1) Voy. déjà Jean de Sainte-Marie, *Voyage de S. A. Zaga Christ*, Paris,
1635 (André, *op. cit.*, n° 461, d'après Cayx de Saint-Aymour, 1886).

CHAPITRE V

LE « GRAND DESSEIN » DE RICHELIEU

L'échec de la mission turco-persane, confiée en 1626 à des Hayes de Courmenin, et les infortunes de Césy auraient pu décourager Richelieu : la route de « Babylone », d'Ispahan et des au delà semblait barrée pour la France. Mais Richelieu n'était pas homme à renoncer à ses projets ; il se contentait d'en modifier l'orientation. Par une sorte de renversement hardi de sa stratégie commerciale, il se mit à reprendre l'étude du commerce persan, mais avec de nouvelles bases de départ. Tandis que ce commerce était traditionnellement considéré comme une dépendance du commerce du Levant, il va le faire rentrer dans le cadre de la mer du Ponant, bien plus, des mers du Nord. Nous touchons là, peut-être, la plus inattendue et l'une des plus remarquables évolutions de cette pensée économique toujours en éveil.

I

La Perse, il ne faut pas l'oublier, n'était pas seulement le but que l'on rêvait d'atteindre après avoir traversé l'Asie Mineure et la Mésopotamie, le pays qui fournirait les soies grèges à cette manufacture de Tours qui avait toutes les faveurs du châtelain de Richelieu. La Perse était aussi un chemin, une des routes de l'Inde et de la Chine. Là encore interrogeons les missionnaires, la brigade du P. Joseph (1). De 1618 à 1653 se succèdent les nombreuses pérégrinations du P. Alexandre de Rhodes. Si la réalisation de ses *Divers voyages et missions en la Chine et autres royaumes de l'Orient avec son retour par la Perse et l'Arménie* n'a paru qu'en 1653, c'est un de ces cas où nous pouvons conjecturer que l'Éminence grise avait mis l'Éminence rouge au courant et, si cette relation est d'un intérêt plus spécialement religieux, nous savons que les missionnaires s'aventuraient sur

(1) Voy. André, *Sources*, liv. I, nos 366, 367, 371, 449.

d'autres terrains. Mêmes observations à propos d'autres voyages, qui complètent celui du P. Pacifique de Provins, des *Voyages en Levant*, de Dubois, en 1639-1641 ; des *Voyages ... en Italie, Grèce, Grand Mogol de 1640 ;* du *Journal des Voyages en Europe, Asie, Afrique*, accomplis de 1640 à 1650 par La Boullaye Le Gouz, sans remonter aux *Voyages en Afrique, Asie, Indes orientales et occidentales*, de Jean Mocquet, apothicaire de Henri IV, garde du Cabinet des singularités du Roi aux Tuileries, voyages publiés pour la première fois en 1618.

Toutes ces relations envisageaient une liaison, terrestre ou maritime, entre le Levant, le Proche Orient, l'Inde, l'Extrême-Orient. Un élément nouveau apparaîtra avec l'un des plus illustres parmi nos voyageurs, J.-B. Tavernier, mais — nous le verrons — après 1630, et sans doute comme suite aux tentatives dont nous allons retracer l'histoire.

Revenons en arrière et n'oublions pas que, dès 1629, la mission d'Infreville avait porté sur les mers du Ponant. Or, parmi les trafics qui avaient leurs bases dans les ports de l'Océan et de la Manche, l'un des plus importants était celui des pays du Nord et de la Baltique. Il suffit de se reporter au *Testament* pour voir que le commerce du Levant n'absorbait pas Richelieu au point de lui fermer les yeux au commerce nordique. C'est même l'un des arguments pour le développement des constructions navales du Ponant :

> Si les sujets du Roi étaient forts en vaisseaux, ils pourraient faire tout le trafic du Nord, que les Flamands et Hollandais ont attiré à eux, parce que tout le Nord ayant absolument besoin de vin, de vinaigre, d'eau-de-vie, de châtaignes, de prunes et de noix, toutes denrées dont le royaume abonde, et qui ne s'y peuvent consommer, il est aisé d'en faire un commerce d'autant meilleur qu'on en peut apporter des bois, des cuirs, du brai et du goudron.

C'est, on le voit, tout un programme.

D'abord, le commerce scandinave, si familier à nos producteurs de sel bretons et poitevins, et à nos producteurs de vin de tout l'Ouest. Depuis la décadence de la Hanse, la Suède était devenue un de ses objectifs directs (1).

Dès 1541, des traités de commerce avaient été conclus entre les deux Rois et aussi avec celui de Danemark. De même sous Henri IV. Lorsque la politique anti-espagnole de Richelieu s'appuya sur les pays du Nord, des clauses commerciales apparurent dans le traité de Bernwald, puis dans celui de Heilbronn.

---

(1) A. Rebsomen, *Recherches historiques sur les relations commerciales entre la France et la Suède* (Bordeaux, 1921).

Dès 1644, les successeurs du cardinal devaient élaborer un premier projet de Compagnie du Nord (2).

Venons au commerce de l'Extrême Nord, la capture de la baleine à laquelle s'adonnaient traditionnellement les hardis marins de notre pays basque et de la Bretagne. Le Spitzberg, qui redevient aujourd'hui une actualité stratégique après avoir été économiquement une terre de discorde entre les nations à cause de ses gisements houillers, était alors disputé à cause de ses baleines, dont il s'agissait de transformer en huile la précieuse graisse, qu'on utilisait pour le traitement des cuirs et des draps, et aussi comme combustible et pour l'éclairage.

M. Louis André a signalé, au Cabinet des Manuscrits (n° 17329 du Fonds français), un *Recueil de diverses pièces recouvrées en Hollande et ailleurs, par lesquelles il appert très clairement que les Français ont droit de chasser et pêcher la baleine ès pays du Nord, et par conséquent que ceux de la Compagnie du Nord, établie en Hollande et Zélande, ont à tort et par force et violence, ès années 1632 et 1633, empêché lad. chasse et pêche au général Vrolicq, commandant les flottes du Havre de Grâce.* Ce long titre évoque des luttes acharnées entre les baleiniers des diverses nationalités. Nous savons que les Basques avaient eu longtemps une sorte de monopole de la capture des baleines, qui, d'abord, fréquentaient le golfe de Gascogne. Mais, d'une part, la guerre dévastatrice que l'on faisait aux cétacés les avait peu à peu repoussés vers les hautes latitudes, puis les Hollandais, les Anglais et aussi les Scandinaves avaient été attirés par le très gros profit que procurait cette capture. Vrolicq était un marin de Saint-Jean-de-Luz qui, parti pour le Spitzberg avec deux vaisseaux, y avait fondé un port appelé Saint-Pierre ; dans un conflit avec les Hollandais, il avait battu ceux-ci en 1632. Richelieu lui donna alors, l'année suivante, quatre vaisseaux du Havre, — ceux dont il est question dans le titre du Mémoire. Mais, devant des forces supérieures, il fut obligé de revenir. Le cardinal lui accorda pour cinq ans le monopole du trafic des îles de l'Océan glacial, et, en guise de remerciement, Vrolicq attribua à Jan Mayen le nom d'île Richelieu. Mais il y rencontra les Danois, et aussi les Hollandais, qui s'étaient installés là comme au Spitzberg et jusqu'au Groenland. Par une innovation hardie, ils établissaient sur place des brûleries, de façon à remporter en Hollande leur précieux corps gras sous la forme d'huile, bien plus commode à transporter. Un curieux tableau, dû à un peintre de Delft, Cornelis de Man

(2) Voy. sur les origines, P. Boissonnade et Charliat, *Colbert et la Compagnie de Commerce du Nord, 1661-(68)* (Paris, 1930).

(né en 1621), nous montre ces hautes cheminées qui fument dans
le paysage polaire, en face des icebergs. Mais ils se réservaient
jalousement ces espèces d'usines. Un document nantais postérieur
de trois ans à la mort de Richelieu, et qui émane de la municipalité,
dit même qu'ils défendaient aux Français de « faire leurs huiles
et graisses à la terre de Groenland... contraignant les pauvres
Français de les faire en pleine mer au risque de se brûler ou de
périr dans les glaces ».

Ce n'est pas seulement de la baleine que les Hollandais
avaient fait un monopole. Un ecclésiastique, Nantais également,
Jean Éon, écrira en 1646 : « le hareng qui était nôtre, nous est,
depuis quarante ans [ceci nous ramène au début du siècle], peu
à peu enlevé par nos voisins ».

II

Au reste, cette navigation circumpolaire n'était pas suscep-
tible d'un très grand avenir, parce que le principal intérêt qu'elle
eût présenté aurait été de conduire aux foires de la Russie septentrionale, celles de saint Michel archange, que nous appelons
Arkhangel. Mais, depuis le milieu du XVIe siècle, depuis l'expédition célèbre à laquelle reste attaché le nom de Chancellor,
Arkhangel était, pour ainsi parler, un comptoir anglais ; les
marchands d'Élisabeth et de Jacques Stuart, membres de la
Muscovy Company, étaient là comme chez eux, par la grâce
d'Ivan le Terrible et de Boris Godounov. Ils circulaient même
sur les routes intérieures et surtout sur les fleuves de la Moscovie,
allant par la Volga et Astrakhan jusqu'à la Caspienne, jusqu'à
ces terres du Ghilan et du Mazandéran qui, sur la côte méridionale
de la grande mer intérieure, fournissaient des soies réputées,
jadis amenées par les Génois à travers l'Arménie et l'Asie Mineure.
Les Anglais avaient donc enseigné à Richelieu, par leur exemple,
une grande leçon de géographie commerciale, à savoir que la
Moscovie, en dehors de ses ressources propres, était une des
routes de la Perse et de l'Inde. On peut se demander encore par
quelles voies ces idées et expériences anglaises avaient été
portées à la connaissance du cardinal. Seulement, cette route, de
la Perse par la terre russe, il fallait la chercher plus au sud, par
les détroits scandinaves et la Baltique, de façon à gagner une
autre foire que celle d'Arkhangel, à savoir Narva ou, comme on
disait alors, « la Nerve ».

C'est une bien curieuse position que cette ville — hier encore
estonienne et aux portes de la Russie soviétique. Située au fond

d'un estuaire où s'abîment en cataractes les eaux de la Narova,
elle voit se dresser, sur un rocher, la puissante forteresse que le
tsar Ivan III, le rassembleur de la terre russe, avait enfoncée
dans la terre conquise. Du monstrueux, du cyclopéen bloc de
pierre émergent les clochers bulbeux d'argent d'une église orthodoxe, autre symbole de la domination moscovite, et c'est de cette
base qu'Ivan IV était parti pour dévaster les pays baltiques.
Les Suédois s'y étaient installés au début du xviie siècle.

   « La Nerve » avait été fréquentée par les navigateurs français
au xvie siècle. Au temps qu'on peut appeler le règne de Catherine
de Médicis, notre ambassadeur à Copenhague, Charles de Danzay,
notait au passage les navires dieppois, malouins, honfleurais,
rochelais qui passaient devant le château d'Elseneur, au pied de
ces terrasses où nous cherchons aujourd'hui l'ombre du prince
Hamlet. Nos marchands y rencontraient, eux, dans l'étroit
passage du Sund, la douane danoise. Danois était le château de
Cronborg à Elseneur ; danois aussi, sur la rive d'en face, dans
cette terre de Scanie qui est devenue suédoise, le château d'Helsingborg. Entre les deux, l'étroit passage où l'on était, à l'aller
ou au retour, sous le canon danois — sauf quand un brouillard
propice favorisait la contrebande. Les registres de la douane, qui
ont été publiés par Mme Ellida Bang (1), professeur et ministre,
témoignent de ce passage des navires français. Après avoir
franchi le Sund, ils n'étaient pas au bout de leurs peines ; en
dehors des tempêtes de la mer Baltique, ils risquaient d'être pris
dans les guerres entre Lubeck, reine détrônée de la Hanse, le
Danemark, la Suède, la Pologne, c'est-à-dire le port de Dantzig,
qui se disputaient l'empire de la mer Baltique, et ils se heurtaient
aux pirates polonais, qui voulaient fermer aux Occidentaux
l'accès de la Nerve.

   N'importe, le commerce de la Moscovie était si fructueux
qu'ils passaient tout de même. Mais, avec les guerres religieuses,
ce trafic s'était peu à peu arrêté, et Henri IV n'avait pu le
rétablir. Dans les premières pages de leur histoire de la Compagnie
du Nord créée plus tard par Colbert, MM. Boissonnade et Charliat
ont noté que le nombre des vaisseaux français entrant dans la
Baltique, d'une trentaine, moyenne annuelle depuis 1600, était
tombé à zéro en 1628, d'après les registres du Sund. La décadence
semblait irrémédiable.

   L'omniprésent Hollandais s'était emparé de ce commerce de
Narva, d'autant plus que les valeurs les plus appréciées dans les

_____

(1) Et étudiés, par M. Charliat. Voy. E. Hill, *The Danish Sound dues*
Durham, N. C., 1926).

foires étaient, pour les petites transactions, les deux « lions »
néerlandais et, pour les opérations de règlement, les traites sur
la Banque d'Amsterdam, la plus saine des monnaies internationales. Les Anglais y venaient aussi : leur *Eastland Company* était
comme un doublet de la *Muscovy Company*.

III

Telle était la route que Richelieu voulait rouvrir aux Français.
Mais, dans son esprit, cette entreprise se liait si étroitement
à ses projets levantins que, pour instrument, il choisit ce même
personnage auquel il avait confié la mission de Perse. N'est-il
pas significatif de voir des Hayes de Courmenin, à peine revenu
de Constantinople, dès 1629, envoyé dans la Baltique ? Au
reste, déjà en 1624, soit deux ans avant son second voyage à
Constantinople, des Hayes avait été chargé d'une première
mission en Danemark et en Suède.

Disons tout de suite que ce brillant voyageur devait très mal
finir. En 1632, il se laissa gagner, croit-on, par la faction de
Monsieur et, dans l'Allemagne rhénane, se fit soupçonner de
trahison. Charnacé, le fameux négociateur qui avait déchaîné sur
l'Allemagne la force suédoise, l'arrêta avec aussi peu de respect
du droit des gens que Napoléon en témoignera plus tard pour
faire enlever le duc d'Enghien, le transféra à Trèves, puis l'envoya
à Béziers, où se trouvait le Roi, et où il fut décapité à peu près
en même temps que l'était, à Toulouse, le grand rebelle Montmorency. Fut-il un traître ou une victime d'animosités personnelles ? Il est bien difficile de se prononcer (1). En 1629, il était
un serviteur favori, et non encore ingrat, de Richelieu.

Son voyage, et l'essentiel des instructions qu'il avait reçues,
nous sont connus par une publication très postérieure, de 1664
seulement, sous ce titre : *Les voyages de Monsieur des Hayes,
baron de Courmenin* (orthographié cette fois Courmesvin), *en
Dannemarc*, enrichis d'annotations par P. M. L... (2). En réalité,
le texte n'est pas de Courmenin, mais d'un de ses compagnons
de voyage, le mystérieux P. M. L..., qui a noté jour par jour les
étapes, les rencontres, les actes de l'ambassadeur.

(1) Le livre de M. de Pange sur Charnacé n'apporte rien de décisif.
(2) Paris, chez François Clousier, 1664, in-12.
   Ce petit volume nous est présenté relié avec *Les voyages de Monsieur Quiclet* à Constantinople par terre, enrichis d'annotations par le sieur P. M. L. et
l'on nous fait savoir que, l'auteur étant mort, son récit n'allait pas plus loin
que son arrivée à Andrinople, et qu'il a fallu le continuer.
   Le privilège des *Voyages* de Courmenin a été imprimé par erreur à la place
de celui de Quiclet, et *vice versa*.

L'éditeur, Jean Promé nous apprend-on, rappelle aux lecteurs de 1664 que des Hayes avait été envoyé en Moscovie pour « faire des propositions du commerce à Nerve par la mer Baltique », avec ordre de « passer en Danemark pour traiter avec le Roi sur le droit de passage par son détroit », et aussi en Suède « pour avoir liberté de passage par ses mers ».

L'auteur de la relation — l'énigmatique P. M. L... — serait parti de Paris pour Dieppe avec Courmenin le 28 mai 1629. Ils s'embarquèrent le 2 juin, sur une flûte prise sur les Anglais, et chargée pour le Danemark de verres et de farines. La mer, il est vrai, les rejeta sur Dieppe, mais ils repartirent bientôt pour Copenhague.

Ce P. M. L... devait être un auxiliaire important de des Hayes, un secrétaire ou peut-être un marchand attaché à l'ambassade ; car, après une étude sur le luthéranisme danois, son récit s'interrompt brusquement et fait place à une énumération, sorte de mémento, des correspondants de l'auteur à Copenhague — Hollandais, Français, Écossais, etc. — et des négociants d'Amsterdam par l'intermédiaire de qui l'on peut faire tenir des lettres à des correspondants. Il est donc probable que P. M. L... était mort, laissant l'œuvre inachevée, quand un marchand libraire de Paris, Jean Promé, découvrit le manuscrit, et vanta l'exactitude avec laquelle l'auteur rapporte ce qu'il a vu... « Ce qu'il dit, de la Tolle (douane) d'Elseneur, de l'île de Funen et du royaume de Danemark est si juste et si particulier que le lecteur n'aura point de regret ». Au moins, si nous n'avons pas le récit de Courmenin, ceci en est le reflet qui doit être fidèle.

Or, ce P. M. L... nous apprend que Courmenin, avec sa suite, est parti de Dieppe le 2 juin 1629, « ayant reçu ordre du Roi d'aller en Moscovie faire des propositions pour l'établissement du commerce à Nerve ». Aucun doute, par conséquent sur l'objectif visé par Richelieu. Mais pour aller à Narva et négocier avec le tsar, l'un des premiers Romanov, Michel Fédorovitch, Courmenin devait passer par le Danemark, non seulement pour y porter les verres (sans doute des verres à vitres) et les farines dont son navire était chargé, mais pour traiter du droit de passage du Sund. Car le plan de Richelieu « pour l'établissement du commerce à Narva par la mer Baltique », n'était réalisable que si des réductions de taxes étaient accordées par la douane de Sund aux marchandises se rendant en droiture de France en Moscovie ou de Moscovie en France. Des Hayes avait également l'ordre de passer par la Suède, « pour avoir liberté de passage par ses mers ».

Nous ne résumerons pas ici le journal de route de l'auteur,

ni sa description presque dramatique des châteaux d'Elseneur et
de Helsingborg avec leurs canons à fleur d'eau, ni son exposé
très soigné du mécanisme de la douane — de la *tolle*, dit-il,
d'après le mot danois — d'où le Roi de Danemark « tire plus de
3 millions de livres. C'est le plus beau fleuron de la couronne,
car le reste n'en vaut guère... Revenu », d'ailleurs, « pris seulement
sur les étrangers ». Il pousse le souci de l'exactitude jusqu'à nous
donner le modèle d'une quittance de douane. Il s'essaie à une
statistique des entrées et sorties : 80.000 bœufs et 150.000 porcs
chaque année partent du Royaume pour la Hollande ; « c'est de
là que les Hollandais tirent toute leur viande, qui leur sert
pour ravitailler leurs vaisseaux » ; c'est-à-dire que ces bœufs et
ces porcs, dûment salés et fumés, deviendront des vivres de
bord. Malgré la concurrence des Anglais et des Écossais, malgré
la situation privilégiée des Suédois, qui jouissent de la franchise
douanière, il constate que « les Hollandais sont les maîtres du
commerce : ils achètent de nous des vins et des farines et plusieurs
autres commodités qui sont bonnes en France, pour les apporter,
et font tout leur profit de notre négligence ». Le mot de « rouliers
des mers » n'avait pas encore été inventé, mais les Hollandais
s'exerçaient déjà à ce rôle, et l'un des premiers points du programme de Richelieu était le rétablissement du commerce en
droiture entre nos ports et ceux des pays scandinaves. P. M. L...
évalue à 5.000 dans chaque sens le nombre des vaisseaux qui
passent annuellement le Sund.

Et que d'affaires on y peut faire, même sur le marché qui se
tient tous les matins à Elseneur, et qui se termine l'après-midi
par des beuveries ! Les Danois ont besoin non seulement de nos
vins, dont ils sont très friands, mais de nos farines déjà citées,
de froment, de seigle, de méteil, car « tous leurs blés ne valent
rien » ; de nos verres à faire vitres ; des sels de France et d'Espagne : « Ils payent davantage de ce dernier, parce qu'il est plus
fort » et, par économie, ils prennent un muid de chaque origine,
y mêlent de l'eau de mer, et font ainsi trois muids de sel. Ils
demandent vinaigres de France, huiles de Provence, citrons,
oranges, mais celles-ci d'Espagne, « car ils aiment mieux les
douces que les aigres ». On peut faire chez eux de bonnes affaires
à 50 ou 60 % de bénéfice en leur achetant chevaux, bœufs,
porcs, sapins et hêtres (fort peu de chênes), bois de Norvège pour
mâts de navires, goudron et poix du même crû, en leur vendant
des sucres, des épiceries, surtout des soieries. Une note marginale
nous indique qu'il s'agit d'un commerce de haut luxe, portant
sur de petites quantités, mais très rémunérateur : « Ils y gagnent
100 pour cent sur la soie, mais ils en consomment bien peu. »

De même les velours, les aiguillettes mêlées d'or ; les cordons d'or, les ceinturons, les baudriers, tous les produits de nos modes « s'y vendent cher pour la noblesse, mais il en faut peu apporter ».

Quant au marché des draps, il est dominé par les Anglais. On sait que le règne des deux premiers Stuarts marque un très bel effort pour exporter les draps anglais, non plus écrus, mais teints et apprêtés. Cependant, notre témoin estime que le drap de France « s'y débiterait bien aussi, et principalement des draps d'usseau [lisez : *du sceau* de Rouen], et l'écarlate pour la noblesse [l'écarlate était une conquête récente de la Provence et du Languedoc, à l'imitation de la Turquie], et pour les autres draps, il faut qu'ils soient noirs. Les femmes ne portent point d'autres couleurs », en grands manteaux qui leur tombent jusqu'aux talons.

N'admirera-t-on pas la précision de ces détails, qui répondent évidemment aux questions posées par le cardinal-ministre ? Ne dirait-on pas un rapport consulaire, et l'un des meilleurs, ou plutôt encore le rapport d'un attaché commercial ? Il n'oublie rien, ni le beurre salé, ni le suif de Norvège, ni les cuirs et peaux de cerf, ni « les maroquins que les Lubeckois viennent prendre en Danemark, les tannent et nous les apportent », tandis que nous pourrions les rapporter nous-mêmes.

Venons-en maintenant à la négociation. Reçu par le Conseil (le Roi absent), Courmenin expose de la part de Louis XIII que

ses sujets désirant trafiquer en Moscovie par la permission du Grand Duc [c'est ainsi qu'on appelait le tsar], S. M. T. C. avait désiré qu'ils prissent leur chemin par la mer Baltique, afin qu'en y passant on pût joindre davantage ces deux couronnes en bonne alliance, quoi que lesdits marchands eussent témoigné vouloir établir leur commerce par un autre côté, pour n'être point sujets à la forteresse d'un Prince...

On voit comment s'engage la conversation. Courmenin, pratiquant ce qu'on appellerait aujourd'hui le *bluff* diplomatique, feint de considérer que le trafic franco-russe est d'ores et déjà une réalité, et que nos marchands ont le choix des routes. C'est donc une sorte de cadeau que le roi de France fait à son frère danois en dirigeant ce commerce par Elseneur. Car on pourrait passer en dehors du Sund, aller directement chez les Suédois de Gothenbourg, et il y a « encore le dernier moyen par dehors à St Michel d'Arcangel, où les Français auraient toute la liberté des mers ». Au Danemark de voir s'il veut ne pas laisser échapper les bénéfices qui en reviendront à ses douanes.

Mais alors, qu'il modère ses droits, « mettant en considération la dépense extraordinaire que les marchands sont obligés de faire lors de l'établissement d'un nouveau commerce ».

Discussion serrée. Les conseillers demandent « quelles marchandises » profiteront de la détaxe. Le vin et les sels, disent-ils, paient 4 %. Si ce droit était réduit « pour la nation française seulement, il n'y aurait qu'elle seule qui en apporterait, ou bien que toutes les autres nations trafiqueraient sous leurs bannières », c'est-à-dire camoufleraient leurs vaisseaux en vaisseaux français. La controverse roule donc, en somme, sur le régime préférentiel opposé à la clause de la nation la plus favorisée. Courmenin, qui est très au courant des usages danois, riposte qu'on avait, en faveur des Hollandais, rabattu le droit sur les vins à 1 % « au commencement de leur commerce ». Par analogie, qu'on ne prélève que 1 % sur les marchandises françaises allant et venant, c'est-à-dire non débarquées en Danemark. Au reste elles auront encore, pour aller en Moscovie, à payer deux douanes.

Courmenin, après quelques phrases comminatoires sur la légitimité de la douane du Sund, contraire à la liberté des mers, expose que l'augmentation du commerce compensera l'abaissement des droits. Les revenus de la *Tolle*, loin de baisser, grossiront par « la quantité des marchandises précieuses qui se prennent en Moscovie et en Perse ». En Perse : c'est la première fois que le plan de Richelieu est révélé dans toute son ampleur.

Courmenin était bien placé pour parler de la Perse. Dans sa mission de l'année précédente, même en laissant de côté les tours que lui avait joués l'ambassadeur, il s'était rendu compte que le gros obstacle à l'établissement d'un commerce franco-persan par Alep, c'était l'état de guerre à peu près constant entre le Grand Turc et le Chah. Et il avait été chargé d'étudier le coût comparé du transport par cette voie et par la voie à ouvrir à travers la Russie. La page est vraiment remarquable, et mérite d'être reproduite en entier, d'après le mémorandum écrit que le chancelier de Danemark avait demandé au négociateur français :

Les marchands français font le commerce des soies, drogueries, pierreries, épices et autres marchandises des Indes et de Perse par les Etats du Turc, lequel trafic se monte par an ordinairement à six millions de Livres. Les caravanes qui apportent ces marchandises arrivent à Alep, où les Français les achètent et les apportent dans leurs navires à Marseille. Maintenant le roi de Perse fait difficulté de laisser passer les caravanes pour venir en Turquie, à cause que ce trafic enrichit les Turcs ses ennemis. Les marchands français d'ailleurs sont troublés en leur commerce par les pirateries de Barbarie...

Curieux argument, tendant à substituer le commerce de terre,

comme plus sûr, au commerce de mer. On croirait entendre déjà
Napoléon, pendant le blocus, ouvrant les routes des Alpes et des
Balkans pour échapper à l'Angleterre :

> de sorte que, par l'avis du roi de Perse et du Conseil du roi de
> France, ils veulent faire venir des marchandises de Perse par la
> Moscovie, ce qui se peut faire aisément.

Et il va décrire la nouvelle route, ouverte, nous venons de le
voir, du consentement du Chah qui veut en priver son adversaire,
et probablement à la suite d'une négociation engagée en ce sens
à Ispahan.

Car, en sortant de Perse, elles peuvent venir par la mer Caspienne jusqu'à la ville d'Astracan en Moscovie [les Russes y sont
installés depuis Ivan III] et par la commodité des rivières de Volga
et de Dwina traverser jusqu'à St Michel d'Archangel ou bien
à Nerve. En l'une ou l'autre de ces deux villes,

— Courmenin a soin de ne pas préciser laquelle, de façon à
inquiéter les Danois sur le choix final —

les Français veulent établir une maison et des magasins pour
recevoir les marchandises jusqu'à ce qu'ils les embarquent dans
leurs navires pour les apporter au Havre de Grâce en Normandie ;

ce port sera donc substitué à Marseille comme tête du commerce
de la Perse, passant ainsi du Levant au Ponant.

Suit un calcul comparatif des temps et des frais par l'une et
l'autre route :

> Lorsque les marchandises passent par la Turquie, il faut les
> faire porter sur des chameaux l'espace de 46 jours jusqu'à Alep,
> où les marchandises embarquent ; elles payent au Grand Seigneur
> ou à ses officiers 8 %. Il est question à présent de savoir si l'impôt
> que prendraient le Grand Duc de Moscovie, le roi de Suède à
> Nerve [la Suède était alors maîtresse de l'Estonie] et le roi de
> Danemark au Sund n'excédera pas l'imposition du G. S., car la
> dépense de voiture de Turquie est à peu près égale à celle de
> Moscovie.

Le bluff, on le voit, continuait : aucun avantage à changer
de route, si le Danemark ne fait pas de très larges concessions.
Cette tactique triompha le 14 juillet 1629 : le traité fut signé
pour huit ans, de façon à permettre l'établissement du nouveau
trafic ; les droits étaient réduits à 1 % sur les marchandises,
plus un noble à la rose par navire. Pour éviter les déclarations
frauduleusement insuffisantes, le Roi se réservait de prendre à
son usage les marchandises pour le prix déclaré.

Le 12 novembre, des Hayes, à Moscou, signait un autre traité avec Michel Fédorovitch. Celui-ci refusait d'autoriser le transit direct des soies, mais se faisait fort de les procurer aux Français par une sorte de monopole d'État : « Quant aux marchandises de Perse et de l'Orient, nous les ferons distribuer à vos sujets à si bon marché qu'ils n'auront pas l'occasion de les aller chercher ailleurs. » Les Français acquéraient le droit de venir trafiquer à Arkhangel, Novgorod, Pleskow et Moscou, en payant seulement 2 %, et en pratiquant la religion romaine, sans exercice public (1).

Ce second traité fut certainement pour Richelieu une déception, puisque la jalousie soupçonneuse du tsar le forçait à renoncer à la grande route Astrakhan-Narva. Renonciation sans doute momentanée. En effet, lorsqu'en 1630 le P. Joseph se trouvait à Ratisbonne, il y rencontra un jeune Français d'humeur voyageuse, J.-B. Tavernier.

Tout nuguenot que fût ce jeune homme, le P. Joseph n'hésita pas à lui conseiller d'accompagner des personnages français allant en Palestine. Nous savons par ses *Voyages* (parus en 1681), qu'il passa par Constantinople au moment du conflit entre Césy et Marcheville. Il partit avec une caravane pour Ispahan. Il décrit à son tour les bazars et les caravansérails, et aussi le travail des ateliers. Il a vu, à Cachan, « quantité d'ouvriers en soie qui travaillent bien, et qui font toutes sortes de brocarts d'or et d'argent des plus beaux qui sortent de la Perse. On y bat aussi monnaie et on fabrique de la vaisselle de cuivre dont il se fait grand débit ». Et il nous apprend qu'à son premier voyage (il en réalisera jusqu'à six) il voulait revenir par la Moscovie. Il n'a pu le faire, peut-être à cause des interdictions tsariennes, et il s'excuse de ne décrire cette route que d'après des renseignements.

IV

Richelieu n'a donc pas réussi dans son vaste projet de détourner le commerce de la Perse par la Caspienne et la Volga. S'est-il heurté aux intrigues anglaises, dont les agents avaient su monopoliser le trafic transversal à travers la Russie ?

Mais il a rendu vie, au moins pour un temps, au commerce franco-baltique. De 0 en 1628, le nombre des vaisseaux français passant en douane d'Elseneur monte à 20 en 1630. L'effet du traité fut donc immédiat ; en 1631, il y en avait 72. Si les registres d'Elseneur nous manquent pour 1632, nous relevons une quaran-

(1) Caillet, t. II p. 82-86, n'a pas négligé cette négociation.

taine de navires en 1633. Malheureusement la guerre vint ensuite tout arrêter, et voilà pourquoi le problème se posera à nouveau devant Colbert. Une fois de plus les projets économiques de Richelieu avaient été mis à néant par les jeux dangereux de la politique (1).

(1) Geffroy, *Instructions aux ambassadeurs... Danemark,* bien qu'il remonte un peu avant 1648, ne fait pas même une allusion à la mission de Courmenin et au traité du 14 juillet 1629. Nouvelle preuve du peu d'intérêt que les historiens académiques de la diplomatie attachaient hier aux questions commerciales.

CHAPITRE VI

LES COMMERCES TRANSOCÉANIQUES
ET LES GRANDES COMPAGNIES

Les ports du Ponant devaient servir à autre chose encore qu'à prendre à revers les routes du Levant et à compléter la pénétration de la Berbérie par la côte atlantique du Maroc. Il s'agissait aussi de les utiliser directement, Dieppe, Rouen, Le Havre et Honfleur, Saint-Malo, Nantes et les autres ports bretons, La Rochelle, Bordeaux, Bayonne, Saint-Jean-de-Luz, pour la navigation vers l'Ouest, le long même de nos côtes et aussi vers le vaste monde, vers la côte occidentale d'Afrique, l'Amérique et les Indes orientales.

I

Disons tout de suite que, sur l'une au moins de ces entreprises, pèse un tragique malentendu. Le port français qui, depuis le début du XVIᵉ siècle — depuis les temps où les navigations pantagruélines saluaient, après les murs de « Thalasse », les tours du « Lanternois » — avait porté le plus brillamment sur les océans la bannière de France, c'était La Rochelle. Véritable république marchande, elle dominait les deux commerces essentiels du vin et du sel pour les mers du Nord et la Baltique, recevait les morues de Terre-Neuve, les fourrures de la Nouvelle-France, les fruits de la péninsule ibérique. Sa richesse, ses édifices dont l'architecture et la décoration évoquaient la splendeur des seigneuries italiennes, la hardiesse de ses navigateurs, l'ingéniosité de ses marchands en auraient dû faire l'une des pièces maîtresses du système économique de Richelieu. C'était une sorte d'Amsterdam française. Malheureusement, par son esprit d'indépendance aussi bien que par son opulence bourgeoise, elle rappelait les villes hollandaises. Elle les rappelait encore parce que, centre du protestantisme français de l'Ouest, elle apparaissait comme la capitale d'une sorte de confédération des « provinces unies » huguenotes que l'on craignait de voir se constituer en pleine France, à l'abri de ses bastions de Ré et d'Oléron. Ses relations historiques avec l'Angleterre, les expressions ambiguës des traités qui la plaçaient, en quelque sorte sous le protectorat des Stuarts après celui d'Élisabeth, devaient donner au conflit un caractère particulièrement dangereux et atroce. Malgré tous les soins que Richelieu — baptisé par ses ennemis bigots le « cardinal de La Rochelle » — mit à ménager ses défenseurs, Louis XIII n'entrera que dans une ville en ruines et jonchée de cadavres. La Rochelle, assurément, revivra après l'épouvantable famine, mais elle ne reprendra jamais sa place de dominatrice de l'Océan. La France, en 1628, perdit un de ses plus grands ports.

Pour l'activité des havres bretons, nous la connaissons par les notes prises par Dubuisson-Aubenay lors de la tenue à Nantes des États de Bretagne de 1636 (1). Notes brèves, mais précises, sur Cancale, sur Saint-Malo :

Ce sont tous marchands, peu par terre, presque tous par mer... Leur trafic est principalement en Espagne et aussi en Hollande, d'où, pour de l'argent ils rapportent les denrées des Indes, où ils vont aussi de leur chef, et principalement aux occidentales... Il y a vin français venant par la rivière de Seine et côte de Normandie, mais plus ordinairement ils boivent vins de Gascogne rouges et d'Espagne blancs...

Saint-Brieuc n'est pas décrit comme un port, mais bien, sur la côte Sud, la rivière Blavet, Port-Louis, et Concarneau. Le texte est plus explicite sur Nantes (t. II, p. 119), où l'on signale que

le faubourg de la Fosse est habité de toutes sortes de gens et même d'étrangers, Portugais et Flamands. Ce sont tous des navigateurs et gens d'eau...

Leurs vaisseaux, de 100 à 200 tonneaux, se rangent le long du quai du « Port au Vin » dont une gravure hollandaise nous donne le panorama précisément en 1636.

Nous aurons plus de détails si nous nous plaçons une dizaine d'années plus tard, et peu après la mort de Richelieu, lorsque parut le *Commerce honorable* (2). Car c'était bien une pensée de Richelieu que réalisait La Meilleraye en soutenant contre la mauvaise volonté du Parlement de Rennes la *Société de la Bourse*

---

(1) *Itinéraire de Bretagne en 1636*, p. p. L. Maître et P. de Berthon (Archives de Bretagne, *Société des Bibliophiles bretons*, t. IX et X, Nantes, 1898 et 1902)
(2) Voy. Dugast-Matifeux, *ouvr. cit.*, page suivante. Voir p. 47.

commune de Nantes : la construction de l'édifice de la Bourse
avait été prescrite dès 1641, donc du vivant du cardinal (approu-
vée par lettres patentes de 1644) (1). Si l'enregistrement au Grand
Conseil n'eut lieu qu'en janvier 1646, c'est sous l'influence de
La Meilleraye et pour répondre à des pamphlets hostiles à la
Bourse, que le carme d'origine malouine Jean Éon, en religion
F. Mathias de Saint-Jean, écrivit, avec une subvention de la
ville de Nantes consentie le 20 octobre 1646, « un livre intitulé le
Commerce honorable faisant mention de l'établissement et confir-
mation de la Compagnie du Commerce de Nantes » (2). Ce texte
ne nomme pas l'auteur, en qui l'abbé Travers verra à tort
« quelque marchand de Nantes peut-être membre du Bureau de
Ville ». Mais la signature F. M. (F. Mathias) est transparente.

Cet « habitant de Nantes » semble bien le porte-parole du
défunt cardinal dans l'analyse très poussée qu'il donne du commerce de sa ville et en particulier du rôle que jouent dans ce
commerce les étrangers, singulièrement les Hollandais. Ce n'est
pas que F. Mathias soit un xénophobe à la mode de Montchrestien. Comme jadis Jean Bodin, il croit à une sorte de répartition
providentielle entre les nations des denrées et marchandises,
d'où sort le commerce pacifique. Il admet, comme Richelieu
lui-même, que les étrangers ont le droit de profiter des avantages
qu'ils tiennent de la nature, mais ils doivent être soumis à des
règles, qu'ils ne respectent plus.

Il prétend donc calculer, en livres tournois, ce que leur
commerce irrégulier nous fait perdre, pays par pays, pavillon
par pavillon.

Car il y a assez longtemps que tous étrangers viennent hardiment et librement s'habituer dans nos villes pour y faire le commerce ; et, au lieu de se loger chez les habitants comme leurs
hôtes, ils prennent à louage les maisons les plus belles et les plus
commodes dans nos villes ; ils s'y meublent magnifiquement ; ils
y dressent leur ménage particulièrement, louent les magasins
les plus commodes, y mettent en réserve pour vendre en gros
et en détail quand, à qui et comme il leur plaît jusqu'à 6 ou 7 livres
de sucre ou de poivre, jusqu'à une aune de toile de Hollande ou
de ruban.

(1) Le commissaire général du Commerce, Antoine de La Porte, était un
parent de La Meilleraye, donc de Richelieu.
(2) Ni la bibliothèque de Nantes ni celle de Rennes ne possèdent l'édition
datée de 1646, qui est à la Nationale. Dugast-Matifeux croit que le livre fut
imprimé en 1647, et antidaté. Rennes ne possède qu'un *Extrait du livre intitulé
Considérations politiques sur le commerce de la France... par un habitant de la
ville de Nantes,* Paris, 1659, pet. in-8°. — Voy. Henri Sée, *Le commerce des
étrangers et notamment des Hollandais, à Nantes pendant la minorité de Louis XIV*
(Tijdschrift voor Geschiedenis, 1926).

Cette soigneuse analyse sent la vérité, l'observation quotidienne. « Toile de Hollande » : les Hollandais surtout visés comme accapareurs du commerce de gros et de détail, « comme les plus grands maîtres de la mer et du négoce de ce temps ». Éon les a vus à l'œuvre dans ce quartier qui s'appelait « la petite Hollande ». Il évalue leurs apports annuels de marchandises à 21.445.520 livres. Il décrit avec précision leur commerce de commission et le profit qu'ils en tirent, leur organisation en Compagnies, la distribution de leurs facteurs dans nos ports. En ajoutant à leurs profits commerciaux le bénéfice du fret et des assurances, il estime, avec une précision quelque peu inquiétante, leur gain total à 6.648. 110 livres 13 sols !

Il s'agit, on le voit, d'une sorte de colonie hollandaise, permanente au moins dans ses cadres, dans les pays de la Basse-Loire. Colonie, non pas seulement par ses effectifs, mais par la façon même dont elle pratique le commerce, surtout le commerce des vins du pays nantais, de l'Anjou, de l'Orléanais. Non seulement ils accaparent les vins qui apparaissent sur le marché nantais, non seulement ils les conditionnent, font fabriquer pour leur compte, avec des bois du pays, la vaisselle vinaire requise pour leurs transports. Bien plus, comme les Européens du XIXe siècle ont souvent pratiqué ce mode d'exploitation qui consiste à prêter de l'argent aux cultivateurs indigènes et, par une savante usure, à les déposséder de leurs terres, de même ces Hollandais avançaient des capitaux aux viticulteurs français, les incitant à agrandir et améliorer leurs vignobles pour mieux s'en emparer ensuite. Ces pratiques semblaient peu conformes aux règles loyales du « Commerce honorable ».

Pour l'Espagne et le Portugal, autres voisins de nos ports du Ponant, Éon rappelle, en Breton qu'il est, que « le Commerce des Espagnols dans les Indes se fait pour la plus grande et meilleure partie des manufactures de la France », en dépit des impôts excessifs qui les grèvent dans la péninsule. Comme les informateurs de 1626, il compare la lourdeur de ces taxes avec la modicité des droits levés en France sur les marchandises à destination de l'Espagne ou en provenant. Il revient — ce qui prouve que la situation n'avait pas changé en vingt ans — sur la difficulté que nos exportateurs éprouvent à ramener le produit de leurs ventes en or et en argent, ce qui est cependant le seul avantage du commerce d'Espagne, « car le commerce des Indes, sans lequel l'Espagne ne serait pas l'Espagne, ne se saurait faire qu'avec nos marchandises de diverses sortes ». En effet, les Espagnols « ne pourraient tirer l'or et l'argent des Indes sans nos marchandises, et d'ailleurs ils n'ont rien de leur crû qui soit suffisant pour faire les retours de nos marchandises ». Aussi conclut-il par la répétition de cette formule saisissante : commerce « sans lequel Espagne ne serait pas Espagne », — avec cette addition : « ni la Hollande ce qu'elle est ».

Pour prouver que les Nantais ne sont pas seuls intéressés, seuls victimes de cette spoliation systématique, F. Mathias « fait imprimer à la suite de son *Commerce honorable* ce que le sieur de Canasilles en a couché par écrit et exposé à Nos Seigneurs du Parlement de Bordeaux au nom de MM. les Habitants de la même ville pour avoir quelque sorte de maintien contre les usurpations des étrangers ». Ce sont mêmes plaintes qu'à Nantes sur le nombre des étrangers, la solidarité qui les unit, leurs monopoles d'achat et de vente, leur connaissance de nos secrets commerciaux, leurs magasins, leurs méthodes déloyales de concurrence. Ces étrangers chargent à Bordeaux annuellement 60.000 tonneaux de vin. Ils gagnent 10 écus au moins par tonneau, et en outre raflent 6.000 pièces de prunes de Guyenne, 400 tonneaux de miel, 400 de térébenthine et 25 millions de résine des Landes de Gascogne, 3.000 tonneaux d'encens, etc.

On trouvera (aux factums de la Bibliothèque nationale (4os, fin 5172) (1) la confirmation de ces faits dans un *Factum pour Gaspard et Pierre Canasilles, Marchands, appelants et demandeurs contre Constant, avocat...* Pierre Canasilles,

ayant eu l'année 1634 une très ample commission du Roy et de Mgr le cardinal duc de Richelieu pour le rétablissement du commerce par mer et par terre, s'en alla pour l'exécuter en la ville de Bordeaux.
Tous les marchands de cette ville, assemblés pour cet effet appréciaient non seulement les ordres que l'on voulait établir... mais encore les demandaient ardemment.

Mais Constant, « esprit contentieux et brouillon, préférant à la volonté du Roi quelque sien intérêt particulier et les présents qu'il recevait des étrangers » comme jurat, « par menace d'emprisonnement » et autres intrigues « débaucha ou intimida les marchands » et rompit l'Assemblée.

Canasilles, mandé l'an suivant (1635) auprès du roi dénonce ces manœuvres au chancelier. Les bourgeois accusent en outre Constant d'avoir fomenté « par sa lâcheté et négligence une sédition des valets de cabaret et crocheteurs ». Il se rend à Paris, où il essaie de calomnier ses adversaires. Cependant de nouvelles séditions éclatent à Bordeaux, avec attaque d'une dizaine de

(1) S. l. n. d. ; après 1634. Folioté A-A III

maisons, dont la sienne propre et celle d'un autre jurat. Il accuse alors Canasilles d'être le fauteur de cette émeute, se sert du crédit d'un grand pour faire suspendre le lieutenant-criminel, et obtient un mandement de prise de corps contre Canasilles et son frère aîné. On les emprisonne et on leur enlève leurs papiers et argent, on perquisitionne illégalement contre eux, on les tient quatre mois enfermés « dans les plus noirs cachots », avant qu'ils ne soient mis enfin hors de cause. Texte obscur et peu explicite où il est difficile de voir clair. Ce qui semble en sortir, c'est la puissante organisation d'une coterie, là comme à Nantes, contre les gros marchands qui voulaient, avec l'aveu de Richelieu, se constituer en une puissante société, coterie qui ne craint point de soulever le populaire, les gens de petits métiers contre l'oligarchie commerçante. Les projets du cardinal se heurtaient ainsi à des résistances tenaces et, souvent, redoutables.

Telle est la conclusion de Jean Éon, qui écrit « pour le bien général de la France, et de la Bretagne en particulier ». Il sait qu'il aura pour contredisants les étrangers, « pensant qu'on leur ôte par injustice ce que les autres gagnent par leur propre industrie », mais aussi, à Nantes comme à Bordeaux, des compatriotes jaloux : à savoir « les étrangers maîtres dans nos villes, et nos habitants soumis à leur discrétion, et bénissant leurs propres chaînes ». Mais fallait-il « continuer d'être misérables en France par le mauvais traitement du négoce ? Il était temps, écrit-il en 1646 ou 1647, d' « ouvrir les yeux à nos Français, et leur faire connaître l'excès et le danger du mal où ils étaient par la ruine de leur commerce ».

Ces formules, venant quatre ans après la mort de Richelieu, sont l'aveu d'un échec partiel. Malgré son apparente toute-puissante, il n'a pas réussi à organiser ces Compagnies dont la création en 1626-27 lui semblait — et avait semblé aux Notables — une part essentielle de la rénovation du commerce extérieur.

II

Histoire très compliquée que celle de ces tentatives, et où il paraît que ni Caillet, ni M. de La Roncière, ni les érudits d'outre-mer comme H. P. Biggar (1) n'aient porté toute la lumière — peut-être faute d'avoir suffisamment connu et utilisé les sources bretonnes, c'est-à-dire celles du pays où le grand-maître, devenu chef de l'Amirauté de la province, fit porter son princi-

(1) *The early rade Companies of New France.*

pal effort. Essayons, s'il se peut, d'y voir clair, et de mettre
un peu d'ordre dans cette suite d'entreprises plus ou moins
heureuses, projetées, mises sur pied, puis ruinées, puis reformées
sous des noms nouveaux, et parfois inattendus.

Elles se présentent, surtout à l'origine, comme d'ambitieuses
créations destinées à centraliser — on dirait aujourd'hui à la
façon d'un *trust* — la totalité de nos relations maritimes, avec,
cependant, une orientation spéciale vers l'Amérique du Nord,
orientation indiquée par le grand, l'illustre animateur Samuel
Champlain. Le premier voyage canadien de ce fils de Brouage
remontait à 1603, et en 1629 il résumera les premiers résultats
obtenus dans sa *Carte de la Nouvelle France*. Donc, bien avant
l'avènement du cardinal, la question était posée. De 1609 à 1618
s'étaient multipliées les éditions de l'*Histoire de la Nouvelle
France* de Lescarbot (1). De 1615 à 1625 s'échelonnent les
voyages qui seront publiés en 1632 par Gabriel Sagard, *Le grand
voyage au pays des Hurons* qui paraîtra en 1632, et sera aug-
menté en 1636 d'une *Histoire du Canada et des voyages que les
FF. Mineurs Récollets y ont faits*.

L'attention de Richelieu était donc, dans l'ampleur de ses
plans, attirée particulièrement vers ce Canada, que son illustre
prédécesseur Sully dédaignait sous le prétexte que l'on ne trouve
pas d'or dans ces hautes latitudes. Le *Testament* citera, parmi
les commerces de la mer Océane,

celui des pelleteries de Canada, qui est d'autant plus utile qu'on
n'y porte point d'argent, et qu'on le fait en contre-échange de
denrées qui ne dépendent que de l'art des ouvriers, comme sont
les étuis de ciseaux, couteaux, canivets, aiguilles, épingles, serpes,
coignées, montres, cordons de chapeaux, aiguillettes, et toutes
sortes d'autres merceries du Palais,

de ces articles de la Galerie du Palais alors vantée par Pierre
Corneille. Type du « bon commerce », de celui qui ne tombe pas
sous le coup des anathèmes lancés contre le trafic levantin.

Au reste, ce nom de « Nouvelle France » était populaire, et
s'étaient ébauchés des projets de monopole particulièrement pour
la pêche et pour le commerce des fourrures, ceux de La Roche,
de Chastes, aidé par Champlain, de Dupont-Gravé et de Poutrincourt, sans réaliser l'œuvre de peuplement qu'entrevoyaient
certains esprits, surtout Champlain qui, après avoir créé en
1608 le poste de Québec, rêvait d'en faire « une ville de la grandeur
de Saint-Denis ». Hélas ! l'amiral de Montmorency, nommé

---

(1) Rééditée en anglais avec préface de Biggar (Toronto 1907-1916).

vice-roi de la Nouvelle-France, trouvait suffisant d'y transporter
six familles par an ! Ces Compagnies avaient d'ailleurs contre
elles, on le sait, les commerçants indépendants, ceux de Saint-
Malo comme ceux de La Rochelle, qui craignaient d'être exclus
du fructueux commerce que l'on faisait avec les Peaux-Rouges
(surtout les Hurons), du troc des pelleteries contre l'eau de feu
et la poudre.

Déjà Poutrincourt l'avait noté : « De là il vint à la rivière
Saint-Jean où il trouva un navire de Saint-Malo qui troquait
avec les sauvages du pays (1). » Dès 1615-1616, un seul vaisseau
pouvait emporter 6 à 7.000 peaux en un été, et l'on écrivait, à
propos de la baie de la Chaleur : « L'on fait en ce lieu bonne partie
de traite avec les habitants du pays. Pour des marchandises ils
donnent en échange des peaux d'élan et quelques castors », et l'on
espérait « faire trafic tous les ans de 7 à 8.000 livres en castors et
pelleteries..., vous assurant qu'il fait beau trafiquer par deçà et
faire un beau gain ». Mais il aurait fallu que les Français s'unissent
au lieu de se faire concurrence. Ainsi avaient échoué les projets
comme celui-ci.

Cependant s'étaient multipliés ces projets, comme celui qu'en
1613-1616 avait présenté au Roi François Noyer de Saint-
Martin se disant « contrôleur général du commerce », sous le
titre d'*Articles, moyens et raisons approuvés par les États Généraux
afin d'établir à Paris pour toute la France, la Royale Compagnie* (2).
Richelieu a-t-il eu, comme député du Clergé, connaissance de
cet ambitieux dessein ? François Noyer dénonçait « le nombre des
petites compagnies qui se sont créées et qui a fait naître des
divisions et jalousies entre elles, si bien qu'elles se sont exter-
minées ». Il voulait combattre le particularisme qui faisait préférer
aux Français les petits groupements autonomes plutôt que les
grandes puissances à la hollandaise ou à l'anglaise, avec tendance
à l'organisation d'État ; il proposait de fusionner les Compagnies
existantes, de « les réduire toutes à une seule sous l'autorité du
Roi », sous le nom pompeux, et à figure de croisade de, « Royale
compagnie française du Saint-Sépulcre de Hiérusalem ». En 1621
ce titre, où semble se refléter la pensée du P. Joseph, devient
« la Royale Compagnie de la navigation et commerce tant pour
les voyages de long cours ès Indes, pêche de corail en Barbarie,
établissement de colonies ès nouvelles Frances que pêche des
baleines et autres aménagements ». Tel était l'état de la question
— conception totale avec orientation canadienne — quand

(1) H. P. Biggar, *op. cit.*, p. 77.
(2) Paris, 1616, pet. in-4°. Voy. La Roncière, t. IV, p. 481-482.

Richelieu, orienté par Razilly, expose son programme encore très ambitieux de 1626. Il a pu trouver dans les Archives les avis favorables de « la Chambre de Commerce » (1617), ratifiés par le Conseil en octobre 1621, les circulaires envoyées aux villes de négoce tant par le Roi que par l'hôtel de ville de Paris (octobre 1622). Projet d'un canal de Paris à Rouen, raccourcissant la voie fluviale de 20 lieues, peuplement des Amériques, dessein d'un nouveau passage par mer, relations avec les étrangers les plus éloignés. Et puisque la « cessation du commerce en ce royaume est arrivée... pour n'avoir plus de sûreté pour trafiquer... », il est apparu que le remède sera l'union des gens « qui se rendent forts sur mer pour résister aux pirateries et assez puissants pour supporter les pertes des vaisseaux et marchandises ». En conséquence, poursuit le préambule de l'édit, le Roi accueille les propositions présentées par Guillaume de Bruc et J.-B. du Val, « ayant charge et pouvoir spécial d'autres personnes faisant le nombre de Cent associés pour ledit commerce, faisant profession de la Religion. C. A. et R., ... pour Levant, Ponant et voyages de long cours... ».

Non seulement il est créé un fonds de 1.600.000 livres, auquel pourra se joindre chaque année la moitié des profits réalisés (400.000 livres seront employées dans le port du Morbihan, investies en fonds, maisons, magasins et marchandises, 400.000 en constructions navales et équipages, mais le Roi cède aux Cent Associés des droits sur le havre du Morbihan et banlieue « pour y construire une Ville libre », plus des localités et châteaux, îles et îlots, rivières de Vannes et d'Auray, à charge d'indemniser les possesseurs et de verser 300 livres par abonnement annuel à la recette de Bretagne. Droit pour la Compagnie de créer « collèges... avec faculté d'y faire enseigner tous arts et sciences » — première application des idées de Razilly sur l'enseignement professionnel, — imprimeries, ateliers de construction, fonderies de canons, poudreries, fabriques d'armes, de créer marchés et foires, banques et juridiction. Lesdits Cent Associés « ne seront ni ne pourront être censés ni réputés faire acte dérogeant à noblesse... ». Ils iront vers la Chine par le Nord-Ouest (détroit de Davis), Création d'un fonds de trois millions consenti par octrois de foires, ferme de jeux, emprunts, Paris et les bonnes villes participant aux bénéfices sur le type néerlandais, chacune équipant un navire, et les armateurs au long cours faisant obligatoirement partie de la Compagnie et recevant des lettres de noblesse, avec têtes de lignes en Bretagne... Bref un très beau plan sur le papier, embrassant les commerces les plus divers, des Antilles aux mers polaires, absorbant les groupements plus restreints, des commerçants de soie et épices de Paris, Tours, Lyon, Marseille, d'une Compagnie royale du Levant avec Toulon comme port privilégié, des Compagnies de Saint-Christophe, Guyane, Maroc, Sénégal, Guinée, Madagascar, Spitzberg, Nouvelle-France... (1).

De toute cette ébullition sortit enfin le projet en forme de 1626, où apparaît la volonté de Richelieu et de ses conseillers bretons, comme les Fouquet (2), à savoir la Compagnie dite du Morbihan ou des Cent Associés (3). C'est à Nantes, où ils avaient été appelés par la répression de la conspiration de Chalais, qu'en juillet-août 1626 le Roi et Richelieu publièrent les édits, première application en grand des idées nouvelles, preuve du soin que les Rois doivent apporter « au commerce et trafic, tant par terre que par mer, et ceux dudit nombre de Cent Associés qui ne seront nobles jouissent des privilèges de noblesse, et leurs enfants légitimes, pourvu que leurs pères demeurent en ladite Compagnie et ne s'en soient séparés avant leur décès et que leurs enfants, après eux, soient de ladite Compagnie... ».

On voit le caractère grandiose de la conception. Lorsque Marillac et Richelieu prônaient à l'Assemblée des Notables et lui faisaient approuver l'idée des Compagnies, ils pouvaient se référer à ce projet déjà élaboré : un territoire privilégié sur la côte sud de la Bretagne, avec des ponts, une ville future réservés au commerce, bien plus la constitution d'une classe commerciale qui sera mise sur le même pied que les Offices, et presque une concession de la puissance publique, le droit de représailles pouvant être concédé à la Compagnie par autorisation du surintendant général du commerce.

Et avec quel horizon (art. XVI) ? « Jouissance et possession des terres de la Nouvelle France, tant le continent que les îles et autres lieux que ladite Compagnie pourra conquérir et peupler... » Il s'agit donc de remettre en valeur l'héritage de Cartier et de Champlain, mais, suivant les nouvelles formules coloniales mises à la mode en Angleterre depuis Élisabeth et préconisées

---

(1) François Fouquet, seigneur d'Ormenesches et Vaux-le-Vicomte, père du surintendant, conseiller au Parlement de Bretagne (1608-1609), puis à celui de Paris, l'un des juges de Chalais à Nantes en 1626. Conseiller d'Etat chargé des affaires de mer et des Compagnies, intéressé personnellement dans ces entreprises ; en 1635 il s'occupe de la Compagnie des Iles de l'Amérique, puis de celles du Sénégal, du Cap Vert, de la Gambie, en 1638 de celles du Cap Nord et du Maroni. Christophe Fouquet, comte de Challain, cousin germain du précédent, conseiller à Rennes en 1617, procureur général en 1618 dans le procès Chalais, président à mortier en 1631. On sait que Nicolas sera marquis de Belle-Isle, et que Colbert put craindre de sa part une résistance à base bretonne. Voy. Pigeonneau, *Histoire du Commerce*, p. 382, et Gabriel Marcel, *Le surintendant Fouquet, vice-roi d'Amérique* (dans *Revue de Géographie*, 1865).

(2) La Roncière, t. IV, p. 502.

(3) Dugast-Matifeux, *op. cit.*, p. 51, 70, reproduit le texte intégral de deux édits à peu près de même teneur, datés de Nantes, juillet et août 1626.

par sir Humphrey Gilbert ; à savoir considérer ces pays non plus comme un débouché pour l'industrie, mais comme un moyen de débarrasser le royaume de ces oisifs et chômeurs et de créer outre-mer des provinces nouvelles ? Il fallait les peupler avec les moyens qu'entrevoyait l'imagination du temps, prendre « tous ceux qui désireront y aller volontairement..., comme aussi tous mendiants valides et vagabonds de tous sexes et âges, forcés par emprisonnement... ».

L'expérience (art. XX) ayant montré que les tentatives antérieures ont échoué faute d'unité et d'esprit de suite, cette entreprise sera soumise au surintendant général en personne. A sa mort, la Compagnie présentera chaque année trois candidats entre lesquels le Roi choisira un syndic général, non rééligible avant six ans.

Projet grandiose, disions-nous, mais... sur le papier. Il fallait d'abord en obtenir la vérification au Parlement de Rennes. Alors commence une lutte épique entre le Garde des Sceaux Marillac, chargé de ce soin, et les intérêts coalisés des parlementaires et des villes de Nantes, Rennes, Saint-Malo, plus tard Hennebont contre « les novalités préjudiciables à la province, et singulière-ment de certaine Société et Compagnie de commerce au havre de Morbihan ». Le Parlement suscite les résistances des villes, en particulier celle des Nantais, renvoie le projet aux États par arrêt du 15 mars 1627. Mais ceux-ci, représentant des intérêts rivaux, remercient le Roi, à Nantes (Richelieu sera remercié également le 27 janvier 1628), et lui demandent de « continuer ses bienfaits à la Bretagne », sous quelques réserves : à savoir que les Cent Associés « ne pourront prétendre aucun commerce prohibitif aux autres villes et habitants de la province, soit de denrées ou de lieu, dedans ou dehors le royaume », protestation traditionnelle des havres bretons contre tout exclusif. Les « originaires » seront préférés, sans exclusion cependant des non-originaires.

Devant ces retards, il semble que, malgré ce beau départ, la Compagnie du Morbihan ait été abandonnée, avant tout com-mencement d'exécution, pour un projet encore plus vaste, sur lequel le procureur général au Parlement de Paris, Mathieu Molé, avait été chargé de faire rapport aux Notables (1).

Sous l'influence, sans doute, du P. Joseph et pour gagner les sympathies du parti dévot et du cardinal de Bérulle, avec lequel Richelieu n'était pas encore brouillé, on donna au projet le nom prestigieux de « Nacelle de Saint Pierre fleurdelysée ». Mais

(1) Voy. *Mémoires* de Molé, t. I, p. 423-428. Caillet, p. 333.

en même temps, plus persuadé que jamais de la supériorité
commerciale des Hollandais et Flamands et désireux de les
prendre comme éducateurs, Richelieu n'hésite pas à traiter
avec un Nicolas de Witte dit Scapencas, d'Alcmaar, un Bra-
bançon, François Billoty, de Bruxelles, auxquels il adjoignit
le Jean de Meurier de Saint-Rémy (1), que nous avons déjà
rencontré à Hennebont, et qui semble établir le lien avec la
Compagnie mort-née du Morbihan.

La « Nacelle » prétendait créer deux ports francs, un sur
chacune des deux mers, naviguer de la Nerve au Canada et sur
la Méditerranée, installer dans les principales villes du royaume,
non seulement des comptoirs, mais des manufactures et des
exploitations de « tourbes et houille à la façon de Hollande »,
plus des pêcheries, plantations de riz et de canne, expédier au
Canada douze vaisseaux équipés et y envoyer dans les six mois
quatre cents familles, volontaires ou mendiants valides, arrachés
ainsi « à la gueuserie et à l'oisiveté ». Colons aussi seraient les
captifs arrachés aux Barbaresques, qui s'engageraient à résider
pendant six ou dix ans. La Compagnie bénéficierait de la non-
dérogeance et ses membres étrangers seraient considérés comme
régnicoles. On ignore si de Witte était protestant, car, parmi toutes
les querelles françaises, les querelles religieuses se transportaient
sur les vaisseaux, où l'on entendait chanter à la poupe les
psaumes de Marot en même temps que l'*Ave Maria* à la proue.
L'une des meilleures de ces Compagnies, fondée à Dieppe en 1621
par un huguenot, Guillaume de Caen, associé de Champlain, se
heurta contre ces difficultés. De Caen eut maille à partir avec
les six récollets qu'il avait emmenés sur ses vaisseaux. En 1625,
la vice-royauté fut conférée au jeune Henri de Lévis, duc de
Ventadour. Le nouveau gouverneur était une espèce de saint de
vitrail, qui, en 1629, devait se séparer de sa femme pour se
consacrer plus pleinement, elle et lui, à la vie dévote. Cette
mysticité, qui devait faire de Lévis l'un des fondateurs de la
célèbre Compagnie du Très Saint Sacrement de l'Autel — *la
Cabale des Dévots* (2) — le préparait moins bien à être le directeur
d'une Compagnie de commerce et de colonisation. A côté des
récollets il avait, dès son entrée en charge, envoyé au Canada,
« à ses propres coûts et dépens » six jésuites, et dès 1626 on travaillait à Québec à l'érection d'un collège — tandis que Champlain, revenant dans sa ville, y trouvait inachevée sa factorerie
et négligées ses récoltes. Ajoutons que les congrégations de toute

---

(1) D'autres textes disent que le troisième était un Marseillais.
(2) Voy. les travaux de Raoul Allier et d'A. Rebelliau.

couleur s'entendaient souvent assez mal entre elles et encore plus mal avec les autorités civiles.

Ainsi s'orientait l'histoire du Canada, terre réservée, en théorie du moins, à la religion C. A. et R. N'hésitons pas à dire que cette concession du cardinal au parti dévot fut une erreur.

Nous éprouvons, comme tout lecteur, la plus vive admiration pour les intrépides missionnaires qui, remontant les rivières et se risquant dans l'épaisse sylve canadienne, entreprenaient de convertir ceux que la littérature du temps appelait les sauvages. Leurs noms jalonnent, à côté de la rivière Richelieu, les accidents géographiques, et les villes et rues de l'Amérique du Nord. Trop souvent ces hommes tombèrent victimes des tribus fanatisées, dont les croyances totémiques voyaient dans les cérémonies chrétiennes des rites magiques et malfaisants, mortels pour leurs enfants et dangereux pour leurs biens. Ces tribus étaient rendues folles furieuses par l'alcool des traitants : ceux-ci, peu soucieux de servir l'évangélisation et le peuplement, ne voyaient dans les populations rouges que des clients pour le rhum des Antilles et des fournisseurs de pelleteries à vil prix. Notre pitié va aux martyrs qui périssaient dans les supplices les plus atroces : têtes scalpées par les chasseurs de chevelures, chairs tenaillées, brûlées, bouillies ; frères massacrés devant leurs frères, et mourant en chantant des cantiques, parfois traduits par eux-mêmes en langue huronne (1).

Mais sachons voir les choses froidement.

Ce n'est pas un Français d'Europe, suspect d'incroyance, c'est un Franco-Canadien, l'auteur de la première histoire du Canada, Garneau qui, en 1845 (2), portait sur la Nouvelle-France naissante ce jugement :

Ce qui frappait le plus autrefois l'étranger en arrivant sur ces bords, c'étaient nos institutions conventuelles comme, dans les provinces anglaises, c'étaient les monuments du commerce et de l'industrie. Cette différence caractérise l'esprit des deux peuples : tandis que nous érigions des monastères, le Massachusets construisait des navires pour trafiquer avec toutes les nations.

Sur un point, nous pouvons dire que les congrégations avaient raison. Comme le dit très bien le P. Fouqueray (3), en résumant

---

(1) Mlle J. Gaultier de La Vérendrye, descendante des découvreurs des Rocheuses, a recueilli dans le folklore un *Noël* traduit en huron par le P. de Brébeuf. Nous ne faisons que rappeler les travaux consacrés à ces missionnaires par feu Goyau. A compléter par de Vaumas, *L'Éveil missionnaire de la France*.
(2) X. Garneau, *Histoire du Canada* (5e éd., revue par H. Garneau, Paris, 1913, t. I) Le passage cité est déjà dans l'édition primitive.
(3) *Histoire de la Compagnie de Jésus en France*, t. IV, p. 302.

les relations des jésuites du Canada, elles se rendaient compte
que « de la culture des terres dépendait pour une large part
l'existence de la colonie ». Au contraire, les Compagnies, soucieuses
de bénéfices immédiats à l'instar des Compagnies des Indes
orientales, négligeaient le peuplement pour lequel elles avaient
été conçues. Champlain l'avait dit : « Plût à Dieu que les Sociétés
eussent été aussi poussées du même désir que ces bons Pères ;
il y aurait maintenant plusieurs habitations et ménages au
pays... » Quinze ans après la mort de Richelieu, Colbert, écrivant
en 1668 à l'intendant du Canada, donnera tort aux uns et aux
autres : « On s'était plus occupé de convertir la Nouvelle-France
et d'y trafiquer que de la cultiver, et l'on y avait envoyé trop
de moines et pas assez de laboureurs. » Ce que n'ajoutait pas le
réaliste Colbert, c'est que Richelieu, d'ordinaire si large d'esprit,
avait fait à l'opinion dominante et notamment aux bérulliens
cette concession de fermer la France d'outre-mer aux hérétiques.
Il aurait fallu, au contraire, les y pousser. Quand on songe que
les colonies anglaises ont été peuplées en grande partie de dissi-
dents, puritains dans la Nouvelle-Angleterre, catholiques plus au
sud, on se rend compte que les querelles religieuses de France,
habilement utilisées, auraient favorisé la colonisation, surtout
après la chute de La Rochelle. La transformation du Canada en
une théocratie (1), les mesures d'exclusion des congrégations les
unes vis-à-vis des autres (jésuites contre récollets, sulpiciens, etc.),
vouaient l'entreprise à un insuccès final. Il y avait une contradiction interne dans cette conception d'une colonie de peuplement close. S'il est vrai que, du vivant du « cardinal de La
Rochelle », la porte resta entre-bâillée aux protestants, si de
Caen même y retourna, le principe était posé, qui devait porter
sous Louis XIV ses fruits stériles.

III

C'est sans doute avec les débris et de la Compagnie des Cent
Associés, et de cette « Nacelle » — dont l'histoire d'ailleurs nous
échappe, — que fut enfin constituée la Compagnie de la Nouvelle-
France, dont le domaine géographique devait s'étendre depuis
la Floride jusqu'au Cercle arctique et depuis « l'île de Terre-Neuve
jusques au Grand lac dit Mer Douce ».

Sous ce titre et sur ses plans moins ambitieux, Richelieu,
en 1628, demande alors « une forte Compagnie, afin que la

---

(1) Mack Eastman, *Church and State in early Canada.* (Edimbourg, 1915).

Nouvelle-France fût acquise au Roi avec toute son étendue pour une bonne fois ». Calais, Dieppe, Le Havre, Brouage, Paris, Rouen, Bordeaux, fournirent des associés ; pas la Bretagne, toujours farouche. Ainsi finit par se constituer la Compagnie de la Nouvelle-France, qui fut dirigée surtout par Razilly. Richelieu avait racheté à Ventadour sa charge de vice-roi, pour l'incorporer, tout comme les Amirautés, à sa propre Surintendance. La Compagnie recevait un monopole de quinze ans et devait introduire au Canada environ trois cents colons par an, soit quelque quatre mille avant 1643 ; ses marchandises entreraient en France en franchise. Douze titres de noblesse, suivant le plan présenté aux Notables, étaient réservés à la Compagnie. Ses artisans acquéraient les droits de maîtrise par un séjour de six ans au Canada.

Il aurait fallu au jeune Canada quelques années de tranquillité. Mais la mise en train de la Compagnie, en 1628, coïncida avec une rupture franco-anglaise et, suivant une répercussion qui deviendra l'une des constantes de l'histoire, la lutte se transportera dans le Nouveau Monde (1). Un marchand de Londres, qui avait vécu quarante ans à Dieppe, Jarvis Kirke, résolut de donner à l'Angleterre cet estuaire du Saint-Laurent par où Champlain avait jadis cherché le chemin de la Chine. Son fils David Kirke, et les quatre frères de celui-ci, qui tous parlaient français, et connaissaient nos affaires canadiennes, bloquèrent Québec, défirent la flotte de secours qui arrivait de France, firent six cents prisonniers dans les parages de Terre-Neuve. Champlain fut obligé de capituler, et transporté à Londres (juillet 1629).

L'histoire du Canada français allait-elle, comme au temps de Jacques Cartier, se terminer lamentablement en un épisode sans lendemain ?

L'Acadie aussi nous échappait. Il fallut des négociations (2) pour obtenir, le 25 janvier 1632, par la paix de Saint-Germain la restitution à la Compagnie de la Nouvelle-France de Québec et de Port-Royal, la restitution réciproque des prises de mer, enfin le rétablissement des relations commerciales.

Dès lors reprit l'activité. Si la *Description des côtes de l'Amérique du Nord avec l'histoire naturelle du païs*, de Nicolas Denys, ne devait être imprimée que beaucoup plus tard en 1672 (3), ce

---

(1) D. Pasquet, *Histoire politique et sociale du peuple américain* (1913, t. I).
(2) Voy. dans le livre de Denys cité dans le texte, le pouvoir donné en 1631 par Charles Ier à Isaac Wake et par Louis XIII à Bullion et à Bouthillier.
(3) Trad. hollandaise en 1688. Trad. anglaise par W. Nicolas F. Ganoux, *Description and natural history of the Coasts of North America, Acadia*, avec réimpression (Toronto, Champlain Society, 1908).

commerçant prétendra avoir fréquenté ces régions durant trente-
cinq ou quarante ans, et notamment avoir voyagé en compagnie
de Razilly, surtout en Acadie, dès 1632. Son frère avait vu
Richelieu ; il avait donné, en l'honneur de celui-ci, à un port et
passage le nom de Fronsac. On peut donc considérer ce pur
négociant, qui porta le titre de « gouverneur-lieutenant pour le
Roi », et qui fournit des détails notamment sur la pêche des
morues alors en décadence, comme l'un des informateurs du
ministre.

En 1635, Champlain put mourir dans un Québec redevenu
français. Mais à cette date même s'ouvrait la grande guerre avec
l'Espagne qui allait absorber toutes les forces navales comme les
forces militaires de la France. Mazarin, après Richelieu, aura
bien autre chose en tête que de s'occuper du Canada où nous
étions attaqués par les Iroquois, ennemis jurés de nos protégés
les Hurons et alliés des Anglais.

En somme, l'entreprise de la Nouvelle-France avait médiocrement réussi, et Richelieu a sa part de responsabilité dans cet
échec. On s'explique ainsi que l'historien Biggar, jugeant les
choses de son point de vue canadien, ait été sévère pour l'œuvre
économique du cardinal, qu'il n'ait voulu voir en elle que des
intentions, qu'il l'accuse « d'avoir vécu dans un royaume de pure
théorie, où de gigantesques corporations commerciales étaient
formées et dissoutes par un simple trait de sa plume ecclésiastique ». Il y a dans ce jugement une forte part d'injustice.
Biggar oublie que Richelieu, dans son œuvre canadienne, était
prisonnier d'une situation qu'il n'avait pas faite, prisonnier aussi
des préjugés commerciaux comme des préjugés religieux, en
lutte contre le particularisme des villes commerçantes et l'indi-
vidualisme des marchands eux-mêmes. Bref, contrairement à ce
qui s'était passé en Angleterre et en Hollande, il n'eut pas la
nation derrière lui. Enfin, il fut victime de cette contradiction
tragique qui fit tant de fois échouer nos projets d'outre-mer :
comment profiter de notre position sur trois ou quatre mers,
comment faire de la politique d'outre-mer, lorsque la France,
encerclée par ses ennemis, était condamnée, pour ne pas mourir,
à s'enfermer dans une politique continentale ?

Mais, tout compte fait et quoique l'on ne puisse de ce côté,
comme pour le « grand dessein » volgaïque, parler d'un rêve
avorté de Richelieu, on peut dire que la vraie histoire du
Canada français, esquissée dès 1536, ne commencera réellement
qu'après 1630, même après 1660.

IV

Il semble que, très absorbé par l'entreprise de la Nouve le-France, Richelieu ait attaché beaucoup moins d'importance aux autres commerces des pays de Ponant. Même pour les terres situées au sud du Maroc, et dont nous avons signalé la jonction avec le domaine de Razilly, il s'exprime, dans le *Testament*, avec un certain dédain. Après avoir vanté le commerce du Canada, il poursuit :

> Celui de la côte de Guinée en Afrique, où les Portugais ont longtemps occupé une place nommée Castel de Mine, que les Hollandais leur ont enlevé il y a deux ou trois ans, est de semblable nature, en ce qu'on n'y porte que de la quincaillerie, des canevas, et de méchantes toiles, et on en tire de la poudre d'or, que les nègres donnent en échange.

Cependant, rien que cette mention du comptoir d'El Mina prouve que la question l'avait intéressé et que, là encore, pour ce qui concerne la pénétration du continent noir, on fait honneur à Colbert et Savary, soutenus par Louis XIV, d'avoir réalisé tout un plan déjà ébauché. Dès 1633-34, nous voyons que ces commer-çants mécontents, — Rouennais, Dieppois et Malouins — là comme en d'autres zones d'influence française, attaquaient le monopole du trafic du Sénégal, du Cap-Vert, de la Gambie livré à une compagnie (1), dont François Fouquet était l'un des armateurs, et qui, suivant la morale commerciale de l'époque, joignait naturellement à la négociation des denrées et marchan-dises le transport des nègres vers les îles de l'Amérique. Dans une discussion au Conseil de Ville de Rouen, le fondateur de la Compagnie disait :

« S'il n'y avait quelques particuliers pour maintenir la traite en Afrique, on donnerait lieu aux Hollandais d'en chasser entièrement les Français. » L'année suivante, nous voyons que des Malouins visitaient « la Mine » — c'est-à-dire l'ancienne position portugaise d'El Mina, sur la Côte de l'Or, et y échan-geaient de la quincaillerie et de la verroterie contre des bijoux d'or. Puis venaient ces merveilleux agents d'information qu'étaient les capucins du P. Joseph. En 1637, deux d'entre eux, Alexis de Saint-Lô et Bernardin de Renouard, tous frais émoulus de leur expédition, publiaient une *Relation du voyage du Cap Vert, dédiée à Messieurs les Associés de la Compagnie du Cap Vert.* Le titre, qui sonne comme celui d'un rapport à une Assemblée

---

(1) La Roncière, t. IV, p. 692. Peut-être cette description est-elle exagérée et l'auteur y groupe-t-il des faits insignifiants.

d'actionnaires, indique bien le lien qui unissait l'évangélisation
et les affaires. Effectivement les bons Pères, qui ont visité
Rufisque et même quelque peu pénétré dans l'intérieur, mélangent
les deux choses : ils dénombrent leurs catéchumènes, dont
beaucoup devaient revenir, hélas ! à leur fétichisme ancestral ;
ils vantent l'accueil fait à leur robe par les roitelets nègres, mais
ils n'oublient pas de mentionner les marchés des arachides, et ils
signalent la présence d'âpres concurrents, Hollandais et Anglais.
C'est en 1643, après la mort du cardinal, que paraît le *Voyage de
Libye, au royaume de Sénégal, le long du Niger*, de Claude Jane-
quin, assez riche en détails sur les échanges des marchands français avec les noirs, mais ce voyage, accompli de 1637 à 1639, a pu
être connu de Richelieu.

On l'a sans doute remarqué : la concession de la Compagnie
de la Nouvelle-France ne dépassait pas au sud la Floride, bien
qu'une tentative ait été faite à la Guyane par Fouquet avec la
Compagnie du Maroni. Dans l'ensemble, les rapports avec les
terres et îles situées dans l'Amérique du Sud, malgré les entreprises anciennes au Maragnon, et aux Antilles, semblaient de
médiocre importance. L'Espagne et le Portugal y étaient maîtres
et, lorsque de 1624 à 1630, puis en 1640, s'installa la domination
hollandaise dans le Nord-Brésil, Richelieu eut bien soin, dans
son activité diplomatique, de soutenir fidèlement les intérêts de
ses alliés néerlandais, jusqu'à la séparation des deux royaumes
ibériques.

C'était pour lui une chasse réservée aux Provinces-Unies. Il
ne paraît pas, même au moment de son alliance avec Gustave-
Adolphe, avoir voulu s'intéresser aux projets d'Usselincx (1635)
de créer une vaste entreprise internationale : *Compagnie marchande du Sud ou Australe*. Il n'y aura là (1637) que « la Nouvelle
Suède » de Minnewijt.

On s'explique moins le ton désintéressé sur lequel Richelieu
parle des Antilles et de la mer caraïbe. Il se peut ici que le maître
ait passé la main à ses secrétaires, qui se contentent d'enfiler
des noms et des souvenirs un peu au hasard :

Quant à l'Occident, il y a peu de commerce à faire : Drack
(Drake), Thomas Candich (Cavendish), Sperberg, l'Hermite, le
Maire, et feu M. le comte Maurice qui y envoya douze navires de
cinq cents tonneaux, à dessein d'y faire le commerce ou d'amitié
ou de force, n'ayant pu trouver lieu d'y faire aucun établissement,
il y a peu à espérer de ce côté-là, si par une puissante guerre on ne
se rend maîtres des lieux que le roi d'Espagne occupe maintenant.

Les petites îles de St Christophe et autres situées à la tête
des Indes peuvent rapporter quelque tabac, quelques pelleteries,
et autres choses de peu de conséquence.

Cependant, c'était bien le moment où la faiblesse de l'Espagne y ouvrait la porte aux aventuriers français, comme aux Hollandais et Anglais. Tous étaient attirés aux Antilles par la végétation luxuriante (patates, goyave, manioc, bananes, ananas, canne, tabac surtout), sans parler des tortues, voire des porcs « marrons », c'est-à-dire retournés à l'état sauvage.

Il est peu de points sur lesquels l'histoire romancée se soit donné plus librement carrière, ait accumulé plus de légendes multiplié les confusions les plus grossières. Un admirable érudit malouin, Léon Vignols, a consacré une bonne part de sa vie à rétablir la vérité (1). Mais que valent ces patientes études en face des truculents récits où l'on a tout mêlé : les aventures de pirates, contrebandiers, chefs d'expéditions fructueuses dont les chefs devaient à leurs embarcations rapides, le nom de « flibustiers », les fameux « frères de la Côte », qui profitaient de la faiblesse de l'administration pour se livrer aux pires forfaits — et les premiers colons, chasseurs, éleveurs de peaux et de porcs, sécheurs de viandes ou « boucaniers », qui s'établissaient dans les îles. On a commencé par donner un faux nom à l'auteur d'un livre paru en hollandais, en 1678, sous un titre qui se traduit comme suit : *Les pirates américains..., pirates anglais et français contre l'Espagne*, par Oexmelin (alias Exquemelin), qui s'appelait en réalité Hendrik Smeeks, et dont les horrifiantes relations ont séduit les imaginations.

Au vrai, c'est sous le prétexte de protéger le commerce régulier contre la « flibuste » et les écumeurs de mer que les gouvernements ennemis de l'Espagne, donc Louis XIII, autorisaient des entreprises aux « îles du Pérou », comme celle d'Urbain de Roissy, dit « le pirate de Dieppe », chargé de pourchasser d'autres pirates. Nous voyons ce Roissy associé avec un autre marin normand, un protégé de Richelieu, Pierre Belain sieur d'Esnambuc, qui avait depuis 1625 une « habitation » à Saint-Christophe. De là naît, en 1626, une Compagnie « pour peupler les îles Saint-Christophe, la Barbade et autres îles situées à l'entrée du Pérou » — plus ou moins en accord avec les Anglais, pour qui Saint-Christophe s'appelait *Saint-Kitts*. Les cent premiers colons français furent expulsés en 1629 par les Espagnols. En 1630, ils étaient réduits de 1.200 à 350. Mais le 12 février 1635 (c'est-à-dire quatre jours après la signature de ce traité avec les Provinces-Unies qui allait permettre de déclencher la grande guerre — la Compagnie se

(1) Voir en particulier, *Les Antilles françaises sous l'ancien régime* (dans *Revue d'hist. écon. et sociale*, t. XVI, 1928, p. 12-45) et *Flibuste et boucane, XVIe et XVIIe siècles* (*ibid.*, p. 137-181).

réorganisait sous le nom de « Compagnie des îles d'Amérique ».
Richelieu s'y était intéressé dans tous les sens du terme, y
mettant 3.000 livres de son argent et lui offrant un vaisseau.

La Compagnie (sa création définitive est peut-être une des
raisons du refus de Richelieu de s'engager en même temps avec
Usselincx) amène des colons hollandais, normands, bretons,
saintongeois, transporte, pour la culture du tabac et déjà du
coton, des noirs du Sénégal à la Martinique, à la Guadeloupe,
à la Dominique, exterminant les Caraïbes, détruisant des flottes
espagnoles, pénétrant même dans Saint-Domingue, se taillant
des périmètres forestiers par le « droit de la hache », vendant les
peaux de bêtes boucanées à l'omniprésent hollandais. La Compagnie, elle, achetait les produits du sol, prenait déjà des mesures
pour prévenir la surproduction du tabac, encourager celle du
coton, de la canne, et la fabrication du sucre (1). Le principal directeur en était Nicolas Fouquet, fils de l'armateur breton François,
le protégé de Richelieu. En 1638, le Roi mettait à la tête de ses
domaines antillais un gouverneur, de Poincy, qui réussissait à
s'installer dans l'un des repaires des flibustiers, la Tortue. La
Compagnie avait établi, de la Martinique à la Guadeloupe, etc.,
dans les 4.000 colons. A la veille de la mort de Richelieu, on allait
jusqu'à évaluer à 7.000 le nombre des Français des Indes occidentales. C'est, dit-on, en somme, la plus réussie et la plus durable
de ses entreprises (2).

On s'explique donc assez mal la phrase dédaigneuse du
Testament, comme le silence gardé sur la Guyane, où les Rouennais apparaissent dès 1630 et où une Compagnie fonctionne
en 1633-1640.

L'imagination de Richelieu était-elle plus séduite par les
terres lointaines et célèbres des Indes orientales, qu'on pouvait
atteindre aussi bien par les routes de mer partant des ports
ponantais que par le Levant et la Perse ? Il paraît avoir regretté
que l'Inde et la Chine fussent le domaine des Compagnies de
Londres et d'Amsterdam, et que l'humeur des Français, « si
prompte qu'elle veut la fin de ses désirs aussitôt qu'elles les a
conçus », prépare mal notre peuple à ces voyages qui sont « de
longue haleine ». On sait qu'il fallait compter alors plus d'un an
pour l'aller et le retour du même vaisseau. « Cependant, comme
il vient grande quantité de soie et de tapis de Perse [il pense au
commerce du Golfe, et non plus à la voie d'Alep], beaucoup de

(1) Toute cette histoire est en détail, avec les avatars des Compagnies
successives dans Caillet, t. II, p. 104-114. Voy. G. de Dampierre, *Essai sur les
sources de l'Histoire des Antilles françaises*, 1904.
(2) Voy. sur les Fouquet la n. 1 de la p. 130.

curiosités de la Chine et toutes sortes d'épiceries de divers lieux
de cette partie du monde, on en peut tirer beaucoup d'utilité,
et ce négoce ne doit pas être négligé. »

Il a même son plan pour briser les monopoles existants. « Il
faudrait envoyer en Orient deux ou trois vaisseaux commandés
par des personnes de condition », — réapparition de l'idée qui
réserve aux nobles le grand commerce de mer — « prudentes et
sages, avec patentes et pouvoirs nécessaires pour traiter avec
tous les Princes, et faire alliance avec tous les peuples de tous
côtés, ainsi qu'ont fait les Portugais, les Anglais et les Flamands »
(lisez : Hollandais). Bref, créer une petite compagnie royale des
Indes orientales.

Il a même l'idée des conditions politiques qui en assureront
le succès : « ceux qui ont pris pied avec cette nation [le scribe a
dû mal entendre et le dictant a dû prononcer : ces nations] en
sont maintenant fort haïs, ou parce qu'ils les ont trompés, ou
parce qu'ils les ont assujettis par la force ». Aux Français de se
faire aimer.

Après avoir achevé le *Testament*, Richelieu a sans doute
regardé à nouveau ce problème du commerce de l'Orient à partir
des ports du Ponant, et nous le voyons mourir dans cette
espérance.

Sur la route des Indes, on cherchait des escales permettant
de mettre les navires à l'abri au moment du renversement de la
mousson. Publiés en 1644 (1), les *Mémoires du Voyage d'Augustin
de Beaulieu aux Indes orientales* relataient le périple de ce Rouennais qui, parti de Honfleur en 1619, séjourna dans la Grande Ile,
aux Comores, sur la côte de Malabar, avant de pousser jusqu'à
Sumatra et Malacca en 1623. De son pilote Jean Le Tellier
avait paru dès 1631, à Dieppe, le *Voyage fait aux Indes orientales*.
Il avait été question de ces tentatives dès 1611-1615 (2) ; ces
projets furent repris par François Cauche de Rouen en 1638 (3),
qui posa l'écusson de France sur celle des Mascareignes qui reçut
le nom de Bourbon, et celui d'Ile Dauphine fut donné à la grande
terre : Dauphine, en l'honneur du jeune Louis. Richelieu alors
semble avoir rêvé à une très puissante base commerciale et il
accorda dans les derniers mois de sa vie (24 juin 1642) à la
Compagnie du capitaine Ricault un privilège « d'envoyer seuls

---

(1) Par Thévenot, dans *Relation de divers voyages curieux*.
(2) Caillet, t. II, p. 118-123 suit ici l'*Histoire de la Compagnie des Indes*
de Dufresne de Francheville. Sujet renouvelé par les travaux modernes de
Froidevaux (Pronis, *Revue historique*, 1900), Bonnassieux, Weber.
(3) Voyage publié en 1651. Voir aussi le *Discours* de Charpentier
de 1664.

en l'île de Madagascar et autres îles adjacentes pour là y ériger colonies et commerce ». C'est sur cette espérance que se clôt la vie du grand-maître et surintendant du commerce, à la veille du départ du huguenot Pronis pour cette terre où il avait eu le mérite de marquer, pour l'avenir, la place de la France.

CHAPITRE VII

LE TRAVAIL ET LA PRODUCTION

Nous l'avons rappelé à satiété : la politique de Richelieu est une politique franchement mercantiliste. Suivant une tradition plus que séculaire, et déjà formulée sous François Iᵉʳ par du Prat, puis par les États de 1560 et de 1614, par Laffemas et Montchrestien, l'idéal est de faire produire par le sol français et les mains françaises tout ce que la France peut se dispenser d'acheter à l'étranger, de la mettre même en état de vendre le plus possible au dehors : « Pourvu, dit le *Testament*, que nous sachions nous bien aider des avantages que la nature nous a procurés, nous tirerons l'argent de ceux qui voudront avoir nos marchandises qui leur sont si nécessaires, et nous ne nous chargerons point beaucoup de leurs denrées, qui nous sont si peu utiles... » Notons tout de suite le caractère relativement modéré de cette doctrine si on la rapproche de l'allure intransigeante, quasi xénophobe, de certains des prédécesseurs que nous venons de citer. C'est plutôt à Bodin que l'on pense en lisant ce membre de phrase : « Nous ne nous chargerons point beaucoup de leurs denrées... » Richelieu, grand partisan du commerce extérieur, ne veut point d'une autarcie qui prétendrait réaliser la gageure du vieux Caton : vendre toujours, sans acheter jamais. Son programme se résume en ces déclarations soigneusement balancées : « Nous priver du commerce qui ne peut nous servir qu'à fomenter notre fainéantise et à nourrir notre luxe, pour nous attacher solidement à celui qui peut augmenter notre abondance et occuper nos mariniers, de telle sorte que nos voisins ne se prévalent pas de leurs travaux à nos dépens. »

Promouvoir le travail national, tel est le but.

I

On remarquera la place faite aux « denrées » à côté des « marchandises ». C'est dire que ce système économique ne peut faire abstraction de la production agricole, surtout pour un pays qui est encore caractérisé par la prédominance de la vie rurale. On ne peut imaginer ce descendant de gentilshommes campagnards oubliant le rôle essentiel de l'agriculture, « mère nourrice », dit-il quelque part (p. 64), phrase de style. « La France, dit-il, est si fertile en blé, si abondante en vin, et si remplie de lins et de chanvres... que l'Espagne, l'Angleterre et tous nos voisins ont besoin d'y avoir recours. » Il parle de l'exportation « des canevas et de méchantes toiles » en Guinée, du « vin, vinaigre, eau-de-vie, châtaignes, prunes et noix, toutes denrées dont le royaume abonde » et que réclament les pays du Nord.

Cela dit, il est visible que la vie des champs tient peu de place dans ses préoccupations. Le fils du grand-prévôt sort bien d'une lignée de hobereaux, mais de ces hobereaux que le service de Cour a déracinés. Il est né à Paris, rue du Bouloi. A Luçon, il s'est considéré comme en exil. De Richelieu, il a voulu faire un palais, il ne semble jamais avoir tenté d'en faire une exploitation modèle. Ce n'est pas un rural, et l'on chercherait vainement chez lui des conceptions agronomiques semblables à celles de Sully, soit d'Olivier de Serres. La production agricole ne l'intéresse pas en soi, mais simplement comme un moyen d'échange. Quelques mots jetés en passant sur le labourage ne sauraient nous donner le change. Du Plessis n'a rien d'un Rosny.

Malgré son parti-pris administratif, Caillet écrit (t. II, p. 10) : « Richelieu ne prit aucune grande mesure au sujet de l'agriculture. » Il trouve tout juste à citer une déclaration grandiloquente de 1639, qui rappelle l'œuvre de desséchement des marais entreprise par Henri IV et ses ingénieurs hollandais. Les anciens associés de Bradley, groupés autour d'un certain Noël Champenois, obtiennent alors pour six ans (ils l'auraient voulu pour dix) le renouvellement du privilège. Une autre Compagnie similaire fut créée en 1641.

Richelieu paraît, d'ailleurs, s'être médiocrement soucié de la classe paysanne. On a pu faire valoir, dans ce sens, quelques mesures du code Michau : garanties en faveur de la propriété rurale, défense des tenanciers contre les corvées seigneuriales abusives, protection des commerçants ; on a pu insister sur le service que rendaient aux laboureurs des opérations générales comme le maintien de l'ordre et la lutte contre les tyrans locaux, etc. Mais les paysans restent pour le cardinal un matériel humain, un cheptel bon à fournir au Roi des contribuables, au besoin des soldats, et à produire des denrées et quelques matières premières. S'il parle parfois de ménager les forces rurales, c'est uniquement parce que leur conservation est indispensable à l'État. Dans le chapitre du *Testament* (ch. IV) : *Du troisième*

Ordre du Royaume, le paysan n'apparaît, de biais, que dans une brève section qui traite dédaigneusement *Du Peuple*, et qui débute par la phrase terrible, d'un utilitarisme sans pitié : « Tous les politiques sont d'accord que si les peuples étaient trop à leur aise, il serait impossible de les contenir dans les règles de leur devoir... ». Comme tels administrateurs coloniaux estiment que les impôts doivent frapper les populations indigènes pour les contraindre au travail, il n'hésite pas à comparer les sujets, « aux mulets qui, étant accoutumés à la charge, se gâtent par un long repos plus que par le travail ».

Nulle trace, on le voit, de tendresse humaine chez ce prélat qui a dirigé un diocèse rural. Mais à défaut du cœur, son esprit réaliste lui a cependant appris « que ce travail doit être modéré et qu'il faut que la charge de ces animaux [c'est des mulets qu'il parle, mais bien aux hommes qu'il pense] soit proportionnée à leurs forces ». Il faut donc que les « subsides à l'égard des peuples » soient aussi « modérés » ; car les princes perdent « leurs États et leurs sujets » s'ils n'ont pas soin d'entretenir les forces nécessaires à leur conservation..., le « sens commun apprenant à un chacun qu'il doit y avoir proportion entre le fardeau et les forces de ceux qui le supportent ».

Rechercher cette proportion, — « proportion, dit-il ailleurs (p. 150 de la IIe Partie), entre ce que le Prince tire de ses sujets et ce qu'ils lui peuvent donner, non seulement sans leur ruine, mais sans une notable incommodité » — telle est sa façon indirecte de protéger le paysan. Il consacre (IIe Partie, ch. IX, section VII) une section à faire savoir que si « l'or et l'argent sont une des principales et plus nécessaires puissances de l'État », les revenus du Roi pourront être augmentés « en déchargeant le Peuple des trois quarts des frais qui l'accablent maintenant ». C'est un froid calcul qui l'amène à cette conclusion : « Le moins qu'on puisse lever sur le peuple est le meilleur. » Il sait que la hausse des impôts sur les denrées, si elle accroît en apparence la recette du Trésor, entraîne de ruineuses incidences (p. 156-158), « puisqu'il faut acheter plus cher ce qu'on avait auparavant à meilleur marché ». Il y a là, chez cet homme qui s'accuse souvent, et non sans cause, d'incompétence financière, une analyse non dépourvue de justesse : « Si la viande enchérit..., le soldat aura plus de peine à se nourrir... et ainsi il faudra lui donner plus grande solde ; et le salaire de tous les artisans sera plus grand qu'il n'était auparavant. » Il y a plus : non seulement l'enchérissement restreindra la consommation intérieure, mais aussi l'exportation « des denrées qui sortent du royaume », car « les étrangers attirés jusqu'à présent à enlever nos marchandises, pour la médiocrité du prix, se pourvoiront ailleurs s'ils y trouvent leur avantage », ce qui laissera la France pleine des fruits de la terre, mais dépourvue d'argent, au lieu que si les impôts sont modérés, « la grande quantité de fruits qui seront enlevés par les étrangers récompensera la perte qu'on pourrait estimer être causée par la modération des subsides ».

C'est en partant de ces principes que, dans ses rêves touffus et confus de réformation financière, le cardinal expose ses projets de réduction des impôts, et particulièrement de ceux qui frappent les classes paysannes. Lui qui fut entraîné par les besoins du Trésor à recourir à une si dure fiscalité, il n'a que des allégements à la bouche. La gabelle d'abord ; peut-être était-il particulièrement sensible au sort des pays à salines, de Brouage, du Poitou, de la Bretagne et aussi des « salins » de la Méditerranée auxquels Séguiran l'avait intéressé. Il souhaiterait qu'on permît au peuple de se servir du sel comme du blé, chacun n'en prenant qu'autant qu'il en voudrait et pourrait consommer. Quelle révolution, si elle eût été réalisable ! Même hardiesse (en théorie) sur la taille, dont la réorganisation déchargerait le peuple de 22 millions, soit « la moitié de ce qu'il porte ». Beaux desseins, sur le papier. Mais les révoltes paysannes, aussi graves parfois que les urbaines, montrent que c'est tout le contraire qui se passa.

Faut-il donc, après cet examen de ce que Richelieu a, sinon fait, du moins conçu en faveur de l'agriculture, s'arrêter sur cet aveu découragé (p. 187) ?

Je sais bien qu'on dira qu'il est aisé de faire de tels projets, semblables à ceux de la République de Platon, qui, belle en ses idées, est une chimère en effet.

II

Tout autre est le ton du cardinal quand il parle de l'industrie. Celle-ci a toute la faveur de la politique mercantiliste, et se prête mieux à l'intervention de l'État. Ici, tradition, doctrines, tentatives avortées ou en cours, il dispose de tout un arsenal d'idées et de mesures, de précédents, de programmes et d'espérances, dans lequel il n'a qu'à puiser (1).

Tout ce que nous avons dit de ses projets et de ses essais commerciaux démontre l'importance souveraine qu'il attachait à l'exportation. C'est là, en effet, un des éléments essentiels, on

(1) J. U. Nef, *L'industrie et l'État en France et en Angleterre 1540-1640* (dans *Revue historique*, t. CXCI, 1941).

pourrait dire l'essence même de la conception mercantiliste. On
aboutit ainsi à une protection constante du travail national ;
ainsi l'activité commerciale doit-elle être en relation directe avec
le développement industriel. Ce programme de Henri IV et de
Laffemas, que le Conseil du Commerce avait essayé de réaliser
de 1598 aux dernières années du règne, idées maintes fois émises
aux États et par les notables, expressions mêmes des publicistes
revivent sous la plume de l'auteur du *Testament* et dans les
préambules des ordonnances, notamment cette formule, devenue
classique, que la France pourrait, à la rigueur, se passer des
autres, tandis que les autres ne se peuvent passer d'elle. Relisons
de près ce passage déjà cité où nous nous étonnerons encore de
voir ce prince de l'Église, ce maître de la grande politique, descendre, n'en déplaise à Voltaire et aux amateurs du haut style,
jusqu'au détail technique le plus minutieux, à des secrets de
boutique :

> Pourvu que nous sachions nous bien aider des avantages que
> la Nature nous a procurés, nous tirerons l'argent de ceux qui vou-
> dront avoir nos marchandises qui leur sont nécessaires, et nous
> ne nous chargerons pas beaucoup de leurs denrées, qui nous sont
> si peu utiles... Les draps d'Espagne, d'Angleterre et d'Hollande (1)
> ne sont nécessaires que pour le luxe ; nous en pouvons faire
> d'aussi beaux qu'eux, en tirant les laines d'Espagne comme ils
> font. Nous pouvons même les avoir plus commodément par le
> moyen de nos grains et de nos toiles, si nous voulons les prendre
> en échange pour faire double gain...
> ... Nous pouvons bien maintenant nous contenter du drap de
> Sceau (2) et de Meunier, qu'on fait en France, sans recourir à
> ceux des étrangers, dont par ce moyen on abolira l'usage ainsi
> que les draps de Châlons et de Chartres ont aboli ceux de Milan...
> En effet les draps de Sceau sont si bien reçus en Levant qu'après
> ceux de Venise faits de laine d'Espagne, les Turcs les préfèrent à
> tous autres. Et les villes de Marseille et de Lyon en ont toujours
> fait jusques à présent un fort grand trafic.

On voit quel est le mécanisme. Il ne s'agit pas, par des
mesures prohibitives, de fermer simplement la France aux
importations somptuaires, mais de prendre l'offensive, d'acquérir
les matières premières irremplaçables, en l'espèce les fameuses
toisons castillanes, et de les faire ouvrer par nos nationaux. Une
sorte de troc nous permettra de nous procurer à bon compte
cette précieuse matière, puisque l'Espagne a besoin de denrées
et produits français qui lui sont indispensables.

(1) *Sic ;* on sait que le xviie siècle négligeait souvent ici l'aspiration.
(2) C'est-à-dire marqué du sceau de la ville de Rouen. Quelques auteurs
du temps, moins bien informés que Richelieu, écrivent « draps d'Usseau ».

Plus loin encore, le texte revient sur cette même idée en termes plus nets et plus décisifs, tant elle tient à cœur à l'écrivain :

La France est assez industrieuse pour se passer, si elle veut, des meilleures manufactures (1) de ses voisins... Ainsi il nous sera fort aisé de nous priver de ce commerce...,

phrase que nous avons déjà rapportée.

Richelieu sait que, sur ce terrain, il a pour lui l'opinion. La doctrine qui s'était affirmée en 1614-1615 avait été reprise en 1622 dans un pamphlet anonyme, bizarrement intitulé *La chasse au vieil grognard de l'antiquité*, sorte de protestation contre les louangeurs du temps passé. L'auteur en veut, comme Montchrestien, à la concurrence que la main-d'œuvre étrangère fait à la nôtre jusque chez nous-mêmes. C'est, pour cet inconnu, l'une des causes de la misère et du vagabondage :

Depuis que l'étranger a goûté de la grande liberté d'y [à Paris] vivre, et on ne s'enquête de rien (2), cela fait descendre en foule l'Italie, l'Angleterre, l'Allemagne, la Flandre, la Hollande et tous les religionnaires du royaume..., et partant, si grande abondance de manœuvres de toutes sortes, d'ouvriers à métiers, que les vrais régnicoles ont été frustrés de leur travail...

Quoique, par un certain biais, ces plaintes fassent prévoir les notes de Jean Éon sur l'invasion du pays nantais (et de Bordeaux) par les Hollandais, Richelieu n'adopte pas cette position xénophobe, ce nationalisme de la main-d'œuvre qui aboutirait non seulement à réserver le travail aux régnicoles, mais même, dans la capitale, aux seuls ouvriers parisiens, et aux catholiques. Nous savons déjà qu'il a fait place, dans l'intérêt de notre commerce, à des Hollandais dans ses compagnies ; nous le verrons ouvrir certaines usines à des spécialistes ; il n'est pas plus prisonnier de ces conceptions farouches qu'il ne l'était des théories hostiles au commerce levantin. Loin de se borner à des prohibitions soi-disant protectrices, il veut : 1° vivifier les industries existantes et, par le respect des règlements, rendre aux produits français leur renommée ; 2° créer, autant que faire se pourra, des industries nouvelles, à la fois en favorisant l'esprit d'invention des Français et en introduisant en France des ouvriers étrangers qualifiés.

Il serait fastidieux de suivre dans le détail toutes ces inter-

_____

(1) Ou produits ouvrés.
(2) C'est-à-dire : on les laisse (les nouveaux venus) s'installer sans faire d'enquête sur eux.

ventions, sur lesquelles les historiens du règne et du ministériat nous renseignent abondamment, mais il importe d'en dégager l'esprit et d'en évaluer l'effet. Sur le premier point, celui de la réglementation considérée comme une garantie de bonne fabrication, on pense déjà à Colbert quand on lit un édit de février 1626 n'autorisant l'usage du fer aigre que pour des ouvrages grossiers nettement désignés, prescrivant les qualités, longueurs, etc., des barres de fer doux, ordonnant l'apposition sur ces barres d'une marque, dans chaque baillage, par un contrôleur-visiteur assisté de deux experts ; car la réglementation, hélas ! est inséparable de la préoccupation fiscale, toute réforme se traduisant par une création et, donc, par une vente d'offices. C'est Colbert encore qui s'annonce dans le Code Michau, de 1629, avec les prescriptions ordonnant de remettre toutes les étoffes de soie, laine, coton, aux largeurs et longueurs anciennes, sous peine de confiscation. Le règlement de décembre de la même année spécifiera, pour les toiles, une amende de 100 livres en sus de la confiscation. La conservation du marché espagnol d'Europe et des Indes était à ce prix.

II

Mais à quelles industries s'applique la sollicitude royale ?

D'abord aux industries extractives. C'était, depuis longtemps, une idée fixe de chercher dans le sol de France les métaux, et pas seulement les métaux précieux, protestation contre l'espèce de dogme, proclamé par les étrangers et en particulier par les Anglais, de notre infériorité en matière minérale. Dès Charles VII et Jacques Cœur, on avait exploité dans le Centre des gisements de plomb argentifère. François Ier avait fait procéder à une sorte de prospection générale pour trouver l'or et d'autres métaux. Sully, en 1601, avait institué un « grand-maître, surintendant et réformateur général des mines », assisté de tout un état-major : un lieutenant, un contrôleur général, un greffier, un fondeur, essayeur et affineur général (1). En 1608, les commissaires du commerce, en distinguant les usages du fer aigre et du fer doux, préconisaient la recherche des mines nouvelles. Ces beaux projets, interrompus par la mort du Roi, furent repris dans le règlement de 1626, qui semble avoir respecté l'organisation administrative déjà fort complexe de cette véritable industrie d'État.

(1) Voy. dans G. Fagniez, *Economie sociale de la France sous Henri IV*. Résumé par J. U. Nef *(art. cit.)* p. 46 du tirage à part, qui cite *(ibid.,* n° 5. le « livre de comptes de l'administration royale des mines pour l'année 1640 »)

Un an plus tard, et en application de ce règlement, Richelieu commissionnait « pour toutes recherches minières en France », un personnage assez curieux, Jean du Chastelet, baron de Beausoleil, — commission renouvelée en 1635. Il travaillait de concert avec sa femme, Martine de Bertereau, originaire du Blésois. Les deux époux et associés, qui se vantaient d'avoir vu des mines en Hongrie et ailleurs, peut-être même en Amérique, prospectèrent à travers les Pyrénées, les Cévennes, le Poitou, la Bretagne. Dès l'année 1627, ils furent arrêtés sous l'inculpation de magie. Comment, en ce temps de procès de sorcellerie, n'aurait-on pas considéré comme suspect un couple qui faisait des recherches avec le marteau, la pioche, et aussi la baguette de coudrier, et qui prétendait faire surgir des trésors des profondeurs de la terre (1) ? Cependant, soutenus par le surintendant d'Effiat, l'un des meilleurs serviteurs du cardinal, ils furent, en 1630, chargés d'aller chercher des mineurs expérimentés dans les pays qui étaient alors spécialisés dans ce travail, Allemagne et Hongrie, ils ramenèrent dix Hongrois et cinquante Allemands. Le mari joignit à sa baronnie française le titre, qu'il avait sans doute conquis en voyage, de baron d'Auffenbach. Ils se targuaient d'avoir dépensé en travaux 300.000 livres, somme énorme pour l'époque. En 1640, Martine de Bertereau, qui se piquait de littérature, dédia au cardinal un ouvrage dont le titre est tout à fait caractéristique de ce temps : *La restitution de Plulon à Monseigneur l'Éminentissime cardinal duc de Richelieu*, façon précieuse de dire : rapport sur des prospections minières, le monde souterrain, avec ses richesses étant dans le domaine du dieu des enfers (2). Ils n'en furent pas moins, en 1641, toujours sous la même accusation d'art magique enfermés l'une à Vincennes, l'autre à la Bastille, où du Chastelet mourut en 1645. La protection du cardinal ne les avait pas sauvés et sa mort leur fut fatale. Il ne semble pas, — peut-être en raison des obstacles dressés sur leur route — que des résultats positifs sortirent de leur mission, puisque le travail de prospection et l'appel à des mineurs étrangers durent être repris sous Colbert (3).

L'industrie du sel, en raison de ses rapports avec la gabelle, demeure également sous le contrôle étroit de l'État, qu'il s'agisse

---

(1) Ne soyons pas trop sévères ; au début de ce siècle, dans le Massif Central, un illustre géologue étranger n'était-il pas dénoncé par les paysans, et emmené par les gendarmes de brigade en brigade, parce qu'il cassait des cailloux sur les routes ?

(2) Republié par Nic. Gobert dans *Les anciens minéralogistes du royaume de France* (Paris, 1779, in-8°) puis par Japy et Charpentier (Montbéliard, 1903).

(3) Hellot. *État des mines du royaume distribué par provinces* (1750) les traite d'aventuriers, mais Japy les défend.

du sel de Peccais, où le Roi agissait à titre de seigneur, des
marais d'Hyères et de Berre, ou des marais salants de l'Ouest,
où les propriétaires étaient contrôlés étroitement par les agents
royaux. Malgré son désir de réforme de la gabelle, qui aurait
abouti à la libération du consommateur, Richelieu est obligé,
comme ses prédécesseurs de subordonner sa politique du sel à
l'intérêt fiscal. N'oublions pas que, de 1607 à 1641, le produit
des gabelles a passé d'un peu plus de 6 millions à près de 20 millions de livres (1).

Une industrie voisine, celle de la verrerie, n'avait guère été
pratiquée jusque-là que par les procédés empiriques des gen-
tilshommes-verriers. Posséder une forêt, surtout des sous-bois
riches en fougères, et une sablière, c'était pour le petit hobereau
le moyen de parer à l'insuffisance de ses revenus en exerçant un
métier qui, semblant un exercice normal de la propriété seigneu-
riale, n'avait jamais entraîné dérogeance. Montchrestien ne
parlait que de cette formule, qui fournissait en particulier notre
exportation de verres à vitres pour les pays scandinaves. Henri II
cependant, puis, après le premier échec, le duc de Nevers — un
Italien, un Gonzague — avaient essayé de transplanter en
France l'industrie vénitienne. Henri IV y avait à peu près réussi.
Des lettres-patentes de 1626 établirent de nouvelles manufactures
de verres en Picardie. D'autres, en 1634, concédèrent à Eustache
Grandmout et à Jean-Antoine d'Anthonneuil un privilège de
dix ans pour créer, à Paris ou ailleurs, une manufacture de glaces
et miroirs. Grand émoi à Venise, car jusqu'alors on n'avait fait
en France que le petit miroir, la glace de grande dimension
restant la spécialité de la cité des lagunes. L'ambassadeur avait
écrit au doge, dès 1632, qu'il fallait empêcher la réussite de ce
dangereux projet, et pour cela s'opposer à la sortie du maître
de grands miroirs — *maestro di specchi grandi* — que les Français
avaient réussi à débaucher.

Mais les industries essentielles, du point de vue mercantiliste,
c'étaient les textiles.

Là encore, Richelieu se trouvait en présence d'une création
de Henri IV arrêtée par la mort du Roi, celle des tapis de la
Savonnerie (2), installée comme beaucoup d'autres dans cette
galerie du Louvre où les divers métiers se pratiquaient, en dehors
des cadres corporatifs et des prescriptions réglementaires, sous
l'œil du public, comme dans nos stands d'exposition. L'ancien

(1) J. U. Nef, *ibid.*, p. 50 et n. 1.
(2) Voy. Fagniez *Economie sociale*, et Boissonnade, *Socialisme d'Etat*.

directeur, Pierre du Pont, s'adressa en 1626 à Louis XIII.
Associé à Simon Lourdet, il eut l'idée ingénieuse de lier son entreprise à une opération de bienfaisance : suivant une habitude
alors très répandue, il offrit de recevoir comme apprentis des
garçons et filles des hôpitaux. Dans un livre dédié au Roi,
en 1633, et paré du beau titre grec de *La stromatourgie*, il
rapporte qu'il obtint satisfaction par arrêt du Conseil du
17 avril 1627. Les deux associés avaient reçu un privilège de
dix-huit ans pour « la fabrique et manufacture de toutes sortes
de tapis, autres ameublements et ouvrages du Levant en or,
argent, soie, laine », et la concession de la maison de la Savonnerie.
La Gomberdière pourra écrire, non sans orgueil : « Paris... est
maintenant sans pair par la manufacture des plus belles et
riches tapisseries du monde. » Conformément aux promesses
récemment faites aux Notables, la noblesse héréditaire sans
dérogeance était promise pour l'un et l'autre entrepreneur. Ils
s'engageaient à enseigner le métier à cent enfants pauvres (1).
La durée de cet apprentissage était de six ans.

Parmi les manufactures de soierie, dont le rôle était de nous
affranchir d'un lourd tribut payé aux étrangers, il en est une
qui avait particulièrement les faveurs du cardinal, c'était celle
de Tours. D'abord, il était à demi Tourangeau, et Tours se
trouvait à petite distance de son domaine familial, où il faisait
construire un superbe château, dont on n'a malheureusement
conservé que de faibles restes. Il y entassait avec amour les
œuvres d'art les plus célèbres (2), dont beaucoup, par chance,
ont passé dans nos collections nationales. Elles nous sont décrites
avec un soin minutieux par le « gouverneur », c'est-à-dire par le
garde du domaine, Benjamin Vignier — peut-être un fils de
huguenots (3) ? — qui publiera, en 1676, et chez le futur éditeur
du *Testament politique*, un *Château de Richelieu*, véritable guide
du touriste, mais avec des parties versifiées, je n'ose dire poé-
tiques... Il est vrai que ce Vignier, qui remercie « l'illustre héritier », du grand ministre de lui avoir fait l'honneur de le « placer
dans le plus beau poste du monde », s'il énumère les statues,

----

(1) C'est le programme énoncé par La Gomberdière (p. 122) en 1634 :
« On employera le pauvre peuple, et le profit de leur emploi les retirera de la
grande pauvreté qu'ils souffrent, et leur donnera les moyens de subvenir à
leurs nécessités. »
(2) Voy. *Le chasteau de Richelieu ou l'Histoire des Dieux et des Héros de
l'Antiquité*, avec des réflexions morales par M. Vignier. Saumur chez Isaac et
Henry Desbordes... 1676, pet. in-8º de 166 p., dédié au duc de Richelieu.
M. Pasquier, l'un des auteurs des *Imprimeurs et libraires de l'Anjou*, m'a signalé
que l'ouvrage avait été réédité en 1681 et 1684, la seconde fois chez H. Desbordes. Voy. L. Batiffol, *Autour de Richelieu*, p. 185.
(3) M. Pannier suggère même : fils de pasteur.

tableaux, morceaux d'architecture confiés à sa garde, ne mentionne aucune tapisserie, ni soierie.

Heureusement un de ces consciencieux érudits locaux dont
on peut critiquer la méthode parfois puérile, mais qui ont vu et
rapporté beaucoup de documents d'archives, l'abbé Bossebœuf
nous a donné une *Histoire de la fabrique de soierie de Tours* (1).
Or, il nous y apprend que le cardinal fit des commandes à Tours
pour l'ameublement de Richelieu, et aussi du Palais-Cardinal et
de Rueil, et qu'il fit voir au Roi les produits de la manufacture
tourangelle pour le bien persuader qu'on pouvait se passer des
étrangers. Richelieu, comme naguère Laffemas (2), savait gré à
Tours de n'être point, comme Lyon, en même temps qu'une ville
d'industrie, une place de commerce d'importation ouverte à ces
produits de luxe étrangers, italiens surtout, qu'on accusait de
ruiner le royaume. Au contraire, Tours était exclusivement une
ville de fabrique, dont le *Testament* dira fièrement qu'on y « fait
à présent... des pannes si belles qu'on les envoie en Italie, en
Espagne et autres pays étrangers », des « taffetas unis » dits
gros de Tours, qui « ont un si grand débit ailleurs », des « velours
rouges, violets et tannés » qui « s'y font maintenant plus beaux
qu'à Gênes ; c'est aussi le seul endroit où il se fait des serges de
soie. La moire s'y fait aussi belle qu'en Angleterre, les meilleures
toiles d'or s'y font plus belles et à meilleur marché qu'en Italie ».
On voit que le châtelain de Richelieu avait jeté sur la fabrique
voisine l'œil du maître.

Tours faisait venir sa matière non seulement des magnaneries
qui subsistaient de la grande tentative de Laffemas et de Serres,
mais de très loin, notamment de Sicile. On se souvient que les
missions de des Hayes visaient, à travers la Turquie ou la
Russie, à lui procurer les soies de la Caspienne.

On évaluait à 8.000 le nombre des métiers battant à Tours,
plus 3.000 métiers à ruban, à 700 celui des moulins à organsiner
la soie, à 20.000 le nombre des ouvriers. Plus de 40.000 personnes
auraient vécu, directement ou médiatement, de l'art de la soie.
Méfions-nous de ces statistiques, exagérées comme le sont le plus
souvent celles de l'ancien régime, surtout quand elles ont été
établies, telle celle-ci, dans une période de crise où l'on vante
la prospérité passée. Peut-être Tours n'avait pas alors, en tout,
40.000 âmes. Mais, en faisant la part du dithyrambe, il reste
que la manufacture tourangelle — de Tours et banlieue — était
active et réputée.

(1) Tours, 1900, in-8°. Cf. G. Pariset, *Histoire de la Fabrique lyonnaise.*
(2) Voy. p. 20.

Le patriotisme local égare même quelquefois les louangeurs, sans excepter Richelieu en personne dans le passage cité plus haut, car on admettait généralement que, pour la moire, nous ne réussissions pas à égaler l'Angleterre. Mais, dans l'ensemble, nous ne pouvons mettre en doute les affirmations du cardinal, car elles sont confirmées par les voyageurs du temps, ces voyageurs qui s'en allaient de ville en ville visiter les curiosités, les manufactures aussi bien que les églises, et qui, au retour, consignaient leurs observations dans des livrets destinés, tout comme celui de Vignier, à servir de guide aux touristes à venir. L'un d'eux, Louis Godefroy, passant à Tours en 1638 (1), nous dit que « tant dedans que dehors la ville, on voit travailler à force en soie, savoir est la filer, la teindre et mettre en diverses œuvres comme velours, satin, damas, tabis et taffetas ». Il décrit avec une précision technique la fabrication du tabis, ou taffetas uni, câbles actionnés par une roue que tourne un cheval ou bien un groupe de huit à dix hommes ; enfin *la calendre*, c'est-à-dire les rouleaux entre lesquels passent les pièces. Il indique la maison où ils verront fonctionner cet appareil ; et, tel un Baoedeker disant : « pourboire au gardien », il termine sur cette note pratique et plaisante : « Mais n'oubliez le vin des compagnons ! »

Quelques années après la mort du cardinal, en 1651, Martin Marteau ne s'exprimait pas avec moins d'enthousiasme dans *Le paradis délicieux de Touraine* (2) :

Les Tourangeaux s'occupent pour la plus grande partie à la soie, aussi bien qu'en Italie, art qui est à présent si bien établi que c'est une des plus belles manufactures du monde ; ils excellent particulièrement en draps d'or, d'argent, de soie et de laine, voire en passements de toutes sortes, comme aussi dans la teinture de toutes couleurs. A Luynes, on voit quantité de passementiers, qui travaillent la plupart dans les caves creusées dans le roc, au long du coteau qui regarde la rivière de Loire.

Cette description des ateliers de passementerie chez les troglodytes de la rive droite sent la vérité.

N'oublions pas de citer une industrie alimentaire, celle du sucre. Il peut exister un rapport — nous n'en avons pas trouvé la preuve dans les textes, mais le choix des lieux de travail semble l'établir — entre les activités antillaises de Richelieu et ces projets de transformation des matières importées d'Amérique.

Tandis qu'au début du règne on avait d'abord caressé le

(1) *Mémoires de la Société archéologique de Touraine*, t. IV, p. 185, et Bossebœuf, p. 63.
(2) Cité dans Bossebœuf, p. 290.

projet ambitieux de cultiver la canne en Provence (1), Richelieu semble, plus rationnellement, vouloir transformer sur le territoire européen, en l'espèce en Normandie, le produit colonial. « Je suis bien aise, — écrit-il le 20 janvier 1627, en un jour où il écrivit tant de choses sur ces questions — que les affineurs de sucre dont vous m'écrivez viennent s'habituer en France, mais, étant huguenots..., il est plus à propos qu'ils s'établissent à Honfleur qu'au Havre... » Bizarre incursion de la religion dans les problèmes industriels. Le cardinal ne veut pas courir le risque de contaminer le grand port, et cependant il ne veut pas renoncer à l'espoir de faire transformer les mélasses en sucre, fût-ce par des mains hérétiques, en l'espèce sans doute d'expertes mains hollandaises, tout comme des Hollandais entraient dans des Compagnies de Navigation. C'est peut-être, d'ailleurs, cette complication qui empêcha la raffinerie honfleuraise de réussir.

A côté des industries de luxe, les industries d'ordre intellectuel. C'est une préoccupation qu'on ne s'étonne pas de rencontrer chez le fondateur de l'Académie française. En 1640, il établit l'Imprimerie royale au Louvre, sous la surveillance de son fidèle auxiliaire Sublet des Noyers, et sous la direction des imprimeurs Sébastien Cramoisy et Raphaël Trichet-Dufresne, avec Tanneguy Lefebvre comme inspecteur. Et comme cette création a immédiatement provoqué une sorte de coalition des papetiers, donc une hausse des prix du papier, il prépare un édit interdisant à tous papetiers de vendre ou exporter, en gros ou en détail, avant d'avoir reçu permission de Sublet, lequel la délivrera sans frais, mais « après que les magasins de ladite Imprimerie royale auront été fournis à prix raisonnable ». Nous ne pouvons affirmer que cet édit ait été publié, mais, le 5 avril 1641, une ordonnance enjoignit à tous ceux « qui disposent des matières servant à fabriquer du papier » d'en fournir à prix raisonnable aux papetiers de l'Imprimerie royale, Ferrier et Dauvilliers.

III

De même que, pour sa politique intérieure et étrangère, Richelieu voulait avoir le consentement de l'opinion, qu'il essayait d'atteindre par la presse — d'abord par le *Mercure*, puis

(1) Voy. dans J. Fournier, *Bulletin de géographie hist. et descriptive* (1903), p. 256-258, les « articles accordés par le roi en son conseil à Louis de Boniface, Sgr de la Molle et à ses associés sur les moyens et inventions... de faire le sucre en ce royaume ». Le 27 novembre 1614, un privilège de trente ans leur est concédé pour la culture de la canne en Provence. Tentative curieuse, écrit André (*Sources*, t. VII, n° 5526), mais sans effet.

par la *Gazette* de Théophraste Renaudot, — de même il voulait
exposer au public les raisons de sa politique économique. Il fit
appel notamment à ce marquis de La Gomberdière auquel nous
avons déjà emprunté plus d'un passage, mais dont il faut bien
dire que nous ne savons rien. Ni Fournier, qui l'a réédité (t. III,
p. 109-184 de ses *Variétés*), ni le duc de Mecklembourg, qui aurait
voulu connaître sa vie, n'ont rien trouvé. L'essentiel pour notre
sujet, c'est qu'il a publié en 1634, sous la forme classique d'une
lettre au Roi, un *Nouveau Règlement général sur toutes sortes de
marchandises et manufactures qui sont utiles et nécessaires dans
ce royaume, représenté au Roy pour le grand bien et profit des villes
et autres lieux de France* (1).

    « Règlement général » : c'est le titre qu'avait affectionné
Laffemas le père. Et, pour reprendre une expression de Laffemas
le fils, il s'agit « de quoi rendre la France argenteuse en peu de
temps ». Le point de départ de La Gomberdière, c'est toujours
celui de Richelieu même, la richesse du pays, son indépendance
économique :

> Sire, Dieu a tellement et abondamment versé ses saintes béné-
> dictions sur votre royaume, l'ayant si bien institué et pourvu de
> tout ce qui est utile et nécessaire pour la vie et l'entretien de vos
> peuples et en tel   abondance que l'on peut véritablement dire
> que c'est la seule monarchie qui se peut passer de tous ses voisins,
> et pas un ne se peuvent *(sic)* passer d'elle...

    Suit — après cette formule, usée d'avoir servi et que nous
trouvons tant de fois sous la plume de Richelieu — l'exposé
« des grands moyens que nous avons en France de tirer des
nations étrangères leur or et leur argent, et pas eux le nôtre... ».
Ne concluez pas trop vite de cette phrase que le mercantilisme
de La Gomberdière — pas plus que celui de son maître — n'ait
en vue que l'enrichissement métallique.

    On trouve chez lui comme une sorte de géographie industrielle
de la France, par villes et provinces, avec énumération des
produits que l'on peut tirer de chacune ; Paris, Tours, Lyon,
Montpellier, les satins façons de Gênes, fils d'or, velours, taffetas
comme en Italie ; Poitiers, Nérac, Niort, peaux de vache, buffle
et chamois comme en Allemagne ; Forez, Limousin, quincaillerie
dont une partie va aux Indes par l'Espagne ; tapisseries de
Paris ; Saint-Quentin, Laval, Louviers, toiles aussi bonnes qu'en
Hollande ; Amiens, camelots, serges et toiles ; Rouen, La

---

(1) A Paris, chez Michel Blageart, rue de la Callandre, *A la Fleur de Lys*,
1634, in-8°. Résumé par Levasseur, *Histoire de l'Industrie*, p. 195.

Rochelle, maroquins ; Ile de France, passements achetés par les
Espagnols ; Berry, Normandie, drap ; Sousmières, Nîmes, Saint-
Maixent, Chartres, serges ; duché d'Étampes et pays de Dourdan,
bas de soie et d'estame, etc. ; on pourrait dresser une carte en
utilisant ces renseignements, puisés surtout chez Laffemas et
Montchrestien. La Gomberdière en fait sortir une doctrine
complète d'économie nationale :

> ... de tout ce qui est utile, tant pour les grands que pour les
> petits, votre France est plus que suffisante d'en fournir tous vos
> sujets et les étrangers aussi, sans les requérir d'aucunes choses,
> et aussi qu'il n'y a ouvrages que ce soit que les Français (s'ils
> veulent) ne contrefassent et rendent plus à la perfection que ne
> sauraient faire toutes les nations du monde.

Il se plaint, comme ses prédécesseurs, de la place qu'on a
laissé prendre à nos concurrents, et revendique les droits de nos
ouvriers menacés de chômage ou contraints à l'émigration :

> Depuis quelques années, la grande négligence des Français a
> fait débaucher les ouvriers, desquels les étrangers se servent
> maintenant, comme de la draperie de laines, toiles, gros cuirs,
> cordages, bonnetteries et autres diverses manufactures, qu'à
> présent ils nous apportent en telle quantité qu'ils enlèvent la
> plus grande partie de l'or et argent de vos sujets, et icelles mar-
> chandises et manufactures se faisaient par ci-devant en votre
> royaume, ce qui maintenait vos peuples argenteux (1), faisant
> vivre et employer les pauvres, si bien qu'à présent il s'en voit
> une si grande abondance de toutes parts.

Signalons une fois de plus la contradiction qui vicie tous ces
textes de propagande, où les dithyrambes vantant notre supériorité alternent avec les protestations contre les ruineuses
concurrences. Il est difficile de savoir où est précisément la
vérité : sans doute entre les deux extrêmes.

Pas plus que Richelieu, La Gomberdière n'est étroitement
prohibitif comme l'avaient été Laffemas et Montchrestien, et il
se garde bien de souhaiter la cessation du commerce international.
Mais, persuadé que « nous avons les moyens plus faciles que toutes
les nations du monde pour manufacturer toutes sortes d'étoffes
et manufactures », il veut moins empêcher l'entrée des produits
étrangers que développer les industries nationales :

> Le commerce ne laisserait d'aller de part et d'autre ; les
> étrangers nous apporteraient de leurs marchandises et viendraient

(1) Epithète prise à Isaac de Laffemas.

prendre en contre-échange des nôtres, et par ce moyen, en chaqu
chose, chacune leur prix, nos marchands pourraient gagner réci
proquement sur les marchandises étrangères comme celles qu'ils
auraient fabriquées...

L'expression est maladroite et incorrecte, très inférieure aux
formules coupantes dictées par Richelieu, mais la pensée est la
même, à savoir augmenter la capacité de travail de la nation et
l'activité des échanges.

Votre royaume, poursuit notre marquis économiste, aurait beau
être le plus beau, le plus fertile et le plus opulent de l'univers, si
les Français ne remettent en valeur les travaux dans les manufactures et d'employer (sic) eux-mêmes les biens que Dieu leur
donne,... rien ne pourra se faire. Il est donc très nécessaire de
nous passer de tout ce que nous prenons des étrangers et les (sic)
faire fabriquer... On emploiera le pauvre peuple, et le profit de leur
emploi les retirera de la grande pauvreté qu'ils souffrent.

Voilà le grand mot lâché. Richelieu, qui embrigadait volontiers
des « faiseurs » pour faire ses tragédies, a trouvé en La Gomberdière un faiseur ès matières industrielles et commerciales. Il le
charge donc de mener la lutte contre ce qui semble bien avoir
été, à ce moment du XVIIᵉ siècle, un fléau commun à la France
et à l'Angleterre, le chômage, avec ses conséquences : paupérisme
et vagabondage, d'où nous avons vu sortir les formules nouvelles
de la colonisation. Mais l'émigration n'est pas le seul remède.
La Gomberdière est également chargé de reprendre une idée de
Laffemas ; il propose la création, dans les villes principales, de
« bureaux et maisons communes », où « les plus capables ouvriers »
du royaume organiseront le travail des inoccupés « pour y faire
travailler continuellement dans les manufactures », surtout
laines et soies.

Si obscur et embrouillé que soit ici le texte de La Gomberdière, ces « bureaux » (1) semblent bien être à la fois : 1º un
organe de direction et de statistique, de contrôle et d'information,
où le principal rôle est dévolu aux intendants et inspecteurs des
manufactures ; 2º des établissements d'éducation professionnelle
et de remploi de la main-d'œuvre inoccupée ; 3º comme dans le
plan Lourdet, des ateliers de charité. Le tout conçu, pour
employer une expression ailleurs souvent contestable de Boissonnade, comme un « socialisme d'État ». En effet, les ouvriers
choisis pour chaque bureau devront « montrer et enseigner leurs
arts et métiers aux peuples qui seront destinés selon à quoi on

(1) P 122-123.

les trouvera capables d'être employés ». Éduqués ainsi par les
contre-maîtres officiels, les ouvriers seront dirigés vers telle usine
qu'il semblera convenable à l'autorité : « les peuples (pauvres
par faute d'emploi) seront soulagés et vivront des travaux qu'ils
pourront faire selon leurs forces et capacités, ainsi qu'il sera
avisé par personnes judicieuses qui auront à leur rang l'administration desdits bureaux ».

Il ne s'agit donc pas seulement, pour cette police économique
un peu confuse, de rejoindre la police tout court, la répression
du vagabondage, édictée une fois de plus par le lieutenant civil
de Paris, dans une ordonnance du 30 mars 1635. L'intervention
de la puissance publique, si elle avait été poussée dans cette
direction, aurait tendu à se superposer et à se substituer à
l'action corporative, devenue inopérante depuis que l'industrie
travaille pour des marchés plus étendus et doit envisager des
innovations techniques (1).

Ces tendances ne furent pas systématiquement suivies. Il est
juste d'ajouter que certaines villes de commerce ne craignaient
point d'agir, sans doute de leur propre initiative, dans le sens
indiqué par le « faiseur » ministériel. A cette date de 1634 où
paraissait le livre de La Gomberdière, la ville de Dijon prenait
sous sa protection la manufacture de draps établie en l'hôtel
Sainte-Anne pour subvenir aux besoins des pauvres orphelins.
L'organisation de cet atelier à la fois modèle et charitable, qui
nous est connue par les Archives de la ville, sera amplement
décrite en 1649 par un document imprimé, *La fondation, construction... des hôpitaux de Dijon*. L'exemple n'est sans doute pas
isolé, bien que le terrain fût particulièrement favorable dans une
ville où l'institution corporative était alors battue en brèche (2).
Cette ville au moins pensait, comme La Gomberdière et son
impérieux inspirateur, qu'on pouvait remplir la France d'ouvriers capables, « ce qui obligera les étrangers à nous venir revoir
(ainsi qu'ils faisaient le passé). En cette sorte, l'or et l'argent des
Français ne passera les frontières et demeurera parmi nous pour
subvenir aux nécessités du peuple ».

Définition assez exacte, double et complète, du mercantilisme
de Richelieu. La ville se plaçait à l'un et l'autre point de vue,
car elle avait constaté que la draperie était en décadence et, en
dissertant « du devoir de celui qui a charge des manufactures de

(1) Voy. Em. Coornaert, *Les corporations en France*, p. 134.
(2) Arch. Dijon, B 272. Chapuis, *Corporations dijonnaises*, p. 187. Pour une
date ultérieure, on se reportera à H. Chabeuf, *Voyage d'un délégué suisse à
Dijon* (Dijon, 1885). Notons qu'en 1667, un délégué du chapitre de Cîteaux
avait visité un grand nombre de salles et d'ateliers assez mal tenus.

l'hôpital », elle rappelait qu'il doit pourvoir de matières et instruments ceux ou celles, « enfants et jeunes gens occupés à divers métiers, notamment à carder de la laine que, par un travail assez rude [nous citons ici un témoignage de 1667], ils transformeront ensuite en fils et en tissus ». Le texte primitif prescrit qu'à la fin de chaque semaine le directeur de la manufacture « doit compter avec les maîtres drapiers de la besogne qu'ont fait(e) les pauvres », c'est-à-dire que ses ateliers travaillent à l'entreprise pour les maîtres marchands-fabricants. Ce directeur « doit aussi acheter les laines et filets pour les filles qui travaillent en tapisserie, nuances, point coupé, point d'Espagne et Gênes. Quiconque molestera les employés de cette entreprise sera puni (1) ».

La préoccupation industrielle était sans doute plus subordonnée à la pensée d'assistance et de bonne police dans le cas d'Agen (2), où, en 1629, c'est le Bureau de Ville qui ordonne « que les pauvres valides en la ville seront employés au travail, les étrangers renvoyés chacun en son pays », conformément au vœu du *Vieil Grognard*. Le Bureau de la Santé confirme, avec l'exagération propre aux documents de ce genre, que « la plupart des habitants tombent en grande nécessité, les uns pour ne pouvoir travailler de leur métier... ».

Déjà en 1625, dans le projet de *Règlement pour toutes les affaires du royaume* (3) où nous avons cru retrouver la main ou la parole de Richelieu à peine ministre, une rubrique *Pauvres renfermés* énonçait :

Pour ce que plusieurs vagabonds et fainéants, au lieu de s'occuper comme ils peuvent et doivent à gagner leur vie, s'adonnent à la quête et mendier, ôtant le pain aux autres invalides auxquels il est dû... et privent le public du service qu'il pourrait recevoir de leur travail...

et préconisait l'établissement dans toutes les villes d'un règlement tel que tous les pauvres, non seulement de la ville, « mais aussi des lieux circonvoisins, y soient enfermés et nourris, et les valides employés aux œuvres publiques », formule déjà ancienne, courante au XVIe siècle, visant les travaux de terrassement, etc., plus que le travail industriel. Tous les ans devait se tenir chez l'évêque ou, dans les villes non épiscopales, à la maison de ville

---

(1) Voy. *L'organisation du travail à Dijon et en Bourgogne* (ch. IV de *Les débuts du capitalisme*). Signalons, p. 152, une faute d'impression. Lire, au bas de la page « 1646 le 12 octobre... » et non 1636.
(2) Couyba, *La misère en Agenais*, p. 23, 27.
(3) Avenel, t. II, p. 168-183.

une Assemblée des députés des ecclésiastiques et officiers pour
établir la dépense, les recettes étant fournies par les revenus
légués aux pauvres et par une taxe de capitation. Ce beau plan,
qui resta sur le papier, est bien antérieur, on le voit, aux « misères
du temps de la Fronde » et à l'apostolat de « Monsieur Vincent ».

Dix ans plus tard, une ordonnance du lieutenant civil de
Paris enjoignait « à tous vagabonds..., même à tous garçons
barbiers, tailleurs et de toutes autres conditions et aux filles et
femmes débauchées de prendre service et condition dans vingt-
quatre heures, sinon vider cette ville et faubourgs de Paris, à
peine de galères pour les hommes », les femmes fouettées, rossées
et frappées de bannissement perpétuel. Le lieutenant n'avait
pas la main douce.

IV

Dans ses efforts de rénovation industrielle, Richelieu, comme
tous les gouvernants d'alors, rencontrait le grave problème de
la réglementation et de l'organisation corporative. Nous l'avons
vu essayant de restaurer le respect des règles pour maintenir la
qualité des produits et, par suite, leur diffusion sur les marchés
extérieurs. D'autre part, l'institution corporative, « conservatrice
par essence », apparaît telle qu'elle était apparue au Conseil de
Commerce de Henri IV, comme un obstacle au progrès technique.
Comment sortir de cette contradiction qui est l'essence même du
mercantilisme ? L'ordonnance de 1629, obéissant aux suggestions
du Tiers de 1614, prétend rétablir la rigueur des règlements,
sous peine de confiscation des marchandises contrevenantes et
de grosses amendes (1). Cette rigueur est encore aggravée par
les mesures fiscales, c'est-à-dire par les créations d'offices de
contrôle qui se substituent ou plus souvent se superposent aux
surveillances corporatives. Au moment où, pour lutter contre la
concurrence étrangère, l'industrie française aurait eu besoin de
liberté, le ministre se vit obligé de l'écraser de charges nouvelles
— double poids fiscal et réglementaire, — sous la forme de
créations d'offices. Décembre 1625, à la fin d'une année qui promettait des réformes, avait vu naître, sous prétexte de réprimer
les falsifications, les offices — héréditaires — des visiteurs et
contrôleurs de bières. En juin 1627, c'est-à-dire au lendemain de
cette Assemblée qui avait suscité tant d'espérances, pendant la
période de préparation du Code Michau, création d'offices égale-

(1) Levasseur, *Histoire de l'Industrie et des classes ouvrières*, 2ᵉ éd., t. II
p. 190 et suiv.

ment héréditaires de contrôleurs-visiteurs-marqueurs de toiles en chaque ville et bourg ; en 1629, contrôleurs des draps et teintures, par une ordonnance qui invoque, il est vrai, l'inexécution des règlements, laquelle aurait fait passer cette manufacture de France en Angleterre et en Flandre. De même pour le papier.

En dehors de ces édits généraux, que de créations spéciales à telle ville ou telle province ! Contrôleurs de toiles de Châtelle-rault, qui doivent visiter, auner et marquer, à 3 et 5 sols par pièce ; contrôleurs-papetiers à Angoulême et Saint-Benoît, qui perçoivent 1 sol par rame...

Contre ces créations également détestées des consommateurs, des travailleurs qu'elles gênent dans leur activité, des commu-nautés dont elles rognent les privilèges, éclatent fréquemment des révoltes populaires qui jettent une lueur sinistre sur l'admi-nistration du cardinal : émeute de Rouen, en 1634, lors de l'établissement du contrôle à la halle aux tanneurs. En 1639, l'émeute dite des va-nu-pieds suit l'établissement du contrôle des draps et teinture, et la preuve qu'il y a entre les deux événements rapport de cause à effet, c'est que l'émeute débute par le meurtre d'un contrôleur qui voulait marquer une pièce.

Émeutes d'artisans à Poitiers contre le droit sur le vin ; nouvelle émeute, avec les mêmes chefs, en 1640, au cri de : « Vive le Roi et la franchise publique ! » Un sergent du maire est attaqué par un groupe que dirige un garçon boucher, criant : « Maltôtier ! On t'a donc graissé la patte pour publier cela ? On veut nous empêcher de boire, mais nous n'en ferons rien. » Dans la rixe, le garçon est tué, le sergent blessé.

A Dijon, les mêmes mesures ont provoqué la redoutable émeute du *Lanturlu*, soulèvement du métier semi-rural semi-urbain des vignerons de la côte, groupés dans le faubourg Saint-Philibert (1).

Richelieu était parfois effrayé devant ces rébellions qui ensanglantaient l'Angoumois, la Saintonge, le Dauphiné, la Picardie, le Languedoc, surtout après l'imposition du sol par livre.

A côté de ces créations d'offices, créations aussi de maîtrises. Toute cette province de Bourgogne s'était, au début du règne, débarrassée du régime des jurandes pour le remplacer par la « liberté du travail » — surveillance municipale à l'instar de Lyon (2). Richelieu, semble-t-il, aurait dû se montrer favorable

---

(1) Voy. nos *Débuts du capitalisme*, p. 151 et suiv. Aux Archives de Dijon G 186), délits et contraventions à la police des Arts et Métiers, 1536-1645.
(2) Voy. ci-dessus, p. 160.

à cette tentative. Hélas ! les droits de maîtrise allaient au fisc !
Aussi, voyons-nous que la libération ne durera pas au delà des
deux premières décades du siècle. Toujours pour des raisons
fiscales, Richelieu a, probablement dès 1630, créé dans chaque
ville, bourg et bourgade du ressort du Parlement de Dijon des
offices de prud'hommes des cuirs, de chargeurs et de rôtisseurs,
d'autres encore sans doute. Nous avons noté ailleurs que, dès 1631
des lettres-patentes autorisaient les maîtres potiers d'étain de
Dijon à exercer leur droit de visite. Furent-ils les seuls maîtres
de métier réinstallés dans leurs prérogatives ? En 1638, on crée
de nouveaux maîtres en Bourgogne, puis en 1640 un édit général
crée quatre maîtrises en chaque ville et bourg du royaume, sans
excepter aucune province. Malgré les résistances de la commune
de Dijon, le vieux régime corporatif est réinstallé vers la mort du
cardinal. La victoire sera complète avant 1648.

En outre — et là contre l'oligarchie patronale — on multipliait
les émissions de lettres de maîtrise, parce que ces lettres s'ache-
taient directement aux receveurs royaux pour se revendre
ensuite, comme des valeurs mobilières, au plus offrant. Les
émissions servaient à rémunérer des services de cour, que l'on
pouvait ainsi récompenser sans bourse délier. Par exemple,
en 1638, à l'occasion de la naissance du dauphin, un édit concède
à Mme de Hautefort et au sieur de Guitaud le droit, très lucratif,
de vendre quatre lettres de chaque métier par ville jurée, avec
« très expresses défenses et inhibitions de recevoir » d'autres
maîtres par la voie ordinaire, tant que les quatre lettres n'auront
pas trouvé preneur : 200 livres d'amende pour ceux qui consen-
tiraient à ces réceptions interdites et annulées, obligation pour
ceux qui auraient été ainsi reçus de fermer boutique... A Bordeaux, en 1639, la ville avait obtenu que le Parlement résistât ;
il était passé outre et procédé à l'enregistrement. La Cour tente
de réduire l'exécution de l'arrêt du Conseil à deux maîtres par
métier ; lettres de jussion, lettres de cachet, dénonciation « des
jurats qui ne laissaient pas que de recevoir journellement par
chef-d'œuvre ès maîtrises tous ceux qui se présentaient, et par
ce moyen l'exécution de cet édit demeurait retardée ».

Le pouvoir sapait ainsi l'institution corporative elle-même,
qu'elle semblait par ailleurs restaurer. Que signifiait, au vrai,
une création d'office ? la perception d'un droit de contrôle donc
l'élévation du prix de revient, et par suite du prix de vente. Si
la communauté, pour se débarrasser de ce faix, avait la naïveté
de racheter l'office, parfois très cher, elle devait lever, pour ce
remboursement, une taxe directe sur ses membres. C'était aussi
l'ingérence dans la fabrication de personnages qui ne devaient

leur office qu'à leur argent ou à quelque protecteur. En 1643, les Rouennais se plaindront encore que les contrôleurs, « pénétrant à toute heure dans les boutiques et gâtant la marchandise », ruinent l'industrie des draps. Ajoutons que ces innombrables officiers devenaient exempts d'impôts, ce qui accroissait d'autant la charge des contribuables.

En somme, l'œuvre industrielle de Richelieu était comme rongée par la fiscalité.

Et cependant, en sens inverse, rappelons les faveurs par lui accordées à Simon Lourdet, qu'il sera obligé de défendre jusqu'en 1644, contre la jalousie des communautés, — faveurs qui sont autant de dérogations au système réglementaire. Notons aussi les appels adressés à des ouvriers étrangers, mineurs, verriers ou autres, porteurs d'industries ou du moins de techniques nouvelles. On ne voit pas que la royauté ait, par exemple, fait obstacle à la diffusion du traité orné de planches de Mathurin Jousse, *La fidèle ouverture de l'art du serrurier où l'on voit les principaux préceptes, dessins et figures touchant les expériences et opérations manuelles dudit art, ensemble un traité de diverses trempes*, paru à La Flèche en 1627 (1), titre qui fait déjà penser à l'*Encyclopédie*. Encore une fois, il y avait antinomie entre la prétention de l'État à tout réglementer, et l'appel adressé à l'esprit d'invention.

Quelle a pu être l'action de la politique économique de Richelieu sur la situation de la classe ouvrière ?

A en croire Levasseur, mais qui ne donne pas de preuves convaincantes, la politique de paix intérieure, la lutte contre les seigneurs pillards a dû favoriser, d'une façon générale, les populations urbaines, maîtres et compagnons, tandis que la politique d'activité industrielle s'opposait au fléau du chômage. Ce que dit le *Testament* de la fâcheuse incidence des impôts excessifs sur le prix de la vie, sur l'insuffisance des salaires nominaux dont la hausse apparente ne compense pas et même ne suit pas le relèvement du prix des denrées et des marchandises de première nécessité, s'applique aussi bien, et encore plus directement aux salariés des métiers urbains qu'aux travailleurs des campagnes. D'accord, mais on sait combien peu les pratiques fiscales du ministre s'accordèrent avec ces intentions d'inspiration généreuse. Et c'est aux ouvriers comme aux laboureurs que s'applique la phrase terrible de la section *Du Peuple* sur la nécessité de tenir ce « peuple », des villes comme des campagnes, si l'on veut obtenir de lui travail et soumission. Les efforts tentés en faveur

(1) André, *Sources*, nº 5775 (d'après S.-R. de La Bouillerie).

des pauvres ne sont pas un argument, car il s'agissait pour le pouvoir, nous l'avons vu, premièrement de combattre la misère et ses suites comme des dangers sociaux et politiques, secondement de fournir de la main-d'œuvre — une main-d'œuvre docile et éduquée — aux industries qui en auraient besoin.

Y avait-il d'ailleurs, dans l'entourage du cardinal, des gens capables de nourrir une sympathie de principe envers ce que nous appellerions les « classes ouvrières » ?

On le croirait à lire le *Nouveau Cynée* d'Émile Crucé qui, en 1623, ne craint pas, après avoir fait, comme le feront le cardinal et ses collaborateurs, l'éloge du commerce (p. 42), d'écrira bravement :

Il y a d'autres métiers qui conviennent au menu peuple. *Non que pour cela ils soient méprisables* (1), car l'architecture, la teinture, l'orfèvrerie, l'horlogerie, l'ouvrage des soies, des toiles et autres arts que nous appelons mécaniques ne cèdent guères en invention ou subtilité aux arts libéraux, et en utilité les surpassent.

Mais la position de Crucé, notons-le, est toute spéciale, quasi-unique à en juger par ses diatribes contre les nobles et son apologie du vilain. Dans l'ensemble, les jurisconsultes restent partisans de l'équation : « mécaniques et viles personnes », et nous n'avons aucune raison d'imaginer que Richelieu ait pensé autrement. Nous avons vu d'ailleurs que les soulèvements populaires, qui nous rendent sceptiques sur les affirmations de Levasseur, mettaient en mouvement les compagnons comme les maîtres, et n'avaient pas le caractère de luttes de classes.

Il est cependant une série de documents qui nous laissent une idée assez sombre sur les relations entre donneurs et preneurs d'ouvrage, ce sont les procès relatifs aux compagnonnages. Nous avons publié pour la ville de Dijon (2) quelques-uns de ces documents datés de 1620 à 1640, et visant au moins deux métiers, les cordonniers et les menuisiers. Le compagnonnage y apparaît avec ses caractères distinctifs : la circulation des compagnons (Pierre Le Forézien, Pierre de Montauban, le Normand), la réception des arrivants par les compagnons déjà installés en ville, la tendance de ceux-ci à se réserver le monopole du placement des nouveaux venus, la lutte pour le maintien et le relèvement des salaires, les mises à l'amende de ceux, maîtres ou compagnons défaillants, qui tentent de se soustraire à cette

---

(1) C'est nous qui soulignons.
(2) *Nos Compagnonnages d'arts et métiers à Dijon*, à compléter (surtout pour la période antérieure) par Roupuel, *Ville et campagnes dijonnaises.*

discipline que nous devons bien appeler de classe ; l'activité
clandestine des compagnonnages et leur résistance aux poursuites
et arrestations, à toutes mesures de suppression, qu'elles soient
édictées par la municipalité, le bailliage ou même le Parlement,
« en sorte qu'ils font passer les maîtres à leur mot », les forcent
« à leur donner ce que bon leur semble, afin de les faire travailler
pour contenter les bourgeois » — c'est-à-dire qu'on essaie d'invo-
quer, pour ne pas céder aux réclamations de la main-d'œuvre,
l'intérêt du consommateur, c'est en invoquant ce principe que la
ville essaie d'imposer réglementairement le placement obligatoire
par le clerc du métier — c'est-à-dire par l'oligarchie patronale —
reconnue par elle. Mais, chose curieuse, quelques maîtres faussent
compagnie à leurs confrères et se plaignent que ce mode de
placement leur soit préjudiciable, parce qu'il les contraint à ne
recruter qu'un trop petit nombre d'ouvriers, nombre dont les
conditions nouvelles de l'industrie ne permet plus aux grosses
maisons de se contenter. Singulière protestation, qui tend à
ruiner tout l'édifice corporatif, et qui témoigne de tendances
nouvelles au capitalisme. Le Parlement, hostile par définition à
tout monopole et à toute tentative pour laisser constituer des
autorités en marge des corps judiciaires, se prononce contre tout
embauchage obligatoire, qu'il vienne des compagnons ou du corps
de métier, c'est-à-dire de la Ville.

Aucun document ne nous renseigne sur la position prise par
Richelieu en présence de ces querelles intestines. Mais, tout ce
que nous savons de son attitude générale, de sa conception des
droits et devoirs de l'État, nous permet de supposer qu'il approu-
vait les mesures prises contre l'activité compagnonnique : il
devait voir, dans le compagnonnage, une conspiration.

CHAPITRE VIII

COMMERCE INTÉRIEUR, CIRCULATION, FINANCES

I

On a dit souvent que Richelieu s'était désintéressé du commerce intérieur, qui est cependant la base essentielle et nécessaire de l'autre. C'est notamment l'opinion de Mariéjol (1). On fait état du gros effort réalisé et des grands projets ébauchés sous le précédent règne par le Conseil de Commerce, lorsqu'il avait fallu, pour effacer les traces dévastatrices des guerres religieuses, refaire les routes, reconstruire, pour ainsi dire, les rivières, lorsque Sully, sur ce point d'accord avec Laffémas, avait pris pour lui-même le titre et exercé les fonctions de grand voyer. On constate que cet office a été supprimé — comme presque toutes les trop grandes charges — en 1626, et que les travaux publics ont été réunis, en ferme, au Bureau des Trésoriers de France. On présente même comme de pures mesures fiscales (hélas ! toutes les mesures de ce temps tendaient à cette fin) les améliorations réelles du service des postes qui servent de plus en plus au public au lieu d'être réservées au Roi, l'organisation régulière du transport des voyageurs et des colis de moins de 50 livres (1630 et 1635), sous prétexte que le « général des postes » d'Alméras (d'ailleurs en charge depuis 1621) y recueille de gros revenus. Mais, tandis que les départs et arrivées n'avaient auparavant aucune fixité, ils deviennent réguliers, chaque semaine, entre Paris, Lyon, Bordeaux, Toulouse et Dijon ; des bureaux sont établis dans ces villes pour la réception et la distribution des lettres. En 1627, les taxes de transport, jusquelà laissées à l'arbitraire, sont fixées obligatoirement. Le surintendant essaya d'abolir les péages sur les rivières, comme on l'avait fait sur la Loire, ou du moins de réduire le nombre des

(1) *Op. cit.*, p. 413. Et Caillet, t. II, p. 14. Détail dans le t. IV du *Traité de la police* commencé par Delamarre t. IV, p. 552-627.

bureaux. Vains efforts ; mais écrire, comme Mariéjol encore, que
« l'incorporation du roulage et des messageries aux cinq grosses
fermes (mai 1635) a *peut-être* servi les intérêts du public », mais
que « le gouvernement avait moins en vue de favoriser la circulation que d'augmenter ses revenus », c'est s'exprimer d'une façon
singulièrement tendancieuse. Comment supposer que le même
homme qui rêvait de développer le commerce d'exportation des
produits et l'apport des matières étrangères, qui faisait entreprendre des travaux dans les havres et y créait des Compagnies,
n'eût pas songé que, pour fournir du fret à ses navires de commerce,
il fallait élargir l'arrière-pays de ses ports et faciliter la circulation
sur les routes qui y conduisaient ?

Pour les routes de terre, précisément le travail accompli sous
Henri IV avait amélioré la situation. La grosse préoccupation
que nous avons maintes fois déjà relevée sous la plume ou dans
la bouche du ministre ou de ses collaborateurs, en 1625, à l'Assemblée des Notables, dans l'ordonnance de 1629 et ailleurs, c'est
celle des jonctions fluviales entre les mers qui bordent la France,
afin de mettre notre commerce aussi bien que nos mouvements
stratégiques à l'abri du canon de nos ennemis et rivaux.

C'est en 1604 qu'avait été commencé, entre Loing et Loire,
le canal de Briare, mais il était resté interrompu. Il est bien vrai
que les premières tentatives conçues directement d'abord par
l'État, échouèrent devant les difficultés financières nées de la
guerre, et que le travail ne fut réellement entrepris qu'en 1638-39,
ce qui est tard, sous forme d'une concession à Guillaume Boute-
roue et Jacques Guyon, tous deux anciens receveurs de tailles
et payeurs de rentes des élections de Beaugency et Montargis.
Le canal était érigé en fief, avec anoblissement des deux entre-
preneurs « en considération du service qu'ils rendront au public,
faisant réussir un dessein si utile à notre bonne ville de Paris et
plusieurs provinces de ce royaume ». Caillet note que cette érection en fief, non seulement faisait aboutir un travail laissé en
panne depuis plus de trente ans, mais mettait le futur canal « à
l'abri de la juridiction plus ou moins tracassière des seigneurs
dont il traversait les terres ». Le résultat de cette décision, c'est
que le canal fut enfin achevé en 1642, avec quarante écluses.
C'était la première fois qu'on réalisait en France, et par des
Français, un canal à point de partage.

Mais ce n'est pas seulement par une jonction entre Seine et
Loire, entre le Havre et Nantes, que l'on parlait de joindre les
mers françaises (voir p. 50). Avant les États, en 1613, un Claude
Bernard, Bourguignon sans doute, qui dédiait son travail au président Jeannin, avait publié *La conjonction des mers ou Discours pour*

*la communication de l'Océan avec la Méditerranée par le moyen
d'un canal en Bourgogne*, par l'Ouche et l'Armançon ; « la mer
de Levant se rendrait facilement commerçable avec celle de
Ponant », projet d'ailleurs noyé dans le verbiage, et qui devait
attendre un siècle et demi. Mais l'idée qui était en l'air, idée
grandiose qui datait du xvie siècle, c'était celle de la jonction
entre Levant et Ponant par l'isthme languedocien. C'est bien,
cette fois, « à Mgr l'éminentissime cardinal, duc de Richelieu, pair
grand-maître, chef et surintendant de la navigation et commerce
de France » qu'était présenté, en 1633 (1), *L'avis... pour la
conjonction de la mer Océane avec la Méditerranée*, rédigé avec
compétence par un ingénieur Étienne Bichot, et un maître des
ouvrages royaux en Languedoc, Antoine Baudan. Cette fois il
s'agissait bien, comme le feront plus tard Riquet et Colbert, de
creuser un canal « de la rivière de Garonne à celle d'Aude », de
Toulouse à Narbonne, puis au port, qui serait amélioré, de la
Nouvelle, de façon à éviter le détroit de Gibraltar. En dehors
de ses avantages stratégiques dans la guerre dès lors imminente
avec l'Espagne, ce travail, que les auteurs offrent d'exécuter en
cinq ans, devra « tirer tout le négoce du Ponant et du Levant,
et, par ce moyen, ruiner celui d'Espagne ». Le 4 août, le Roi
ordonnait au premier président de Toulouse d'examiner sur
place, avec des experts, le projet dit cette fois du sieur Pierre
de Castres et du sieur de Baudon, et demandait un rapport
« pour la conjonction des mers du Levant et du Ponant, et par
lequel des deux ou trois endroits différents qu'on propose, il
serait le plus convenable ». S'agit-il de deux, ou même de trois
projets concurrents ?

Celui de Bichot et Baudan est repris la même année, et
semble même avoir été copié par un esprit confus et sans origi-
nalité, Charles Loysel, sieur de Periers, dans l'une de ses *Cinq
propositions au Roi et au cardinal de Richelieu, pour le rétablissement de la navigation et commerce, la jonction de la Garonne et
de l'Aude*, pour la communication des mers, etc., *1633* (2). Le
nom de Richelieu, mis en exergue à tous ces pamphlets, nous
renseigne sur l'importance qu'il attachait à ce Canal des Deux-
Mers, et il serait d'une critique un peu pharisienne de lui en
vouloir de n'avoir pas eu le temps de l'exécuter. Où aurait-il pu
trouver le loisir et les ressources nécessaires ? Les études faites
dès lors ne seront néanmoins pas perdues.

(1) Paris, in-4o, 14 p.
(2) Paru à Paris, 1636, in-4o, 116 p. Voy. André, *Sources*. Parmi les autres
projets figure celui, digne des *Fâcheux* de construire vingt-huit havres à Calais
à Port-Louis et d'autres jusqu'à Babylone.

II

A côté de l'équipement matériel de commerce intérieur, il y avait, pour ainsi dire, un outillage moral à créer ou à perfectionner. C'est pourquoi le cardinal s'intéressa ouvertement aux tentatives d'un de ses compatriotes poitevins, un huguenot cependant, Théophraste Renaudot. Né à Loudun, docteur en médecine de Montpellier, appelé à Paris dès 1612, il y avait dès lors établi un original « Bureau d'adresses », où il distribuait des affiches et des prix courants, centralisait les objets perdus, etc. Le samedi, le bureau pratiquait des ventes de tableaux, pierreries et autres objets de valeur, aidant ainsi des familles dans la gêne. Le lundi, on y donnait des conférences (suivant la tradition créée par Palissy) sur les sciences et arts, on y faisait des expériences. C'était enfin et surtout un bureau de placement de façon à favoriser cette lutte contre le vagabondage qui était l'une des obsessions du ministre. N'oubliant pas qu'il était médecin, Renaudot y ouvrait des consultations charitables, à la grande colère de ses confrères parisiens ; car ce trouble fête, fils de la Faculté rivale et détestée, donnait des consultations gratuites, et versait même aux clients indigents le prix des remèdes. Aussi, malgré un arrêt du Conseil de 1618, qui l'avait décoré du beau titre de Commissaire général des pauvres du royaume, médecins et apothicaires auraient fait cesser le scandale si la protection de Richelieu ne lui avait fait obtenir des lettres-patentes en septembre 1640.

Renaudot avait encore essayé d'organiser le crédit en faveur des petites gens. En 1626, il avait créé un Mont-de-Piété à la mode italienne ; après et malgré un premier échec, il reprit cette tentative en 1636 ; et, l'année suivante, un arrêt du 27 mars autorisait le bureau d'adresses « à faire achat, troc et vente de toutes choses licites, en attendant l'établissement des Monts-de-Piété ». Il s'agissait donc de substituer aux opérations interlopes des fripiers et aux procédés usuraires de ces marchands de crocodiles empaillés qu'immortalisera Molière, un magasin pour les gentilshommes et autres désirant servir aux armées et qui ont besoin de s'équiper à peu de frais. Le 1er avril, Renaudot reçut officiellement « la direction et intendance générale des Monts-de-Piété unie à celle du Bureau d'adresses, pour en jouir à perpétuité à commencer du jour que l'établissement desdits Monts-de-Piété aura été résolu par Sa Majesté et son Conseil ».

En fait, les résistances des tout puissants fripiers firent que l'arrêt promis ne vit jamais le jour. Mais, sans plus attendre, Renaudot avait joint à son Bureau un premier Mont-de-Piété,

qu'il annonça dans sa *Gazette*. Car cet esprit fertile avait — cela
tout le monde le sait — lancé un papier hebdomadaire, non
plus réservé comme les *Avvisi* et *Zeytungen* aux maisons de
banque, mais accessible aux lecteurs, et, de cette *Gazette*, Richelieu ne dédaignait pas de relire en personne les épreuves, quand
il n'allait pas jusqu'à y insérer des articles de sa plume, voire de
la plume de Sa Majesté. Instrument de propagande politique,
liée à des entreprises commerciales. Mais ce docteur de Montpellier qui, par surcroît — *horresco referens* — en tenait pour les
remèdes chimiques, avait suscité la haine, qui ne savait pas
pardonner, de la saluberrime Faculté de Paris. En 1642, ses ennemis profitèrent de ce que son protecteur agonisait à Tarascon pour
le faire condamner par le Châtelet. Et à peine le cardinal eut-il
rendu le dernier soupir, qu'on força Théophraste de fermer son
bureau de consultation, son bureau d'adresses, son Mont-de-Piété.

Incidents qui peuvent paraître secondaires, mais qui montrent
le prix que Richelieu attachait à rendre plus souples et moins
onéreux les rapports entre l'offre et la demande, la main-d'œuvre
et les donneurs d'ouvrage, les capitaux et les chercheurs de
crédit. Là encore, on retrouve le souvenir des pénibles années
de Loudun, demeurées si dures dans les souvenirs du jeune et
famélique gentilhomme d'Église. Sa fidélité au directeur de la
Gazette est un trait qui s'ajoute à sa physionomie économique,
à côté de sa fidélité à ses banquiers Tallement et Rambouillet.

III

La politique économique de Richelieu n'a cessé d'être dominée
— et viciée — par le problème financier.

« Je confesse — écrivait-il en 1635 à son nouveau surintendant — mon ignorance en matières de finances. » Rien n'est
plus vrai. Malgré tous ses efforts, son esprit de petit hobereau,
puis de prélat crotté se perdait devant ces questions de doit et
avoir et devant les mystères de la comptabilité. Au reste,
eût-il été un génie financier, songeons à la situation qu'il a
trouvée en arrivant aux affaires, et qu'il a constamment affrontée
depuis, ainsi qu'aux instruments dont, exception faite de ses
propres banquiers, il pouvait faire usage. Il n'a pas craint, en
ses *Mémoires*, de parler des « voleries des financiers ». Et, dans
l'un de ces petits pamphlets qu'il faisait, dès 1624, écrire par ses
partisans, il leur dictait ces avertissements au Roi : « Je soutiens,
Sire, que Beaumarchais et La Vieuville ont déjà volé plus de
600.000 écus à V. M. Je ne dis pas de millions, comme d'aucuns ;

je ne parle que de ce que je sais... » Voilà le point de départ de
l'histoire financière de son ministère (1). Et, dans une note rédigée
ou dictée par lui à cette même date : *Avis sur la recherche des
financiers*, il expose qu'il faut se hâter de réformer les finances,
« sinon les financiers voleront plus hardiment que jamais... Les
peuples, chargés à l'extrémité, estimeront être soulagés par la
saignée de telles gens » ; et il donne la liste de ces « gens ». Il
prend donc à son compte l'idée populaire, simpliste et quelque
peu naïve, qui sera celle de Colbert, de ses successeurs de l'ancien
régime et qui est restée celle de la bourgeoisie et des petites gens
de la France moderne, à savoir que, pour assainir les finances,
pour enrichir l'État sans écraser les contribuables, il est nécessaire
et suffisant de châtier et de faire disparaître les sangsues enrichies
du Trésor. L'action des Chambres de Justice — ces « Commissions
d'enquête » de la monarchie administrative — aura beau ne
pas donner grand chose, sinon de rendre plus difficile la recherche
des capitaux indispensables à l'État famélique et dépensier qui
se substitue définitivement à l'ancien État féodal, cet échec
n'éclairera pas l'évêque de Luçon. Il en restera aux vitupérations
d'une Louise de Savoie contre les « inextricables sacrificateurs
de nos finances ». Nous les retrouvons, peu s'en faut, dans le
discours aux Notables (2) :

> Il ne faudra plus courtiser des partisans pour avoir de bons
> avis d'eux, et mettre la main dans leurs bourses, bien que souvent
> elles ne soient pleines que des deniers du roi.

Il a cependant, malgré son incompétence avouée et ce que
nous pouvons appeler ses incompréhensions, fait un vigoureux
effort pour s'initier à ces secrets redoutables.

Nous trouvons dans ses papiers, par exemple, un *État de tout
ce qui se lève en France, de ce qui reste à l'Épargne et comme le
tout se consomme* (3), soit, dit Pagès, « un certain nombre de
mémoires intéressants rédigés certainement pour lui, dont un
*État auquel étaient les finances quand Monsieur d'Effiat entra en
charge*, un *État des finances donné par Monsieur d'Effiat quand il
pensait mourir*, enfin, émanant du même fidèle surintendant, l'un
de ses plus dévoués serviteurs, un *Mémoire de Monsieur le maréchal d'Effiat pour l'administration des finances* ». Nous ne connais-

---

(1) Le vicomte d'Avenel a raison d'écrire (t. II, p. 181) : « un admirable
ministre des Affaires étrangères, un habile ministre de la Guerre, et un ministre
des Finances tout à fait nul ».
(2) Aff. étr., 59, f° 62.
(3) *Vénalité*, *art. cit.*, p. 262.

sons que par une analyse de bouquiniste (1) un *Estat des affaires des Finances*, « gros manuscrit de 340 pages in-folio, manuscrit original dû à un auteur inconnu, évidemment commandé par le cardinal ». La préface ne laisse aucun doute à cet égard :

> Comme le principal but de Son Eminence a été de remettre le Royaume dans sa splendeur, faire régner le Roi heureusement et paisiblement avec l'autorité convenable à S. M. et décharger son peuple de la plus grande partie du faix qu'il porte, il a eu souvent des larmes aux yeux et une douleur extraordinaire au cœur de voir, au lieu de soulagement, quantité d'édits d'impositions et autres levées extraordinaires que la nécessité du temps, à cause de la guerre, extorque de Son Eminence contre son intention. Et désirant en même temps qu'il aura plu à Dieu donner la paix à la chrétienté en continuant son dessein d'établir un bon ordre en toutes les affaires du Royaume et principalement à celles des finances, d'où se peut ensuivre la décharge du peuple, Son Eminence a voulu avoir une connaissance parfaite de toutes les impositions, levées, fermes, domaines, revenus, subsides, dont les deniers reviennent ès recettes générales et particulières de S. M. et desdites recettes en son épargne... (2).

Ces idées, ce désir d'avoir « une connaissance exacte de toutes les impositions » et de ce qui en arrive jusqu'à l'épargne, cette balance entre la « décharge du peuple » et les recettes du Roi, jusqu'à ces « larmes » — des larmes de Richelieu, qui l'eût cru ? — versées sur la misère de ce peuple, tout cela, que la phrase sur la paix espérée pour toute la chrétienté permet de dater de 1639 au plus tôt, — tout cela et aussi les mémoires ci-dessus empruntés à Georges Pagès, se retrouvent, parfois avec des expressions semblables, dans l'extraordinaire section VIII du chapitre IX du *Testament*, pages si peu connues, qui mériteraient une étude et une discussion approfondies, et dont l'intitulé seul est une révélation de la place que ces questions tenaient dans la pensée de l'auteur :

> Qui fait voir que l'or et l'argent sont une des principales et plus nécessaires puissances de l'Etat ; met en avant de rendre puissant ce royaume en ce genre ; fait voir quel est son revenu présent, et quel il peut être à l'avenir, en déchargeant le Peuple des trois quarts du faix qui l'accable maintenant,

---

(1) Un catalogue de livres d'occasion, sous la rubrique *Manuscrit sur les Finances de France du XVII⁰ siècle*, avec cette indication : « A ce ms se trouvent jointes quatre intéressantes et longues lettres autographes non signées d'un Président de la Chambre des comptes ; elles portent le paraphe D. D. G. et chacune porte en tête : Pas de port, contresigné Necker », ce qui fait croire que le ms avait été confié par le contrôleur (ou le directeur) des Finances à l'auteur des lettres. Qu'est devenu ce manuscrit, coté 1.200 francs ?

(2) Nous avons corrigé de notre mieux (orthographe, ponctuation, etc.) le texte évidemment fautif du catalogue.

vaste plan de réforme, touffu, confus, plein de données parfois
contradictoires, de chiffres pris à toutes sources et pas toujours
bien accordés, ébullitions d'idées où puisera et que clarifiera
l'esprit méthodique de Colbert, mais qu'anime le souffle du bien
public et que domine cette pensée « que les finances sont les
nerfs de l'État » et qu' « un prince nécessiteux ne saurait entreprendre une action glorieuse » et « ne saurait être en cet état sans
être exposé à l'effort de ses ennemis et aux envieux de sa grandeur ». Le lien est magnifiquement établi entre les conditions
matérielles de la puissance et la haute politique. L'or, pour ce
cardinal homme d'épée, commande le fer, et là se trouve, d'aventure, le secret de sa politique économique elle-même. Avec un
dur réalisme digne d'un Machiavel ou d'un Guichardin, cet
homme d'Église ne craint pas d'écrire :

> L'or et l'argent sont les tyrans du monde, et bien que leur
> emprise soit de soi-même injuste, il est quelquefois si raisonnable,
> qu'il faut en souffrir la domination...

Il veut se tenir à égale distance des « pédants » — pédants de
générosité facile, pateline et ruineuse, « mais ennemis de l'État »,
qui soutiennent « qu'un prince ne doit rien retirer de ses sujets,
et que ses seuls trésors doivent être dans les cœurs de ceux qui
sont soumis à sa domination », et des « flatteurs, vraies pestes
de l'État et de la Cour », qui osent « souffler aux oreilles des
princes qu'ils peuvent exiger ce que bon leur semble, et qu'en
ce point leur volonté est la règle de leur pouvoir ». Contre cette
doctrine tentante d'absolutisme financier, il reste fidèle à ses
déclarations antérieures que « s'il ne faut pas exiger moins que la
nécessité de l'État le requiert », il ne faut point davantage
« excéder la portée de ceux qui donnent », mais respecter « la
proportion entre ce que le prince tire de ses sujets et ce qu'ils
lui peuvent donner, non seulement sans leur ruine, mais sans
une notable incommodité ». Beau programme en vérité, *pia vota*,
mais combien éloigné de la pratique ! Car « il n'y a peu de difficulté à trouver certainement le point d'une juste proportion ».
Il dit ailleurs une proportion géométrique.

Encore une fois, ne commettons pas la sottise de transformer
Richelieu en un démocrate et un philanthrope. N'oublions pas
la fameuse phrase : « Si les peuples étaient trop à leur aise... »
Mais il pense que, « les dépenses absolument nécessaires pour la
subsistance de l'État étant assurées, le moins qu'on peut lever
sur le peuple est le meilleur ».

Il importe donc de supprimer d'abord toute dépense inutile, non absolument nécessaire, car « la France serait trop riche, et le peuple trop abondant, si elle ne souffrait point la dissipation des deniers publics, que les autres États dépensent avec règle », par exemple la sage République de Venise, dont l'ambassadeur a vanté à Richelieu les rigoureuses méthodes financières. Pour brider « l'appétit, la convoitise » des pilleurs du Trésor, il est savoureux d'entendre le cardinal s'emporter contre l'un des moyens essentiels par quoi les Gouvernements assuraient leurs dépenses secrètes, à savoir les « comptants », — « Millions inutiles, profusions cachées ». — Même en matière de politique étrangère, ce ministre qui sut faire un emploi si magistral des subsides à ses alliés néerlandais, danois, suédois, allemands, demande l'abolition de ce que nous appellerions les « fonds secrets ». Et si, comme naguère Henri IV, il n'a pu les supprimer totalement à cause des guerres et révoltes, il voudrait les réduire à un million d'écus d'or par an, et à condition que ces « comptants » soient signés par le Roi lui-même et que les bénéficiaires en fournissent quittance.

Après ce hors-d'œuvre sur ce qu'il ne faut pas faire, vient l'exposé de la grande réforme.

Il y a deux parties à considérer dans ce long chapitre sur les finances. D'abord les principes d'une saine politique financière — non pas, tant s'en faut, celle que Richelieu a suivie — mais celle qu'il concevait. C'est une politique des bas prix, grâce à des impôts modérés. Nous avons dit, chemin faisant, qu'il avait réfléchi profondément à l'incidence de l'impôt sur la vie et l'activité des diverses classes sociales. Les répercussions sont étudiées ici pour elles-mêmes, et d'abord en ce qui regarde la classe d'où lui-même était issu. Il sait que « le pauvre gentil-homme » a été la principale victime de la révolution économique, le hobereau « dont le bien ne consiste qu'en fonds de terre », qui ne trouvera pas dans la hausse des denrées une compensation à l'enchérissement de « toutes choses nécessaires à l'entretène-ment de la famille ». Il pourra, tout juste, la « faire subsister sans sortir de chez lui, quoique avec nécessité, mais non plus envoyer ses enfants dans les armées pour y servir son Roi et son pays ».

La hausse des prix provoquée par celle de l'impôt diminuant la consommation, car « si le prix [des marchandises] en est exces-sif, on s'en retranche même les plus nécessaires » et restreignant, on l'a vu, l'exportation, aura pour suite le chômage : « réduire un grand nombre de sujets du Roi à la fainéantise », car « la plus grande partie du pauvre peuple et des artisans employés aux manufactures « aimeront mieux demeurer oisifs et les bras croisés que de « consommer toute leur vie en un travail ingrat et inutile », ne recevant plus le prix « de la sueur de leur corps ».

Après cette analyse de la matière imposable, il reste à répondre à ces deux questions capitales :

Quel peut être le revenu de ce royaume ?
Quelle peut être sa dépense ?

C'est-à-dire dresser ce que Colbert baptisera « l'état au vrai », ce que nous appelons un budget.

Hélas ! le malheureux cardinal s'épuise en efforts pour y voir clair, et nous ne pouvons davantage nous reconnaître au milieu de ces chiffres fragmentaires et de diverses origines. Pour 1627, ses informateurs (ceux qui ont fourni les mémoires utilisés par Georges Pagès) évaluaient l'ensemble des revenus de l'État à 38.787.141 livres (dont 22.321.443 dépensées sur place, ce qui ne laissait venir à l'Épargne que 16.465.697). Dans le *Testament,* où il avoue, pour dresser les tableaux de recettes, avoir fait état de deux évaluations successives, non refondues, il admet que l'Épargne peut recevoir 35 millions... à moins que ce ne soit 50 ! Comment s'y reconnaître ? On se perd dans ces calculs qui comprennent « sur le premier pied » le chiffre de 35 millions — évaluation pour le temps de paix et sans notable augmentation. Les 17.350.000 livres des tailles, les 5.250.000 des gabelles, le million 400.000 livres des aides, le million qui proviendra de la réduction des rentes au denier 16, la réduction des gages des trésoriers de France, soit 550.000 livres, les 2 millions des parties casuelles, les revenus de la ferme de Bordeaux, des 3 livres par muid de vin entrant dans Paris, ferme de Brouage, traite foraine de Languedoc, les 2.400.000 livres des cinq grosses fermes, etc., donnant le plus gros chiffre.

On s'imagine la peine du cardinal penché sur ces états, comparant ces chiffres à ceux du « second pied »... La grande réforme est un allégement massif, inespéré : « en allégeant entièrement le peuple de 17 millions de livres », c'est-à-dire de l'impôt détesté de la taille. Quelle révolution, si elle avait été possible ! L'une des grosses compensations, c'est la substitution au régime encore plus détesté des gabelles d'un impôt sur le sel « en toutes les parties du royaume », montant, « tous frais faits », à 20 millions. « Entre les divers surintendants des Finances qui ont été de mon temps, déclare leur maître, j'en ai vu des plus entendus en ce qui est du fisc, qui égalaient le seul impôt du sel sur les marais (1) aux Indes du roi d'Espagne, et qui conser-

_____
(1) C'est-à-dire les marais de Bretagne, Poitou, Saintonge et les salins du Languedoc et de la Provence, à l'exclusion des salines.

vaient ce secret comme le vrai fondement du soulagement du peuple, de la réformation et de l'opulence de l'État. » — On se demande pourquoi d'Effiat et autres n'ont pas tiré parti de ce « secret » pour réaliser la « réformation » et faire régner « l'opulence ». Car ils devaient imaginer « le contentement qu'aurait le peuple, s'il lui était permis d'acheter du sel comme du blé, chacun n'en prenant qu'autant qu'il en voudrait et pourrait consommer », — sans parler du « soulagement indicible » que causerait la disparition des officiers des gabelles, et « la délivrance des chicaneurs ». (Cf. p. 146.)

Autre recette nouvelle, destinée à remplir le vide creusé dans le Trésor : le « sol pour livre de toutes les marchandises et denrées du royaume, 12 millions », impôt « établi en divers États », projeté sous François Iᵉʳ, réclamé par les notables de Rouen sous Henri IV.

Conséquence de ces nouveaux aménagements : la suppression des tailles augmentera « le revenu des héritages », ce qui sera aussi avantage aux « ecclésiastiques, nobles et autres exempts qu'aux taillables, eux-mêmes », bref une vraie mobilisation de la richesse foncière.

Richelieu supprimait la taille (1) ! On croirait rêver — s'il ne s'agissait d'un rêve.

Côté dépenses, maintenant. Il faut distinguer d'abord les années de guerre et les années de paix. C'est là la pierre d'achoppement. Même en temps normal, « les dépenses de la guerre », le minimum exigé pour « la sûreté et la grandeur de l'État », ne sauraient être moindres de 12 millions, plus 2 millions pour « la dépense de la mer du Ponant et de Levant », l'artillerie (600.000 livres), les pensions des Suisses (400.000), les fortifications (600.000), les ambassadeurs, si mal payés pourtant, nous le savons (250.000). Si, du moins, l'on pouvait « retrancher entièrement les pensions » des grands ? Ci = 4 millions... Mais l'expérience a démontré « qu'on n'est pas accoutumé en France à résister aux importunités lors même qu'elles sont les plus injustes », et qu'un Gouvernement prudent ne saurait « passer d'une extrémité à l'autre sans milieu », il faudra s'estimer heureux si on les réduit de moitié. Ci = 2 millions, et en ne les concédant que pour récompenser « les périls de la guerre » et non plus « l'oisiveté de la Cour ».

Total : 25 millions de dépenses, contre une recette de 35 (donc en attendant la réalisation du chiffre mirifique de 50 de recettes),

_____

(1) Rien de tout cela n'est étudié de près dans le livre du vicomte d'Avenel, t. II, p. 200 et suiv.

soit un disponible de 10 millions, qui seront dès la première année employés à la diminution des tailles, but suprême : car « le vrai moyen d'enrichir l'État est de soulager le peuple... et non autrement ». — Bref : une Salente, mais à condition qu'il n'y ait pas de guerre !

Comment d'ailleurs mettre d'accord d'autres chiffres cités dans le même chapitre, qui n'a pas été soumis à une révision ? Après avoir parlé d'un revenu de 35, puis de 50 millions, le texte nous révèle « que toutes les levées qui se font en ce royaume reviennent à près de 80 millions » en y comprenant 45 en charges, dont on élaborerait la suppression, rentes, offices, etc.

Par ailleurs, une note infrapaginale évalue non plus à 17 millions le total de la taille, mais, calcul plus compliqué, parle de 34 millions, à quoi reviennent toutes les diverses natures de levées qui se tirent du peuple, en vertu du brevet de la Taille, en spécifiant s'il y en a 26 millions, qui s'emploient en paiement des charges constituées sur la Taille, rentes, gages, droits, etc. Pour le sel, on évalue à 19 millions le montant des gabelles, dont 5 seulement reviennent à l'Épargne, toujours à cause des charges créées sur ces gabelles. Il s'agit donc de prouver que l'État ne reçoit effectivement qu'une part des sommes énormes payées par les contribuables.

Enfin, troisième évaluation, on annonce que les réformes envisagées déchargeraient le peuple non plus de 17, mais de 22 millions de tailles, « qui est maintenant la moitié de ce qu'il porte ». Le royaume entier pourrait « être soulagé en sept années de trente millions des charges ordinaires qu'il porte maintenant ». Serait-il possible, par une étude spéciale et approfondie et en recourant aux Archives de la Chambre des Comptes et des trésoriers, de se reconnaître au milieu de cette fantasmagorie de chiffres mouvants ? Richelieu s'y reconnaissait-il lui-même ? Il semble que non. L'hypothèse la moins invraisemblable, c'est que, dans les dossiers qui devaient servir à l'élaboration de cette section VII, il a fait verser des documents émanant de diverses sources, et que la mort l'a surpris avant que lui-même ou les rédacteurs du *Testament* aient pu procéder, par une collation comparative et une fusion de ces divers renseignements, à l'établissement d'un texte définitif et cohérent. Telle qu'elle est, cette section n'est qu'un témoignage de l'intérêt passionné avec lequel il examinait le problème, une preuve évidente de son « ignorance » qu'il avouait en cette matière, de son impuissance à sortir des difficultés qui assaillaient la monarchie administrative, enfin du hiatus que sa politique creusait chaque jour plus profond entre le chiffre des « charges ordinaires » — celles du

temps de paix extérieure et intérieure — et celui des charges
réelles, constamment croissantes avec les guerres, les alliances
coûteuses, les révoltes, les soumissions aussi coûteuses que les
séditions, la persistance et l'extension des abus indispensables
au maintien de l'ordre public.

Sur tous ces points, nous voyons les beaux programmes
financiers de Richelieu s'effriter et s'écrouler.

Dans la réalité des comptes, il apparaît que la taille seule,
d'une quarantaine de millions en 1627, avait passé à 80 en 1639,
à 118 en 1641. *Quo non ascendet* ?

Quel aveu d'impuissance que les quatre pages du *Testament*
(section IV du chapitre IV, p. 194-198) intitulées *Des Officiers
de Finances*, débutant par cette phrase découragée : « Les
financiers et partisans sont une classe séparée, préjudiciable à
l'État, mais pourtant nécessaire. » On sait qu'il n'est pas de gens
qu'il déteste davantage (1) et dont il dénonce plus fort les
« voleries ». Il déclare « absolument nécessaire de remédier aux
dérèglements des financiers, autrement ils causeraient enfin la
ruine du Royaume qui change tellement de face par leurs voleries » — encore ce mot terrible, — « que si on n'en arrêtait le
cours, dans peu de temps il ne serait plus reconnaissable ».
Absolument nécessaire... Et cependant, « ce genre d'officiers est
un mal dont on ne saurait se passer », et tout ce que l'on peut
espérer, c'est de la « réduire à des termes supportables ». Après
avoir « bien pensé à tous remèdes des maux dont ils sont cause »,
— sans parler de l'abâtardissement des familles nobles dont ils
redorent le blason, — il ne vise qu'à réduire leur nombre et réserver
« par commission, aux occasions importantes », les emplois qui
sont trop souvent donnés à « des personnes qui, étant pourvues
en titres », — ces titres de Noblesse acquis à prix d'or — « peuvent
en avoir un suffisant pour voler impunément ». Et c'est tout, au
moins jusqu'au jour où « une profonde paix » — toujours la
même question — permettra « de supprimer beaucoup d'officiers
de cette nature ». En attendant, va-t-on se borner à les laisser
s'emplir comme les sangsues et les éponges, à qui l'on fait exprimer le suc et le sang ? Les traités que l'on fait avec eux sont
« un remède pire que le mal », c'est « leur donner un titre pour
voler de nouveau ». Il faudrait ne conserver que le trésorier de
l'Épargne, un receveur général, deux ou trois trésoriers de France
par généralité, et autant d'élus aux élections « dont on ne saurait
se passer »... Hélas ! Richelieu continuera, toute sa vie, à se
servir d'eux ; à conclure des « traités et compositions » avec les

(1) Voy. sur les traitants d'Avenel, t. I, p. 98-112. *Vide supra*, p. 171.

financiers, essayant seulement de les terroriser par les poursuites et les menaces de poursuites, encore que l'expérience lui ait enseigné qu' « il n'est point de croix ni de supplices assez grands pour empêcher que beaucoup d'officiers de ce genre ne s'approprient une partie de ce qui leur passera par les mains ».

Hélas ! l'auteur même de ces farouches vitupérations dut souvent chanter la palinodie. Une déclaration royale du 9 avril 1635 — au moment où commence la guerre ouverte contre Olivarès — fait l'éloge des traitants et les remercie : Nous avons été « secourus de nosdits fermiers ». Ils vont « nous offrir de très grands secours en la pressante nécessité de nos affaires et d'y employer leur crédit dont nous recevons très grande satisfaction ». La monarchie est obligée de s'humilier devant les puissances d'argent.

Quant à l'imposition du sol par livre, mal comprise des contribuables, elle aboutit à un échec à peu près complet. Elle est seulement créatrice de nouveaux offices détestés, et génératrice de nouvelles révoltes. Au reste, Richelieu lui-même, sur la fin de sa vie (1), paraît avoir renoncé à ce système qui lui paraissait le plus « juste », mais

parce que les soupçons sont si naturels aux peuples et aux communautés qu'ils établissent d'ordinaire leur principale sûreté en leur méfiance, qui les porte toujours à craindre que ce qui leur est le plus utile leur soit désavantageux, et que les grands changements sont quasi toujours sujets à des branlements fort périlleux, au lieu de conseiller un tel établissement, j'ose en détourner, et le fais d'autant plus hardiment que telles nouveautés ne doivent jamais être entreprises, si elles ne sont absolument nécessaires.

Que de déceptions de réformateur incompris dans ce rappel de la résistance des « communautés », villes et corps de métiers !

Autre aveu d'impuissance en ce qui touche un abus dont nous savons que le marquis de Chillou et l'orateur de 1614 l'avaient tant à cœur (section I du même chapitre, p. 169 et suiv.), la vénalité et l'hérédité. Là, comme sur la question du commerce du Levant, celui que nous considérons comme un tout puissant ministre n'hésite pas à confesser ses variations et, en outre, sa faiblesse devant les puissances conservatrices. Il faut des remèdes à ces désordres (2). « Au jugement de la plus grande partie du monde, le plus souverain consiste à supprimer la vénalité, à éteindre l'hérédité des offices, et à les donner gratuitement à des personnes d'une capacité et d'une probité qui les mettent au-dessus de l'envie » ! seule réforme « conforme à la raison et à toutes les

_____

(1) *Testament*, t. II, p. 168.
(2) Voy. plus haut, p. 64-68, pour l'aspect social du problème.

constitutions du droit », qu'il voudrait « souhaiter de tout son
cœur ». Il ne lui paraît pas douteux qu' « au nouvel établissement
d'une république, on ne saurait sans crime » — le mot est fort —
« n'en bannir pas la vénalité ». Mais la France est une « vieille
monarchie » et voilà pourquoi cette réforme « n'est pas chose qui
se puisse faire en ce temps », dans un royaume où « les imper-
fections ont passé en habitude et dont le désordre fait (non sans
utilité) partie des ordres de l'État ». Quelle conclusion opportuniste, où la « prudence », la « raison d'État » obligent à tolérer
l'intolérable ! Le palliatif, dû à Henri IV, du droit annuel est le
seul remède que l'on puisse d'ici longtemps envisager. Encore le
feu Roi avait-il excepté de ce droit ses plus hautes charges, mais
il est impossible maintenant de le révoquer sans ébranler l'institution judiciaire. Donc, le ministre renonce à la popularité
— « l'inclination du peuple » — qu'il pourrait acquérir par la
suppression ; il renonce même à combattre l'usage des épices,
mal si invétéré que ce serait s'exposer à la risée du monde. Il
laisse tous ces changements « à ceux qui viendront en un autre
siècle ». — Ce qu'il ajoute à peine, et comme en passant, c'est que
ces beaux changements rendraient « les parties casuelles presque
du tout infructueuses ». Or, elles rapportent deux millions.
« Modérer le prix des offices », tel est le maximum de ce qu'espère
le réformateur.

Où en sont ses belles déclarations à l'Assemblée des Notables ?
« Quand vous ne feriez autre chose que donner avis au roi de
l'ordre qu'il fait apporter au grand nombre d'exempts et de
privilégiés dont la décharge est la charge du peuple, vous ne
feriez pas peu. » Que de chemin parcouru, à rebours, de 1627
à 1639 ! Il sait maintenant qu'on ne pouvait obtenir des privilégiés eux-mêmes « un moyen si sûr et si effectif pour le régale-
ment des tailles que les pauvres qui en portent la plus grande
charge, soient soulagés ». Ce n'est pas dans la situation désespérée
où il se trouvait quand il dictait le *Testament* qu'il pouvait songer
à une réforme profonde. Obligé de parer au plus pressé, il n'a
d'autre ressource que de vendre des charges, même ces charges
de judicature dont la vénalité avait indigné sa jeunesse, et de
lever des impôts indirects. Vendre des offices, c'est à savoir
manger en herbe le blé de l'État, en réduisant le nombre des
contribuables. Augmenter les taxes, c'est-à-dire réduire la
consommation et, par suite, la puissance contributive des
sujets.

Aussi lamentable est l'histoire, dont nous avons signalé les
méfaits au point de vue industriel, de la création et multiplication des offices sur les métiers. Tous les beaux plans de

réorganisation financière croulent devant les exigences du Trésor.
Le 10 octobre 1641, après les émeutes contre le sol pour livre, le
cardinal écrivait au Roi : « Si MM. du Conseil continuent à laisser
la liberté aux fermiers et traitants, de traiter les sujets du Roi
selon leur appétit déréglé, certainement il arrivera quelques
désordres à la France pareils à ceux d'Espagne. » — Allusions
trop claires aux révolutions qui venaient de séparer la Catalogne
de la Castille, le Portugal de l'Espagne.

Mais le *Cardinale pochi danari* est prisonnier des « fermiers
et traitants » (1), anciens et nouveaux. Ne le voyons-nous pas
recourir à un Lopez, un marrane reçu à Paris, à un moment où
il était encore accueilli chez Olivarès (2). C'est ce personnage qui
aide le cardinal à construire sa ville de Richelieu, et nous le
voyons s'enrichir en créant une vente à la criée dans son hôtel
des Petits-Champs. Il vend de l'orfèvrerie, et prête de l'argent
au Roi. Cet argent suspect est la preuve qu'il fallait recourir à
des expédients.

M. Charléty (1) a montré qu'il avait traité Lyon comme un
réservoir d'argent : « la ville de Lyon, écrivaient les consuls
dès 1627, est sujette à avoir continuellement la main à la bourse
pour une même chose qui ne finira jamais ». Et effectivement,
cela ne finit jamais. L'augmentation des droits de douane ruine
les manufactures, menace de tuer les foires déjà éprouvées,
affame le peuple... Cela malgré les protestations de l'archevêque,
lequel n'est pourtant autre que le propre frère du ministre, le
cardinal Alphonse. Et les émeutes ouvrières d'éclater à maintes
reprises...

Résumons-nous : dès 1626, les revenus de l'État étaient
mangés d'avance. Or, depuis le traité de Monçon, la France est
constamment en état de guerre, couverte d'abord, ouverte
ensuite : jusqu'en 1635, elle fait la guerre avec l'argent qu'elle
distribue à ses alliés, de La Haye, de Copenhague, de Stockholm,
de Pologne, et aussi à ses amis, de Munich ou d'ailleurs ; après
1635, elle la fait avec ses armées, en continuant à verser des
subsides aux Suédois, à Saxe-Weimar, à soudoyer les révoltes
contre l'Espagne, et elle a ses régions dévastées, Picardie, Cham-
pagne, Valois même, et une part de l'Ile-de-France. Le gouffre
se creuse...

Ajoutons que Richelieu s'est trouvé aux prises avec une crise

---

(1) *Lyon sous le ministère de Richelieu*, deux articles de la *Revue d'histoire
moderne*, t. III.
(2) Henri Barande, *Lopez, agent financier de Richelieu*, récit quelque peu
romancé, éd. de la *Revue mondiale*, 1933, in-16 ; voir *Annales d'histoire économique*, mars 1934, p. 193. Lopez meurt en 1649.

métallique (1). Le rapport de l'or à l'argent était plus élevé chez nos voisins que chez nous, ce qui amenait le drainage de notre or, vers l'Espagne surtout, vers l'Angleterre, même vers l'Allemagne. Ce rapport en France était de 12,8 à 11, en Espagne de 13 1/2, en Angleterre de 13 9/40, et de 12 1/16 en Allemagne.

La question préoccupait les gens des finances. Sous la date du 7 juillet 1627, nous trouvons aux Archives des Affaires étrangères (2) un mémoire signé Marillac, d'Effiat, Duret :

sur les difficultés et différences qui se trouvent à présent, au cours et exposition des espèces d'or qu'il convient recevoir et recouvrer pour subvenir aux affaires du Roi et dépense de son Etat. Le Roi en son Conseil, après avoir été bien informé du cours que les pièces d'or ont parmi le peuple, les marchands et commerce ordinaire, attendant que par un bon règlement lesdites espèces soient réduites et remises au cours porté par les ordonnances, a ordonné et ordonne au Trésorier de son Epargne, M. Paul Ardier, sieur de Beauregard, de recevoir et faire recevoir lesdites espèces d'or en la ville de Paris selon le cours qu'elles y ont, et de les exposer à la suite de S. M. à raison de sept livres huit sols la pistole d'Espagne (3), le quatruple *(sic)* et les simples à l'équipollent, et l'écu sol à soixante-dix-huit sols qui est le cours que lesdites espèces sont à présent, lesquelles S. M. lui permet exposer et bailler au même prix à ceux qui auront à prendre et recevoir argent de ses mains, soient comptables ou autres, nonobstant les ordonnances et règlements faites *(sic)* sur le fait des monnaies de la rigueur desquelles *(sic)* S. M. a déchargé et décharge le Trésorier de l'Epargne et tous autres qu'il appartiendra, sans que ladite Majesté soit tenue de remplacer aucune taxe.

Donc freiner la hausse de l'or que l'on impute à la circulation sur le marché des monnaies étrangères, de fort aloi, et qui devait se payer cher en dehors du marché officiel.

Il est difficile, tant que manquent sur ce point des études spéciales, de mesurer l'action de ce facteur monétaire sur notre commerce extérieur. Il semble bien qu'elle ait été défavorable et qu'elle ait persisté à travers tout le XVIIe siècle, car l'or jouait déjà son rôle dans les règlements internationaux ; c'est pour remédier à cette situation que la royauté ordonna, d'avril 1640 à novembre 1641, une refonte générale du système monétaire. Les nouvelles monnaies, qui devaient conserver leur valeur jusqu'à la régence de Philippe d'Orléans et leur nom jusqu'à la Révolution, furent le louis d'or à 22 karats (916 : 1.000 au lieu de 958) à

(1) Levasseur, *ouvr. cit.*, t. II, p. 256. Les chiffres de 12,80 à 14,76 sont dus au vicomte d'Avenel, t. II, p. 389.
(2) France, 98 A, 67.
(3) Biffé : « sept livres quatre sols la pistole d'Italie ».

36 1/4 au marc, valant en monnaie de compte 10 livres tournois
(soit en poids de fin 21 fr. 08 du système de germinal an XI
à 1914), et le louis d'argent, ou écu blanc, de 11 deniers 11 grains,
c'est-à-dire 11/23 de fin, valant 3 livres monnaie de compte
(valeur de l'écu depuis Henri IV), c'est-à-dire 5,55 de nos francs
de 1914 (1). La hausse de l'or par rapport à l'argent, qu'on avait,
dit le vicomte d'Avenel, essayé de freiner par des « tâtonne-
ments infructueux », était passée en 1640 à 14,76.

Il faut savoir gré à Richelieu, au milieu des soucis de ses
dernières années, d'avoir essayé de lutter contre la fuite de l'or,
d'arrêter ou, tout au moins, de ralentir la dépréciation de la
livre de compte. Il serait assurément excessif de comparer la
création du louis d'or à la stabilisation dizabéthaine de la livre
sterling, mais là encore Richelieu évoque le souvenir de lord Burghley. Déplorable financier, il n'en a pas moins eu, même en
cette matière, des idées d'avenir. Il n'avait pas craint de faire
sortir de prison un condamné pour fausse monnaie, habile dans
son art, et de le charger de donner à la nouvelle pièce d'or le
sacre de la solide beauté

(1) Chiffres de Levasseur, qui proviennent de Natalis de Wailly. Les tables
de Henri Sée (voy. nos *Recherches et documents sur l'histoire des prix*, p. 20-24)
donnent, en francs 1928, le chiffre de 10 fr. 05 pour la livre en 1640, de 9,80
pour 1641. Raveau, pour le Poitou, trouve vers 1640 le chiffre de 11,50.

CONCLUSION

Pouvons-nous considérer notre enquête comme terminée ? Outre que nulle question, en histoire, n'est jamais épuisée, il apparaît avec évidence que, dans les sources de ce sujet, nous n'avons pu pratiquer que des sondages. Ceux que nous avons opérés dans les papiers conservés au Quai d'Orsay montrent que cette masse de documents devrait être reprise volume par volume, pays par pays, ce que les circonstances ne nous ont pas permis. Angleterre, Provinces-Unies, pays scandinaves, Pologne, États italiens réserveraient sans doute des surprises, sans parler de ce que pourraient nous révéler, en contre-partie, les Archives des pays étrangers eux-mêmes. Les quelques documents que nous avons extraits des Archives des Parlements, de celles des grandes villes de commerce et des États provinciaux, ceux que nos prédécesseurs avaient mis au jour, ne sont que des exemples, des échantillons de ce que des chercheurs plus diligents pourront trouver encore. La liste des découvertes n'est pas close.

I

Il paraît cependant, si importantes qu'elles puissent s'avérer, qu'elles n'altéreront pas les traits essentiels du dessin que nous avons essayé de tracer. Une vieille formule scolaire, banale et simpliste comme toutes les idées générales, et qui semblait déjà ridicule et triviale au temps de notre jeunesse, disait : « Richelieu avait trois buts... », résumant assez exactement cette phrase du *Testament* (t. II, p. 155, ch. IX, section VII) : « Ruiner le parti huguenot, ravaler l'orgueil des grands, soutenir une grande guerre contre des ennemis puissants, pour assurer enfin par une bonne paix le repos pour l'avenir. » Il conviendrait de modifier et d'élargir cette formule et de dire : « Richelieu avait quatre buts », le quatrième étant — c'est encore le *Testament* qui parle — de « mettre l'État en opulence » (p. 169), car « la seule France (p. 134), pour être trop abondante en elle-même, a jusques à présent négligé le commerce, bien qu'elle le puisse faire (1) aussi commodément que ses voisins, et se priver par ce moyen de l'assistance qu'ils ne lui donnent en cette occasion qu'à ses propres dépens ». Avoir devant les yeux l'exemple des Hollandais « qui, à proprement parler, ne sont qu'une poignée de gars réduits à un coin de la Terre où il n'y a que des eaux et des prairies », nation qui « ne retire de son pays que du beurre et du fromage », et pourtant fournit presque à toutes les nations de l'Europe la plus grande part de ce qui leur est nécessaire (*ibid.*, p. 133) » ; l'exemple aussi de l'Angleterre, de Gênes, sont *(sic)* « une preuve de l'utilité du commerce, qui ne reçoit point de contestation », car « c'est un dire commun, mais véritable qu'ainsi que les États augmentent souvent leur étendue par la guerre, ils s'enrichissent ordinairement dans la paix par le commerce ».

Ne nous lassons point de relire et de méditer ces textes, où s'affirme la pensée économique de Richelieu, moins soucieux d'augmenter « l'étendue » de l'État par la guerre que de l'enrichir « dans la paix par le commerce ».

Cette pensée, il l'a suivie à travers toute la littérature économique de son temps. Il n'a pas seulement absorbé celle qui préexistait : il a été, en grande partie, l'animateur de celle qui fut contemporaine de son action. — « Richelieu économiste » : ce paradoxe n'est pas un rêve. Empêcher la R. P. R., dont il respecte la liberté religieuse, d'être un parti, un État dans l'État, d'accord. Empêcher la Noblesse d'être une classe indisciplinée, rebelle et, dans quelques-uns de ses chefs, trahissante, raser les châteaux et trancher les têtes ; empêcher cette Noblesse de se détruire follement soi-même par la sanglante manie des duels, de se ruiner par son oisiveté à l'espagnole, car il n'aime pas plus les *hidalgos* que les gens d'écritoire, enfin lui ouvrir l'accès des charges ; oui. Grouper toutes les forces du royaume, et celles de ses alliés, pour assurer la respiration de la France menacée d'étouffement par la monarchie d'Espagne : oui, encore. Mais aussi calculer ce qu'il faut de cocons et de grèges pour faire battre les métiers de Tours, parer les demeures royales et les siennes — Rueil, Richelieu, le Palais-Cardinal — de tapis de la Savonnerie, enlever à Venise le monopole des grands miroirs, envoyer à Beyrouth, à Smyrne, à Péra les draps du Languedoc, teints chez nous avec nos teintures, nourrir l'Espagne de nos blés et de nos toiles en lui achetant ses fines laines, exporter en Angleterre le *claret* de Bordeaux, le pastel du Lauraguais, le sel de Brouage, fouir la terre de France pour y chercher des métaux,

(1) Le texte de 1688 imprime à tort : « faire faire »

cela encore est pour lui matière politique, et les arachides du
Sénégal et les castors du Saint-Laurent et le tabac de Saint-
Christophe. De la même main, de la même plume dont il signe
la capitulation de La Rochelle, la condamnation de Montmorency et l'alliance avec les Provinces-Unies ou Gustave Adolphe,
ou encore la transformation de la Société de Valentin Conrart
en Académie française, il écrit doctement sur les huiles, le safran,
les cuirs et les cires, les « épiceries », les cotons, galbes et maroquins, les fromages et les légumes, les bonnets comme les satins,
la cochenille et le bois du Brésil, la rhubarbe et le riz, les « cendres
propres à faire du savon ». Voilà tout Richelieu. C'est mutiler
cet esprit que de ne pas le voir.

Non seulement il a lu, ou s'est fait lire, ou résumer les Laffemas et Montchrestien, les cahiers et harangues des États Généraux et parfois provinciaux, les mémoires des villes marchandes
et peut-être même des auteurs étrangers, Anglais, Hollandais,
fait parler des Vénitiens ou, d'aventure, des Espagnols ; non
seulement il a dépouillé, ou demandé à son fidèle Joseph du
Tremblay de dépouiller pour lui l'abondante moisson de faits
concrets recueillis par les missions capucines ou autres ; non
seulement il a fait siennes les réflexions, et parfois les conclusions
et vues d'avenir des Razilly, interrogé un Sublet de Noyers et
un Fouquet ; non seulement il a fait travailler, pour populariser
son programme d'économie nationale, un La Gombadière et un
Renaudot et il inspirera *post mortem*, un Jean Éon de Nantes.
Mais il a, sur ces questions qui sortaient du cadre ordinaire et
déjà classique de la diplomatie de grand style, ordonné à ses
ambassadeurs et ministres à Madrid, à La Haye, à Bruxelles, à
Londres, de le documenter et de lui permettre de documenter,
par des rapports détaillés, les intéressés sur notre commerce
avec les États auprès desquels ces agents étaient accrédités.
Mais, comme il soupçonne, et a parfois raison de soupçonner la
négligence des ambassadeurs en titre devant ces bas problèmes,
il fait compléter et contrôler leurs renseignements par des envoyés
spéciaux. Il envoie un Courmenin à Stamboul, sur les routes de
la Perse, à Copenhague, et jusque dans la lointaine et barbare
Moscovie. Il se renseigne sur Rufisque, sur les Antilles, sur
Madagascar aussi bien que sur le Canada et l'Acadie. Il s'intéresse
au trafic des Indes orientales et même de l'Extrême-Orient. Il
protège un prince abyssin en Égypte et en Terre Sainte, un « Turc »
en pays marocain.

Tel est l'horizon économique de Richelieu. Pour le connaître,
il fait visiter nos côtes par des inspecteurs dont l'enquête porte
sur le commerce autant au moins que sur la marine de guerre.

Il ne craindra pas d'interroger un Sanson Napollon sur la Turquie
et les Barbaresques, un commerçant, puis un fonctionnaire
marseillais sur les Échelles. Il ne se contente pas entre les
révoltes à comprimer et réprimer, les conspirations à découvrir,
étouffer et punir, les négociations à faire aboutir, les batailles à
livrer, à perdre, puis à livrer encore pour en faire des victoires,
de jeter un coup d'œil rapide sur ces questions de doit et avoir :
il les étudie pour se faire une opinion personnelle, parfois contraire
à celle de ses informateurs eux-mêmes. Il n'hésite pas, instruit
par l'expérience et la réflexion, à y substituer des idées nouvelles
et hardies.

Sous ce titre dramatique, *L'Offre de Colbert*, Ernest Lavisse (1)
a, naguère, esquissé cette scène ; Colbert conseillant à Louis XIV
« une grande nouveauté, qui était que la France et le Roi se
proposassent comme la chose essentielle de gagner de l'argent ».
Grande nouveauté ? Déjà un autre ministre avait proposé le même
but à un autre Roi, et Colbert le savait mieux que personne. Lorsqu'il disait : « Il n'y a que l'abondance d'argent dans un État qui
fasse la différence de sa grandeur et de sa puissance », que faisait-il,
sinon répéter cette section VII du chapitre IX du *Testament*
« qui fait voir que l'or et l'argent sont une des principales et plus
nécessaires puissances de l'État » et qu'il mettait « en avant de
rendre puissant le Royaume en ce genre ». Lorsqu'il vantait à
Louis XIV la puissance maritime de l'Espagne succédant à celle
de Venise, la Hollande prenant récemment « le commerce pour
maxime fondamentale de son État » (2) et devenant « le pays
le plus pécunieux de l'Europe », que faisait-il encore, sinon
reprendre cette section V qui traite *de la puissance sur la mer*, et
la phrase de la section VI sur les Hollandais « qui, à proprement parler, ne sont qu'une poignée de gens réduits à un coin
de la Terre où il n'y a que des eaux et des prairies », — Lavisse
parlera, d'après Colbert, « du marécage des bouches du Rhin et
de la Meuse », — ou encore cette affirmation : « la navigation l'a
rendue [cette nation] si célèbre et si puissante par toutes les
parties du monde qu'après s'être rendue maîtresse du commerce
aux Indes orientales au préjudice des Portugais..., elle ne donne
pas peu d'affaires aux Espagnols dans les Indes occidentales » ?...
Et qu'on ne dise pas que le fils du drapier de Reims, en 1660,
ne pouvait connaître le *Testament*, imprimé en 1688. Car, outre
qu'il en avait dû lire le texte dans les papiers du ministère, ces
formules avaient été répétées dans la harangue aux Notables,

(1) *Histoire de France*,   VII, 1, p. 169.
(2) *Ibid.*, p. 170.

dans les préambules des édits de création des Compagnies, dans les documents relatifs à la Surintendance du Commerce.

La seule différence entre la pensée de Colbert et celle de Richelieu, c'est que celui-ci — c'est encore Lavisse qui parle, — se faisait du commerce et du rôle qui y est dévolu aux richesses métalliques cette idée étroite « qu'il n'y a qu'une même quantité d'argent qui roule dans toute l'Europe » et cette autre, quasi enfantine, « que la quantité du commerce est constante et ne peut être accrue », d'où s'ensuivait « qu'on ne peut augmenter l'argent (roulant dans le Royaume) qu'en même temps l'on n'en ôte la même quantité aux États voisins », c'est-à-dire que « le commerce — et ici Colbert dit toute sa pensée — est une guerre d'argent », tandis que pour le cardinal le commerce est créateur de valeurs nouvelles, générateur d'opulence pour tous les peuples, et qu'enfin les États « s'enrichissent ordinairement dans la paix par le commerce ». Au mercantilisme étroit qui sera celui de Colbert, Richelieu avait opposé d'avance un large idéal d'économie nationale. La distance d'un parfait commis à un homme d'État.

Voilà pour sa pensée économique.

II

Cette pensée est déjà de l'action.

Quand il envoie un de ses affidés chercher à Copenhague le chemin qui doit mener d'Ispahan au Havre en passant par Astrakhan et Moscou, cette action apparaît grandiose. Mais c'est surtout en France même que nous le voyons aller de l'ordre de la pensée à l'ordre de l'action.

La création de la Surintendance et l'absorption des Amirautés, la résurrection d'une marine de guerre dont l'une des fonctions est de protéger le commerce, la réfection des ports abandonnés, ruinés, et les travaux entrepris dans des ports nouveaux, à Brouage, à Brest, la réouverture des chantiers du canal de Briare, ce ne sont plus des théories, mais des faits. De toutes les nouveautés promises et ébauchées à l'Assemblée de 1626-27, toutes, hélas ! ne passeront pas dans la pratique, même quand elles seront inscrites dans le Code Michau. La non-dérogeance accordée aux nobles ne réussira guère à les détourner de la fainéantise de cour ou des mesquineries de la petite vie rustique pour les jeter dans le grand commerce. Quant aux nombreux projets de Compagnies élaborés, esquissés même, Morbihan ou Cent Associés, Naulle de Saint-Pierre, etc., beaucoup resteront sur le papier. Le rêve du commerce direct franco-

persan, après les mirages du désert arabe, connaîtra les rigueurs
des steppes russes... L'entreprise canadienne elle-même sera
malchanceuse : guerre avec l'Angleterre et longue occupation de
Québec ; lenteur, dont la faiblesse du prince de l'Église est
partiellement responsable, du peuplement français ; l'établissement de Madagascar à peine ébauché à l'heure où le ministre
va mourir ; les réformes financières, toujours annoncées, toujours
ajournées. — Que d'essais avortés !

Cependant, ce serait exagérer le pessimisme de dire qu'il ne
reste rien de ce long effort. Sans revenir sur l'œuvre proprement
navale, il restera quelque chose de toute cette agitation. Les
dossiers des Compagnies, même de celles qui n'ont pas survécu,
serviront aux successeurs, à Colbert. Les missions capucines et
autres ont créé des rapports nouveaux, autour de la mer Rouge,
en Afrique occidentale. Les Antilles françaises sont nées, les
rapports avec le Maroc ont repris une certaine activité. Si un
établissement à Mogador n'a pas servi de complément symétrique
au Bastion de France, celui-ci a été relevé, et notre commerce
dans les deux États barbaresques de l'Est a repris. Le trafic du
Levant, le favori de Richelieu, a été tiré du marasme. Le commerce intérieur a été régularisé, tandis que des traités de commerce avec les Provinces-Unies, l'Angleterre, le Danemark, ont
donné à notre commerce extérieur plus d'ampleur et moins
d'insécurité.

C'est surtout sur le terrain industriel qu'on peut enregistrer
des résultats positifs : Tours, Lyon et la Savonnerie, l'essor
d'une verrerie autonome, celui de la draperie rouennaise et
languedocienne, les recherches minières qui n'ont pas toutes été
infructueuses, le travail des salines, l'exportation des vins, des
huiles, des toiles, une certaine stabilité monétaire, tout cela doit
figurer à l'actif du bilan (1).

Il y a donc une réelle injustice, il y a la déception de qui
aurait souhaité bien davantage, dans ce jugement sévère que
l'historien canadien H. P. Biggar (2) porte sur l'œuvre économique de Richelieu :

... Ses efforts pour réorganiser l'industrie et le commerce de
son pays montrèrent combien il était déraisonnable de mettre la
direction de telles affaires aux mains d'un homme qui n'en avait
pas une suffisante connaissance. Indifférent à la valeur des faits
et des chiffres, il semble, en ce qui touche le commerce extérieur,

_____

(1) Le vicomte d'Avenel ne voit dans sa politique coloniale que des « idées
fausses », c'est-à-dire non conformes à l'orthodoxie libérale. La politique
anglaise et néerlandaise n'étaient pas différentes.
(2) *Op. cit.*, p. 133.

avoir vécu dans un royaume de pure théorie, où de gigantesques corporations commerciales étaient formées ou dissoutes par un simple trait de sa plume ecclésiastique.

Oui, jugement injuste. Non, Richelieu n'a pas vécu et bâti dans un monde irréel. Non, il n'a pas ignoré, ni méprisé, les faits et les chiffres. Non, il ne faut pas dire qu'il n'avait pas, de ces matières, « une suffisante connaissance ». Sa faute, qu'on ne peut dissimuler, est de n'avoir pas réussi.

III

Pourquoi ?

Comment se fait-il, dira-t-on, que l'action économique de Richelieu n'ait pas eu le succès qu'il en attendait. Il était arrivé au pouvoir avec des idées larges, avec des dons d'observation rares en son temps et dans sa classe, le don de dominer de vastes perspectives. Il s'était entouré de quelques très bons collaborateurs, et il avait organisé un véritable service d'information commerciale. Comment se fait-il que l'histoire économique de son ministère soit jalonnée d'échecs, de projets inexécutés, parfois repris sans jamais aboutir, de Compagnies mortes, d'impôts qui n'ont pas rendu, sans parler des offices détestés, d'institutions odieuses qu'il est obligé de tolérer, voire de fortifier, quoiqu'il les sache mauvaises et ruineuses. Il a vu ce qui faisait la puissance des Hollandais, il a cherché à les imiter, non pas servilement, mais en adaptant leurs créations commerciales aux nécessités et possibilités françaises. Nous ne dirons pas : tout cela, néant. Mais que valent sa Nouvelle-France, même ses îles de l'Amérique, etc., en face des deux Compagnies hollandaises des Indes, l'orientale et l'occidentale, devant l'*East India Company*, la *Levant Company*, la *Muscovy Company* ?

La première explication de son échec, c'est celle que fournissent les tenants de l'économie libérale : il n'a pas eu avec lui, derrière lui, la nation. Il a cru, dans sa volonté impérieuse, pouvoir modifier les lois sans les mœurs, ou les mœurs par les lois. Son « offre » à la France, qui était d'en faire une grande puissance commerciale et industrielle, s'est heurtée à l'apathie, à l'indifférence des Français, à leur goût des petites entreprises, individuelles ou particularistes, taillées à la mesure de leurs goûts, de leur genre de vie, de leurs horizons limités, de leur climat, des Français désireux aussi d'échapper à l'emprise et à la direction de l'État, de faire leurs affaires eux-mêmes, instinctivement dressés contre le gabelou. D'une nation de paysans, de hobereaux attachés à leurs gentilhommières, de bourgeois et de robins qui aspiraient à la propriété rurale et aux titres nobiliaires que la terre confère, d'une nation économe, placeuse d'argent à des taux modérés, mais solides, d'une nation qui était en train de devenir une nation de rentiers, il n'a pu faire des rivaux de ces personnages au manteau noir et au chapeau rond qui, dans la Bourse d'Amsterdam, spéculaient sur les soieries de Chine, les épices des Moluques, les baleines du Spitzberg, les bois du Brésil, les lettres de change des foires baltiques. A « l'offre » du cardinal, la France rétive s'est refusée.

Le marquis du Chillou a voulu faire de ses compagnons de classe une pépinière de grands hommes d'affaires, en même temps qu'un séminaire où se recruteraient les titulaires des charges. Les nobles, malgré les promesses de non-dérogeance, malgré les espoirs d'enrichissement, n'ont pas voulu. Ici, un auteur que nous avons trouvé si souvent superficiel et vague, le vicomte d'Avenel, a bien vu (t. II, p. 5) : « A ne consulter que les documents officiels, la Noblesse paraît demander le droit de faire « le grand trafic », sans déroger, celui d'avoir « part et « entrée au commerce » sans déchoir de son privilège ; mais, à sonder profondément l'opinion, on s'aperçoit que ces vœux étaient simplement émis pour la forme, personne, dans l'aristocratie, n'ayant sérieusement l'intention de profiter de l'autorisation... Plus d'une occasion s'offrit aux gentilshommes de s'intéresser à des entreprises commerciales, de se faire armateurs, colons, industriels ; ils ne s'en soucièrent nullement. »

Occasions perdues... Tout autre est l'état d'esprit des Malouins, semi-armateurs et semi-corsaires, des sucriers de Rouen, des exportateurs de vins, des importateurs de tabac et des négriers de Nantes, de ces Marseillais qui tiennent le commerce de la Berbérie, des Échelles, d'Alep. Ceux-là naviguent et commercent. Mais ils entendent le faire à leur manière, à leurs risques et périls, à leur compte, tout au plus en petites sociétés limitées, et le plus souvent temporaires, dont ils ont l'initiative, le contrôle, la direction, le profit. Le surintendant a beau les flatter, apaiser leurs inquiétudes, ils ne veulent pas être domestiqués.

Mais il est d'autres causes, et plus décisives, de l'insuccès du grand ministre. Il a échoué devant deux obstacles : l'obligation de faire la guerre, et de détestables finances. Sa politique commerciale, qui commande sa politique industrielle, est une politique de paix, de libre circulation sur la mer libre. C'est une politique maritime, inspirée par cette grande et profonde pensée, née de la géographie même de notre pays, que la France est assise sur

deux mers, Ponant et Levant, appelée de toute éternité à une
vocation océanique et méditerranéenne. L'histoire, contre cet
appel de la mer, a condamné la France de Richelieu à être une
nation continentale, presque une nation d'Europe centrale, à
soudoyer des armées, puis à envoyer ses fils vers les Allemagnes
les pays du Nord, les Alpes italiennes, à lutter contre l'encerclement, contre la menace d'asphyxie. Marseille, Toulon, Bayonne,
Bordeaux, Brouage, La Rochelle — si un malentendu tragique
n'avait ruiné la ville de la Lanterne, — Brest, Saint-Malo, Le
Havre et Rouen, et Honfleur et Dieppe auraient dû absorber le
plus clair de nos forces. Mais il faut combattre pour Amiens, et
même pour Corbie, pour Arras, Nancy, Brisach, — cela fait
sept ans jusqu'à la mort du ministre : — c'est une lutte sans
merci, de tous les jours.

Cette lutte absorbe des sommes énormes. Subsides aux
gouvernements et aux généraux alliés, puis armement des
armées de la France, nourriture et fourrages, coulage, pillage des
fournisseurs, — parfois un maréchal de France comme Marillac, — autres pillages, par l'ennemi, dans les régions dévastées,
Picardie, Bourgogne...

Et, pour subvenir à ces dépenses colossales, impossibles à
régler, un trésor vide, ou du moins un tonneau sans fond, où les
contribuables, trop peu nombreux et lourdement écrasés, versent
un or dont une petite part seulement prend le chemin de l'Épargne
royale. Il est diminué par les privilèges et les exemptions, tant
il est facile, avec un parchemin de fraîche date ou un léger
frottis de latin, de sortir de la classe taillable et corvéable pour
vivre noblement, c'est-à-dire sans payer. Puis « l'argent du prince
est sujet à la pince », victime des financiers, fermiers, traitants,
partisans et courtisans. Là encore, de longues années de paix
eussent été nécessaires pour opérer une réforme profonde. Depuis
le temps où le Roi de la Renaissance, le jeune géant Gargantua,
était né en criant : « A boire ! », la monarchie a besoin d'argent,
toujours davantage, à tout prix, en consentant tous les rabais, en
tolérant tous les désordres, en fermant les yeux sur toutes les
voleries, en implorant les voleurs pour qu'ils veuillent bien remplir
les caisses. Richelieu n'avait rien de ce qu'il fallait, et ses meilleurs surintendants des Finances pas davantage pour rompre avec
ces errements. Il n'avait rien d'un bon comptable, capable de
substituer à cette anarchie, à cette recherche désespérée des
expédients une administration méticuleuse, ordonnée, prévoyante.

Viendra, sous Louis XIV majeur, ce bon comptable, bon
commis, appliqué, soigneux, sans génie. Sur bien des points, il
sera inférieur à Richelieu. Il n'aura ni son imagination puissante,

ni ses vues larges, ni sa capacité de repenser, après avoir absorbé, les problèmes qui paraissent usés. Sur bien des points, par exemple sur le commerce du Levant, il marquera une régression, une réaction par rapport à Richelieu. Dans le domaine des idées économiques, c'est Richelieu qui est le grand homme, celui qui a de l'avenir dans l'esprit. Mais le fils de commerçants oppose aux éminentes qualités du fils de hobereaux et du prince de l'Église l'exactitude. Et voilà pourquoi, malgré la supériorité de ce qu'il convient d'appeler son génie, le cardinal a laissé une œuvre inachevée, et qui devra être reprise, souvent avec moins de vigueur et d'intelligence, par Jean-Baptiste Colbert.

TABLE DES MATIÈRES

AUTORISATION N° 20.637

1944. — Imprimerie des Presses Universitaires de France. — Vendôme (France
C.O.L. 31.0455

ÉDIT. N° 20.621   IMP. N° 10.093